S0-ADC-826

RODOLFO MORALES

EL SEÑOR DE LOS SUEÑOS

MARTHA MABEY

RODOLFO MORALES
EL SEÑOR DE LOS SUEÑOS

RODOLFO MORALES
El señor de los sueños

D.R. © 2000 por Hoja Casa Editorial, S.A. de C.V.
Av. Cuauhtémoc núm. 1430
Sta. Cruz Atoyac 03310
Benito Juárez, México, D.F.
PRIMERA EDICIÓN, 2000

ISBN 968-6565-28-0

HECHO EN MÉXICO

A Gordon,
que compartió conmigo
las aventuras en Oaxaca.

Índice

Agradecimientos

Este libro no sería una realidad sin la ayuda de tres mujeres mexicanas extraordinarias, cada una de las cuales ha llegado a ser mi amiga.

Evelyn Carlton, talentosa música, actriz y traductora, sirvió como mi intérprete durante dieciocho meses de entrevistas semanales con Rodolfo Morales. Su sensibilidad, aguda percepción y oportunas observaciones, la hicieron la mediadora ideal en la íntima amistad que se desarrolló entre nosotros a final de cuentas. Evelyn fue muy escrupulosa al traducir exactamente mis preguntas, a veces ignorantes, y las respuestas de múltiples niveles de comprensión de Rodolfo. Por haber sido parte integral de todo este proceso extraordinario, le debo más de lo que pueda expresar.

Nancy Mayagoitia, corredora de arte de Rodolfo, y su amiga en Oaxaca, compartió las historias del pintor conmigo, así como su perspectiva de la vida y de su trabajo. No sólo expresó su profundo afecto y amor por él, sino también me hizo partícipe de un cúmulo de detalles importantes que nadie más conocía. También me presentó a algunas de las personas más importantes en la vida de Rodolfo, en particular a sus viejos amigos, Geles Cabrera y Humberto Urban, así como a su primera corredora de arte, Estela Shapiro. El sentido del humor de Nancy, su visión práctica de todo lo sucedido, y su aprecio por el arte y por los artistas, me impresionaron enormemente.

Flor de María Ruiz, la primera directora de la Fundación Rodolfo Morales, me proporcionó artículos, fotografías y libros que eran cruciales para contar la historia profesional de Rodolfo. Además, tradujo al inglés varias páginas cuyo texto no habría entendido en español. También me acompañó en varias de las visitas que hice a los pueblos cercanos a Oaxaca, fungiendo como intérprete en numerosas ocasiones. En muchos aspectos, Flor se convirtió en mi voz, cuando tenía necesidades que excedían la tarea de escribir este libro.

Otras personas me dieron su tiempo y compartieron conmigo sus experiencias y sus anécdotas de la vida de Rodolfo. Estoy en deuda, en especial con Geles Cabrera y con Humberto Urban, artistas de la Ciudad de México y amigos de Rodolfo que lo han querido profundamente durante más de cuarenta años. Sus recuerdos de los años anteriores a que se convirtiera en un pintor famoso, dieron una dimensión a este libro que no hubiera sido posible sin su entusiasta colaboración.

Las detalladas revelaciones de Estela Shapiro acerca de la década en la que fue corredora de arte de Rodolfo en la capital de la República me proporcionaron una visión extraordinaria del mundo del arte mexicano de fines de los años 70 y de los 80, así como de la iniciación de Rodolfo en él. La aguda visión de Estela me fue particularmente útil, así como su descripción del talento del artista como ella lo veía, mucho antes de que fuera reconocido por otros.

En la ciudad de Oaxaca, Esteban San Juan, el arquitecto de las preservaciones históricas de Rodolfo, me mostró otra faceta del artista. El entusiasmo de Esteban por lo que hace fue contagioso. Dora Luz Martínez, socia de *Arte de Oaxaca*, me ayudó a entender muchas cosas acerca de esa fabulosa ciudad y su medio artístico. El hermano de Rodolfo, Javier Morales, junto con su esposa Guillermina, me hablaron largamente de la infancia del pintor. (Javier sufrió un repentino ataque cardiaco y murió antes de que este libro se publicara.)

Muchas personas más hablaron conmigo de Rodolfo y de su obra. Me es imposible agradecer a cada una por su nombre, pero lo hago a través de estas páginas. Sus historias, recuerdos y opiniones me ayudaron a darle forma a este libro. Gracias en especial a Consuelo Sáizar, mi editora en la Ciudad de México, quien creyó en este proyecto y dijo: "El momento es perfecto para un libro sobre Rodolfo Morales".

Por último, yo me hago responsable por la forma en que están entretejidas todas estas historias. Aunque he tratado de ser lo más exacta posible, podrá haber errores e interpretaciones con las que muchos lectores no estén de acuerdo. Rodolfo Morales es un hombre extraordinario. Me he empeñado en presentar esta historia de manera tal que el lector conozca y aprecie al artista y a su obra, y que pueda entender mejor a México viéndolo a través de los ojos y el corazón del maestro.

Prólogo

por Andrés Oppenheimer

Lo confieso de entrada, cosa de que mi entusiasmo no parezca desmedido: Rodolfo Morales es el artista mexicano contemporáneo que más me apasiona. De lejos. Los enamorados del *avant garde* podrán discrepar e incluirme en su larga lista de tradicionalistas que se han "quedado" en el arte figurativo. Sin embargo, sin desmerecer la obra de otros, creo que Morales será el artista de fines del siglo XX y comienzos del siglo XXI que pasará a la historia como el pintor por excelencia del alma de México. Ningún artista viviente ha logrado transmitir en sus lienzos la esencia de México como este oaxaqueño tímido, introvertido, de mirada esquiva y hablar monosilábico.

¿Qué es lo que tanto fascina de Morales a tantos amantes de su obra, mexicanos y extranjeros? No es lo obvio. No es el paisaje costumbrista de su natal Ocotlán, ni sus iglesias, ni sus perritos callejeros, ni las banderitas mexicanas que flamean desde las cúpulas de sus edificios, ni las novias voladoras que suelen atravesar sus lienzos como cometas que cruzan el universo. Eso son apenas artilugios de colores que sirven para atraer nuestra atención, retenerla en el lienzo y envolvernos en el mágico mundo de su pintura.

Lo que más atrae de la obra de Morales es lo que hay detrás de ese paisaje aparentemente fácil de pueblo pequeño: ese mundo espiritual, lleno de soledad, tristeza y esperanza, de miradas vacías o clavadas en algún lugar del horizonte que trasuntan sus cuadros. Como en las obras del estadounidense Edward Hopper, la magia de Morales consiste en atraernos a sus pinturas con la belleza de sus formas y colores, pero sólo para atrapar nuestra mirada, acaparar nuestra atención y transmitirnos un estado de ánimo muchas veces contrario a la facil alegría que uno podría sospechar a primera vista. Los colores de Morales son fuertes, contundentes y alegres, pero basta ver la mirada de sus personajes, las sombras de sus casas y los espíritus que merodean en sus cielos y en sus subsuelos para advertir que el mundo del pintor tiene una gran dosis de desamparo. Los miedos, los recuerdos y la nostalgia están siempre presentes en el universo de su pequeño pueblos.

¿Por qué digo que Morales pinta un mundo espiritual? Porque una de las constantes en sus obras es que, en su mundo, lo importante son las ánimas que pululan en lo alto y en lo bajo, que nos miran desde el cielo y el infierno, en una atmósfera en la que el tiempo parece haberse detenido por completo. En sus lienzos, los personajes del más allá son mucho más importantes que los que habitan entre nosotros.

Hace algún tiempo, sentado durante casi una hora frente al monumental cuadro de Morales en la sala de espera de la residencia presidencial de Los Pinos mientras me hacían esperar para una entrevista, descubrí una de las claves en los cuadros del artista. Muchos están divididos en tres franjas horizontales — el cielo, la tierra y el subsuelo — y casi siempre lo más imporante ocurre arriba y abajo, en el cielo y el infierno. Los protagonistas de sus obras son ángeles, fantasmas, muertos que vienen del pasado o que nos visitan del futuro, que salen de las paredes y de las puertas de las casas oaxaqueñas y nos miran desde el cielo o desde abajo de la tierra. En cambio, lo que ocurre en la franja intermedia —el mundo en que vivimos— es circunstancial y pasajero. Hasta en el trazo de su pintura, Morales pone mucho más empeño en los personajes que habitan sus alturas y subsuelos, que en los que viven en el mundo terrenal.

¿Qué es lo que hace de Rodolfo Morales un artista tan intrínsecamente mexicano? Como nos dice Martha Mabey en este libro, no sólo su obra, sino también su vida.

En su obra, rescata la magia del pueblo pequeño de Mexico, de la que ya ha escrito con su habitual maestría Carlos Monsiváis. El pequeño pueblo de Morales, dice Monsiváis, es a la vez "cerrado, previsible, variado en su monotonía, alegre y triste a horas fijas, espectacular en sus silencios, diáfano y ruin, infernal y risueño, seco, fiestero, hosco, comunicado de casa en casa al son de los pensamientos más íntimos, aislado del mundo, prejuicioso, dicharachero".

El crítico neoyorquino Edward Sullivan, otro admirador de Morales, señala que el artista oaxaqueño "recalca sus vínculos con México en numerosas imágenes. Pinta con mucha recurrencia la bandera mexicana y entreteje sutilmente los colores verde, blanco y rojo en numerosos lienzos. Aun elementos como las alas de un ángel se transforman en la representación de la bandera patria". Sin embargo, agrega Sullivan, "esto no es simplemente un acto de patriotismo del artista. Con base en esos colores subraya su sentimiento de unidad con el paisaje mexicano, el pueblo mexicano y la esencia de sus nexos con su lugar de nacimiento". Pero concluye que la mexicanidad en la pintura de Morales "difiere por completo de la de artistas como Diego Rivera y otros de su época, quienes ofrecían al espectador vastos panoramas de la historia y su interpretación esencialmente nacionalista de las tradiciones mexicanas". El pintor expresa su mexicanidad en "la luz y el color oaxaqueños" y "la leyenda y la realidad" de su país, afirma el crítico.

Quizá Sullivan se haya quedado corto. Morales no sólo expresa la mexicanidad con sus colores y sus temas, sino con las sensaciones que éstos despiertan: detrás de los colores alegres siempre está la melancolía; detrás de los temas festivos, siempre está la tristeza. Así como en las fiestas mexicanas la alegría nunca se encuentra demasiado lejos del llanto, en la obra de Morales no puede separarse el júbilo de la desdicha. Más que el paisaje de México, Rodolfo Morales pinta el alma de México.

Como nos relata Mabey en esta biografía, Morales ha dedicado no sólo su obra, sino su vida, a preservar los valores mexicanos. Después de dar el salto — tarde en la vida — de oscuro profesor de dibujo durante tres décadas a uno de los grandes de la pintura mexicana contemporánea, creó una fundación dedicada a la restauracion de iglesias del siglo XVI en Oaxaca, a la que dedica gran parte de su tiempo y casi todo su dinero.

Aunque muchos artistas de fama internacional crean fundaciones, la mayoría para evadir impuestos, la de Morales es en serio. Un hombre solo, sin familiares cercanos, en cierto sentido golpeado por la vida, al menos en sus comienzos, se ha convertido en el gran benefactor de la arquitectura de Oaxaca. En pocos años, ha hecho lo que ni el gobierno ni la iglesia lograron en muchas décadas. Y eso, sin contar el taller de computación que la Fundación Morales ha instalado en Ocotlán, gracias al cual miles de niños del pueblo han podido tener su primer contacto con la Internet.

¿Como nació esta biografía? Fue una obra de amor, en el mejor sentido de la palabra, dice Mabey. La escritora, ex directora de colegio privado, con un doctorado en Administración Educativa de la Universidad de Illinois, dejó de enseñar para dedicarse de lleno al arte. Primero abrió una galería en Richmond, Virginia. Luego la vendió a sus socios y empezó a escribir críticas de arte para el periódico *Richmond Times Dispatch*. Hace algunos años viajó por primera vez a Oaxaca, entrevistó a Morales para un artículo para el *Richmond Times*, y quedó fascinada con su obra.

"Su pintura me llegó al corazón", explica Mabey quien, con la ayuda de una intérprete, Evelyn Carlton, le escribió una carta a Morales preguntando si accedería a ser entrevistado más en profundidad para una biografía suya. El pintor dijo que sí. Durante dos años, de enero de 1998 a fines de 1999, Mabey vivió varios periodos de hasta cuatro meses seguidos en Oaxaca, en los que entrevistó a Morales unas cuatro veces por semana. Las sesiones fueron grabadas, traducidas al inglés por Carlton y transcritas por Mabey en su computadora.

"La tarea no fue fácil porque Rodolfo no habla en forma lineal, sino que salta de un periodo a otro", dice la autora. "Pero, gradualmente, los capítulos se fueron delineando. Cuando había lagunas, volvíamos Evelyn y yo con él para hacerle preguntas específicas. Este proceso duró como dos años, aunque la mayor parte de las entrevistas se hicieron durante el primer año".

El resultado de esa labor es la biografía más completa de Morales, en la que uno de los artistas menos habladores de Mexico habló —probablemente a regañadientes— sobre política, sobre su vida privada y sobre muchos otros temas a los que pocas veces se había referido en forma pública. Después de leer estas páginas, uno no puede dejar de ser tocado por la magia de Morales y de su mundo, ese México que, como su pueblo natal, descubre e inventa en cada una de sus obras.

1. El mercado y la mujer desnuda

Cuando el premio Nobel de Literatura Pablo Neruda escribió: "Toda clase de magia está siempre apareciendo y reapareciendo en México", pudo haberse referido a un lugar en particular: Oaxaca, el estado más indígena en un país en el que el término "surrealismo" se queda corto y lo insólito es un hecho cotidiano. A la sombra de las montañas y de los vestigios prehispánicos de una civilización avanzada, Oaxaca es un lugar en el que los más prestigiados artistas e intelectuales hablan del mito y la magia en sus vidas y su trabajo con tanta naturalidad, como el más pobre de sus vecinos indígenas. Mencionen el nombre de este lugar a aquellos que han quedado subyugados por su magia y la respuesta invariablemente será: "Ahh, Oaxaca...", con una sonrisa de complicidad.

Las tallas en piedra de los pueblos que habitaron el valle de Oaxaca cientos de años antes de la llegada de los españoles retratan la figura humana enmarcada por el cielo y la tierra. Lo inmemorial de estos dos distintos territorios ha tenido un efecto profundo en los artistas, tanto de la antigüedad como de nuestros días.

Quienes han visitado la región también describen la sensación de estar suspendidos entre la tierra y el cielo. Sin embargo, es el revestimiento de magia y misterio lo que hace a Oaxaca tan diferente del resto del país.

México mismo es bastante difícil de explicar. Incluso el brillante novelista Carlos Fuentes ha dicho que cuando era niño, él pensaba que México era un lugar que su padre había inventado para divertirlo. Y, en tanto algunos habitantes son los primeros en decir que ellos mismos no alcanzan a entender lo que realmente significa ser mexicano, todos están de acuerdo en que el suyo es un país de contrastes y contradicciones, de violencia y una gentil belleza.

La combinación de dos razas complejas —la indígena y la europea— agobia y bendice a su población mestiza con una personalidad vigorosa y contradictoria. Intentar preservar la riqueza cultural de su pasado indígena mientras se lanzan audazmente al siglo XXI sólo aumenta esta ambivalencia.

No es casualidad que Rodolfo Morales, el tema de este libro, viva y trabaje en Oaxaca. Su casa ha sido siempre el valle rodeado de montañas en donde indios, españoles y civilización moderna se mezclan más o menos en armonía. Dos grandes culturas —la mixteca y la zapoteca— alguna vez florecieron en la extensión de las montañas con paisajes que no se comparan con ningún otro lugar en el mundo. Durante el día, el claro cielo oaxaqueño, embellecido con la surrealista precisión de una pintura de Magritte —por un puñado de nubes inmóviles—, está tan matizado de luz del sol que parece translúcido. Los atardeceres de anaranjado rojizo y rojo purpúreo reflejan los colores de la buganvilla que trepa por las paredes de la más enjuta choza de adobe. Como vetas de oro, agudas pinceladas de amarillo parecen perforar las nubes, proyectando una imagen casi inversa de los campos de flor de cempasúchil que se encuentran abajo de ellas.

Morales mismo dice:

> En Oaxaca estamos aún en muchos sentidos en el mundo primitivo, porque hemos vivido aislados mucho tiempo. Aunque mucha gente visita el estado ahora, convirtiéndolo en uno de los centros más importantes del arte contemporáneo mexicano, la mayoría de los visitantes empezaron a venir por su interés en la cultura indígena. Éste es un mundo indígena, café como la tierra, y tan inexplicable como las plantas y las flores que parecen brotar de la nada durante la temporada de lluvias.

En él, el sentido del tiempo es también misterioso. Los sucesos no ocurren con una continuidad lógica; por una combinación de razones, nada en Oaxaca es lineal. Las razones son el aislamiento del resto del país en el que estuvo durante años, su enorme población indígena que carece del sentido occidental del tiempo, y la magia que hay en el aire que ahí se respira.

Justo cuando uno piensa que ha empezado a entender lo que ha visto o lo que le han dicho respecto a la vida en Oaxaca, vislumbra otra dimensión y se ve forzado a cuestionar sus percepciones acerca de la gente y los acontecimientos. Nada parece pasar directamente de una cosa a otra. Esperando descubrir lo que ocurrió en realidad, nos encontramos donde nunca nos propusimos estar, escuchando historias de personas y lugares de los que nunca había oído antes, durante un tiempo que pudo haber precedido al suceso original por décadas… o siglos. O que tal vez ni siquiera ha sucedido.

Así me sentía yo al iniciar la tarea de entender al hombre que está considerado uno de los artistas más importantes de México. Cuando empezamos a reunirnos en enero de 1998, Rodolfo Morales, que entonces tenía setenta y tantos años, me pareció un hombre extraordinariamente joven, a quien el reconocimiento y la fama internacionales le llegaron apenas en los últimos años de su vida.

Al igual que el país que lo vio nacer, Rodolfo está lleno de contrastes y contradicciones, en ocasiones revelados por sus ojos. A la mitad de una de sus historias, mira hacia un lado, como si viera algo demasiado privado para compartirlo o muy personal para expresarlo verbalmente. Lo he observado dar vueltas en silencio por una habitación, como si quisiera ser invisible, y luego caminar por las calles empedradas con la energía de un adolescente. Se levanta a las cinco de la mañana, pinta todos los días en los estudios que tiene en dos ciudades, encuentra fuerza para trabajar en una carpeta de litografías por la noche, o comparte una charla con sus amigos en su café favorito.

Psicológicamente, este artista pertenece al mundo imaginario y misterioso que ha creado en sus pinturas. Su pincel expresa emociones que no ha sido capaz de poner en palabras; su pintura y sus *collages* capturan el ambiente y el estado de ánimo de una localidad donde no se considera inusual que la realidad cambie y los acontecimientos se deslicen sutilmente. Las pinturas multidimensionales y emocionalmente evocadoras que este tímido y gentil pintor ha creado durante varias décadas parecen reflejar el hecho de que en Oaxaca ni la experiencia ni la imaginación están ligadas forzosamente a las restricciones de la lógica.

Pero ésta es sólo una explicación parcial de la atracción enigmática y casi espiritual tanto de esa región, como del trabajo de Rodolfo Morales. En un nivel puramente material, éste es un santo moderno que da su dinero para alimentar el alma de su gente. Desde hace algunos años, ha reconstruido en silencio iglesias barrocas de los siglos XVI y XVII en su estado, con el dinero percibido de la venta de sus obras. Como único restaurador de una parte invaluable de la historia mexicana, está preservando la propia esencia de su país para la gente que hace ya sesenta años alguna vez lo llamó "el tonto del pueblo".

Las imágenes de mujeres aladas con una estela de velos blancos sobre un pueblo imaginario pintado al óleo le han aportado millones de dólares para establecer su propia fundación cultural. ¿Su objetivo? Restaurar casi una docena de magníficos templos diseñados por los dominicos y construidos por los conversos, cuya religión indígena fue destruida. Las mujeres voladoras de los pueblos pintados por Morales están pagando el salario de un buen número de trabajadores, artesanos, indios y mestizos, que limpian frescos invaluables, reparan pinturas de santos, rehacen pisos de mármol y cúpulas y cubren ángeles bautismales con hoja de oro.

Las iglesias restauradas por él le sobrevivirán durante cientos de años y atraerán visitantes de todo el mundo al valle de Oaxaca. Sin embargo, Morales será recordado por algo más significativo. Este tranquilo personaje que nunca imaginó que alguno de sus cuadros colgaría en una galería de arte, menos aun que crearía un movimiento artístico sobre la faz de su país entero, ha tocado el inconsciente colectivo de su gente. Auténtico en su visión interior, y a pesar de años de rechazos y humillaciones, ha revelado al mundo el alma de su país a través de su trabajo. Y esta alma es femenina. Ningún otro artista plástico compatriota suyo, entre los muchos que han luchado por definir con su obra lo que significa "ser mexicano" ha logrado esto: ni Diego Rivera ni Frida Kahlo, ese par indomable tan familiar para los estadounidenses.

Lo que hace más significativo el arte de Morales es que nunca se propuso este objetivo ni ve su obra desde tan importante perspectiva. A partir de que su pintura se exhibió por primera vez en 1975, ha afirmado que él pinta exclusivamente para sí mismo; para expresar los sentimientos y las pasiones de lo que vio y experimentó en su niñez. Al contar los sucesos de su vida, utiliza el arte de un narrador en su estilo único y particular. No hay en realidad un principio o un fin de las experiencias que le han afectado profundamente, ni de la forma en que las describe. Su vida no ha seguido un camino lineal, como todo lo que tiene lugar en Oaxaca.

Cual si fueran un mosaico de las iglesias que restaura, las anécdotas de su niñez, recordadas con intensidad, se desdoblan en un patrón impredecible y deshilvanado. Alguna imagen que le impresionó de niño, resurge fácilmente décadas después con otra imagen provocada por un viaje a algún lugar distante del mundo.

Ésta también es la forma en que Morales pinta. Empieza con una imagen en la tela: posiblemente las montañas en el fondo o el largo perfil de una figura en primer plano. Sin seguir un plan determinado, agrega portales con diseños arquitectónicos complejos; figuras voladoras; instrumentos musicales; perros; trenes; iglesias; flores, quizá algún aeroplano y siempre manos en lugares prominentes. Pero, el elemento más importante: Rodolfo Morales pinta mujeres.

Y, al igual que sus antecesores prehispánicos, que en sus tallas de piedra enmarcaron la figura humana entre el cielo y la tierra, él sitúa a sus mujeres pintadas en la misma posición. Estela Shapiro, su primera corredora de arte en la Ciudad de México, subraya que al examinar su trabajo se pueden ver los "dos distintos territorios" de que hablamos: cielo y tierra en el mismo espacio, y las mujeres que los unen.

Todo indica que Morales pinta figuras femeninas debido a que la espiral de sorpresas que dieron forma a su vida invariablemente ha involucrado a mujeres. Sin embargo, el lugar ocupado por éstas, las mujeres de su niñez, es más psicológico que literal y establece el escenario para la forma en que lo ha descrito a lo largo de su carrera. De alguna manera, hace años se abrió una puerta en la mente de un niño para que el alma de su país pudiera nutrirse en la oscuridad hasta que llegara el tiempo de manifestarlo a través de su expresión artística. Su obra comenzó a ser reconocida recientemente por su poderoso retrato de algo antiguo y familiar que el corazón —y no la mente— guarda para sí.

El camino de Rodolfo se inició el 8 de mayo de 1925, en Ocotlán, un lugar en el que "la vida se desarrollaba con una sensación agobiante de aburrida calma". En náhuatl, Ocotlán significa lugar de ocotes (el ocote es una madera resinosa que aún se usa para encender carbón). A unos treinta kilómetros de la ciudad de Oaxaca, capital del estado, en 1925 Ocotlán tenía unos cuatro mil habitantes. La descripción de Rodolfo de su pueblo hace eco del sentimiento de otro pintor latinoamericano nacido casi el mismo año, y quien irónicamente comparte con Rodolfo el mismo apellido, el nicaragüense Armando Morales:

> ...una ciudad pequeña... completamente surrealista, con una estación de trenes del siglo XIX que no cesa de perseguirme. Hay en ella una... inercia... una inmovilidad. Una pasividad totalmente anacrónica.

Es cierto. Cuando Rodolfo era niño había una rutina predecible en Ocotlán. La gente se levantaba cuando sonaban las campanas de la iglesia al alba, hacía su trabajo, rezaba el rosario, iba a misa y se acostaba al caer la noche. Era una existencia tranquilizante después de los diez o doce años de caos que siguieron a la Revolución. Aburrido o no, lo predecible da siempre la sensación de que se tiene todo bajo control. Según Rodolfo, sólo una boda, una fiesta o un asesinato, aparte del viernes, día del mercado, generaban suficiente revuelo como para despabilar a todos.

Esta inercia y pasividad —y ciertamente el sentido de lo surreal— que siguen caracterizando a gran parte del México rural de nuestros días, continúan estimulando los impulsos creativos de poetas, novelistas, dramaturgos y artistas visuales. "Tal vez —dice Rodolfo— se deba al comportamiento de sus pobladores, que parecen moverse como si les hubieran asignado un papel en un drama que se repite a sí mismo semana tras semana y año tras año." Esa contradicción de términos —inercia dramática— parece estar hecha a la medida para un sinfín de pueblos pequeños en todo el mundo, cuyo reparto de personajes persigue las almas de aquellos que, como el pintor, se rebelan contra ellos y los usan como base para sus efectos más creativos.

Pese a que sus detractores dijeron que nunca lograría nada, Rodolfo cambió lo ordinario de su pueblo para siempre. Lo logró con una cantidad prodigiosa de trabajo, todo aparentemente con el mismo tema: las reflexiones de su niñez representadas por mujeres. Algunas tocan instrumentos musicales frente a iglesias pintadas sobre paredes de adobe, mientras los perros toman una siesta a sus pies. Otras derraman flores por las puntas de sus dedos, mientras atrás los trenes ascienden por las montañas. Sus figuras femeninas aladas toman tequila en una mesa de la cocina con mosaicos de domos de iglesia que centellean a la luz del sol a través de la ventana trasera. Hay mujeres que sostienen el pueblo entero en sus brazos. Fueron pintadas como una expresión de percepciones demasiado personales de su creador para ser puestas en palabras. Son su voz y forman la espina dorsal de un colorido vocabulario artístico cuyos principales elementos son la muerte, la soledad y la afirmación apasionada de la vida.

En mayor profundidad, este estereotipo de mujeres, con alas o sin ellas, llena el espacio espiritual creado cuando el dios masculino de los conquistadores españoles separó a los pueblos de México de lo que era sagrado en su universo. Aunque la cristiandad española pareció reemplazar a los dioses nativos, los pueblos indígenas han reverenciado siempre íconos femeninos ancestrales. Desafiando las políticas patriarcales de los límites establecidos en el "Nuevo Mundo", el alma femenina de México se agitó con dolor y se implantó en lo más profundo de la mente de su gente. Mirando con fijeza afuera del dominio exclusivo de su pueblo imaginario, las mujeres de Morales parecen saber esto. Nadie que las mire en verdad se atrevería a usurparles su lugar.

Debido a su obcecada determinación de hacer este tipo de arte que en un principio no le agradaba a nadie más que a sí mismo, Rodolfo le ha asegurado un lugar a su pequeño pueblo mexicano entre la selecta lista de otros sitios soñolientos, ahora inolvidables gracias al retrato de un artista. Y lo logró a pesar de que durante años lo llamaron "un tonto" que no sabía pintar, que no podía hacer nada con las manos y no tenía futuro.

Setenta años después de su nacimiento, Rodolfo tenía la casa más grande del pueblo, discutía restauraciones de templos del siglo XVI con un ex presidente de Estados Unidos y le mostraba sus pinturas a Rockefeller, el director general retirado de uno de los bancos más prestigiados de Norteamérica.

Las imágenes llenas de emoción y de vida en un pueblo que él creó con pintura, permitieron al tonto del pueblo experimentar una metamorfosis para convertirse en el Maestro. Y lo más sorprendente es que ahora que es un hombre rico, con una fundación cultural que lleva su nombre, está dedicado a preservar a la Madre Iglesia a través de la labor de los descendientes de los indígenas convertidos que cuatrocientos años antes construyeron el homenaje dominico a Dios.

Cuando empecé a grabar las historias que Rodolfo me contaba de su vida, las consideré anécdotas interesantes que añadían color y drama a una existencia de más de siete décadas. Pensé que sus historias de la niñez explicarían cómo se transformó de un niño tímido que no parecía capaz de lograr nada, en el hombre que todo mundo quiere ver. Paso a paso me di cuenta de que las historias eran mucho más que reminiscencias de una época que ya no existía. Son en realidad destellos únicos en un camino en el cual el espíritu creativo de un hombre se ha podido convertir en algo mucho más grande que él mismo.

Las historias comenzaron en 1935, en el más "mexicano" de los lugares: el mercado indígena de Ocotlán. En un ambiente rico y sensual, hirviendo de gente, olores y sabores, el mercado le recuerda que él era un niño con sangre indígena. El hecho de que esta historia involucre a una mujer —la primera mujer desnuda que vio— nos prepara para sus historias subsecuentes y nos ayuda a reconocer su comprensión única del espíritu femenino.

Los ojos de Rodolfo se iluminaron y rió suavemente al comenzar la historia. Sin embargo, había una cierta tensión en la risa por la etiqueta que la gente del pueblo le colgara: "el idiota del pueblo, tan tímido que se esconde en la iglesia; el niño torpe que nunca va a lograr nada; el tonto". No importa cuán importante llegue a ser un hombre, el dolor de las humillaciones y los malos tratos recibidos podrá suavizarse, pero nunca eliminarse por completo.

Y él nunca olvidó. La visión de la mujer en el mercado fue una de las muchas experiencias que dieron forma a sus recuerdos de una niñez sensual, rica en colores, imágenes y olores, pero casi abrumadora por las emociones evocadas. Porque son los sentimientos asociados a esos recuerdos los que Rodolfo ha expresado desde la primera vez que abrió un tubo de óleo y empezó a crear en la tela el pueblo de Ocotlán de acuerdo con la imagen que tenía de él.

Aunque la historia que cuenta acerca de la mujer desnuda ocurrió dos décadas después de la Revolución, en muchos aspectos la vida no era tan diferente de lo que había sido cuando Emiliano Zapata intentó reclamar la tierra en el sur de México para los indios, desatando un "nacionalismo cargado de inconsistencias y contradicciones". En los años inmediatos al nacimiento de Rodolfo en Ocotlán no había escuelas, ni carreteras, ni vacunas o doctores. "En la farmacia", nos cuenta, "uno tenía que llevar su propio frasco muy bien lavado para que el boticario le preparara la medicina."

Durante estos años posrevolucionarios ocurrió la más vívida experiencia en la existencia del artista.

Con Revolución o sin ella, durante más generaciones de lo que cualquiera pudiera recordar, los indios habían bajado cada viernes a Ocotlán desde sus pequeños pueblos en las montañas para comprar, regatear, hacer trueque, murmurar y algunas veces exhibir alguna pieza de cerámica tan cuidadosamente hecha o una blusa tan exquisitamente bordada que la envidia, más que el comercio, era lo que estaba a la orden del día. Uno de los más grandes e importantes del estado de Oaxaca, el mercado de Ocotlán resultaba ser un lugar de una sensualidad casi abrumadora para Rodolfo. Siendo un niño tímido y muy introvertido, que rara vez hablaba o jugaba con otros, disfrutaba enormemente de lo que acontecía cada viernes en el pueblo.

Como un laberinto, el mercado serpenteaba en un espacio enorme entre la iglesia, el municipio y el zócalo o plaza principal. Unas secciones se destinaban para frutas frescas y verduras, otras para cadáveres colgantes, montones de ropa, hileras de sombreros de palma, montañas de trastos de barro, y lo que daba la impresión de ser hectáreas de flores. Éstas, en especial, dejaron una impresión permanente en Rodolfo. Cuando empezó a pintar casi veinte años después, se esforzó por capturar las imágenes que conservaba de las flores traídas por los indios vendedores al mercado. Y cuando sus pinturas empezaron a incluir flores que caían del cielo o salían de las manos de una mujer para enmarcar una arcada alrededor de la plaza del pueblo, reconoció que había logrado algo importante.

La gente siempre llegaba temprano a prepararse para el mercado. Al mediodía el sol golpeaba como tambor la espalda de vendedores y compradores por igual, pero las horas del crepúsculo eran casi siempre frías. Los vendedores de pollos vivos, pan recién horneado, cerámica verde, negra o de barro rojo, cinturones y machetes hechos a mano, sombreros de palma, ropa y chiles —siempre chiles—, vestía con chamarras de cuero y suéteres.

Las mujeres indígenas llegaban a negociar en el mercado, bajaban la montaña montadas en burro, a cuyos flancos colgaban sendos canastos tejidos de carrizo. Uno era para cargar las compras de lo necesario para la semana. En el otro se llevaba al bebé. El esposo caminaba atrás del burro, arreándolo con una varita para asegurarse de que la bestia no se detuviera con demasiada frecuencia. Con paso firme, se abrían paso entre la gente, bajando las escaleras del templo de Santo Domingo, construido más de cuatrocientos años atrás por los frailes dominicos. Los indios tenían que encontrar un lugar para atar a los burros que acarreaban las semillas especiales que los españoles maceraban para hacer el aceite medicinal que curaría toda clase de males misteriosos. Los que llegaban temprano podían rentar un lugar atrás de la casa cercana, que ocupaba una manzana entera y donde el padre de Rodolfo, Ángel Morales, alquiló un cuarto para vivir con su esposa Rufina López y sus tres hijos José, Javier y Rodolfo, el más pequeño.

También llegaban en tren los vendedores del pueblo de San Antonino, a diez kilómetros de distancia, cargados de cebolla, tomate y especias. (Los aguacates tendrían aún que esperar para estar de moda.) Dos vagones llevaban a los pasajeros que, ansiosos de llegar a instalar sus puestos en el mercado, conversaban. Aunque amontonados, se sentían a gusto con esa cercanía de los demás que ayuda a formar la personalidad y el carácter del mexicano.

Los vagones adicionales del tren estaban llenos de variados productos. Las verduras de las pequeñas hortalizas de San Antonino eran particularmente brillantes y jugosas. Casi sesenta años después, los dueños de estas hortalizas serían objeto de tal prejuicio racial, que Rodolfo Morales —quien a lo largo de su vida se ha jactado de no ser político ni religioso— haría lo impensable y se pronunciaría públicamente a favor de los hortelanos indígenas.

Aunque en 1935 no había carreteras, sino sólo caminos polvorientos, los trenes unían a diario a gran número de poblados en todo México. Una cortesía de Porfirio Díaz, el dictador que procuró modernizar a su país durante su presidencia de 1876 a 1910. El tren había llevado mercaderes y mercancías a Ocotlán desde principios de siglo, en una ruta planeada por los ingleses y tendida por los indios.

A la gente de Ocotlán le gustaba ir a la estación a ver la llegada y la salida del tren. Esto iluminaba un poco la tediosa monotonía de sus vidas. El día más popular para ello era el domingo, cuando no había que trabajar y tenían tiempo de hacer algo más que ir a misa. Pero el viernes el interés por el tren era suplantado por el del mercado, con sus olores a chocolate y especias, a tortillas recién echadas al comal, a humeantes tamales envueltos en hoja de plátano o de maíz, o a la miel y el azúcar negra que cubrían los panes. En aquellos días no había papel para envoltura y las compras se ponían en enormes hojas de plantas diversas que el comprador guardaba en su canasta del mandado.

Rodolfo recuerda a una vieja que enrollaba cigarros a mano y los vendía en pequeños manojos atados a la mitad con un ixtle de maguey. Había mucho que explorar en el mercado: enormes ramos de flores moradas, rojas y anaranjadas se fusionaban con los olores de la comida como formando un fondo fragante para el piar de los pollos, los gritos de los vendedores anunciando sus mercancías, el ladrido de los perros y las risas de los niños.

Regatear por un pollo o una cazuela de barro en ese mercado en 1935 no era únicamente cosa de hacer un buen negocio. Era una manera importante de comunicación. En los mercados de todo México es aún una forma de relacionarse con gente que uno ve sólo una vez a la semana. Es el momento de socializar, de conversar con los amigos, de intercambiar historias. Rehusarse a regatear es una grosería para la marchanta que ya está lista para decir por qué hay que comprarle a ella el kilo de tomates o cebollas y no a su vecina de junto, cuyo hijo le envenenó al perro o le corteja a la hija.

Años después, ya como adulto viajero del mundo, Rodolfo compararía los aromas que hacían agua la boca, la intensa paleta de colores, la cacofonía de los sonidos y la actividad frenética de Ocotlán en viernes, con la riqueza del mercado árabe. Estas reuniones escandalosas y festivas de la gente en regiones del mundo que no han sido arrasadas por los supermercados, los empaques plásticos y la comida rápida, continúan fascinando a los que los observan desde lugares más tranquilos y esterilizados. No es casualidad que los viajeros sigan llegando en bandadas a los lugares exóticos en los que todavía existen los mercados.

Con los portales al fondo, a lo largo de la orilla del mercado, la mujer desnuda de la historia de Rodolfo apareció moviéndose suavemente, como en un sueño. Despuntaba la luz del día; no eran más de las seis de una fría mañana. Había sólo unas cuantas personas. Al principio todos estaban tan ocupados, que no la vieron; no hacía nada en particular que pudiera llamar la atención. Se encontraba en las afueras del mercado, donde las sombras de Santo Domingo, el convento que alguna vez fuera habitado por monjes, podían ocultarla, por lo que habría sido fácil no verla.

Rodolfo sabía que se llamaba Artemia y que tenía un don para hacer vasijas de barro. Pero, aparte de la noción generalizada de que estaba "loca", nunca supo por qué andaba por las calles desnuda. Como un niño tímido que crecía en un lugar ordinario y casi aburrido, típico de los pueblos chicos en México en donde "nada sucedía", nunca preguntó por qué. No se acostumbraba pedir explicaciones a lo inexplicable. Las experiencias de la vida se aceptaban sin cuestionarse, así fueran extrañas, difíciles o llenas de alegría. La Iglesia se había ocupado de eso. Si era la voluntad de Dios que una mujer desnuda anduviera por el mercado en una preciosa mañana de viernes y que su cuerpo fuera visto por todos en el pueblo, uno se encogía de hombros, miraba bien y se olvidaba del asunto.

Rodolfo recuerda que había muchos perros ladrando. Cuando vio a la mujer, ésta se encontraba en la esquina de la plaza, cerca de una estacada de la época de la Colonia donde cientos de años atrás se castigaba en público a la gente que desobedecía a la Iglesia. Pudo haber estado sonámbula o drogada, aunque en esa época las únicas drogas que se usaban eran las que se mezclaban para remedios en los pueblos más remotos.

La piel de Artemia era más clara que la de las mujeres indígenas de los pueblos cercanos. Era mestiza y, al parecer por su estatura, con más antecedentes españoles que indios. Rodolfo recuerda su estatura: era alta y delgada, a diferencia de las mujeres del mercado, bajitas y de cuerpos macizos. Aunque muchos de los pobladores de los cerros que rodean Ocotlán fueran descendientes de las noblezas mixteca y zapoteca, constructoras de los centros ceremoniales de Mitla y Monte Albán, cientos de años de duro trabajo en terrenos agrestes forjaron una población distinta, fuerte y de complexión ancha, de piernas macizas y caras tostadas por el sol.

Pero la mujer que andaba a la orilla del mercado no tenía nada que la distinguiera, excepto su desnudez.

En ese entonces, cuando Rodolfo no era más que un niño, la mayor parte de la población indígena no hablaba español, sino sus propias lenguas y dialectos. Quizá existía un centenar de ellos; hasta nuestros días hay desacuerdo en cuanto al número de lenguas que se hablan en el estado de Oaxaca. Sin embargo, no se requiere de un lenguaje común para describir a una mujer desnuda.

Cuando la vio, la gente empezó a cuchichear en suaves sonidos tonales, como un canto que sugiere algún origen oriental más que el español derivado de las lenguas romances de los conquistadores. Las mujeres, alarmadas, se miraban, deseando no ver lo que estaba frente a ellas. Luego se observaban los pies, avergonzadas e inseguras de lo que debían hacer. Pero eran las mujeres, no los hombres, quienes sabían que había que hacer algo. Ellos se limitaban a mirar con fijeza.

Tal vez lo que miraban eran los senos de la mujer, que se balanceaban de lado a lado mientras caminaba de manera aturdida, como en trance. La única banqueta del pueblo, construida a principios del siglo XX con concreto importado de Bélgica, bordeaba la plaza. La mujer encontró la forma de andar sólo por la banqueta, como si inconscientemente supiera que en su original paseo necesitaba evitar el polvo y el lodo de las calles sin pavimentar.

Aunque apenas tenía diez años y vivía en un espacio reducido con sus hermanos y sus padres, Rodolfo nunca había visto a su madre en paños menores. Ella siempre vestía de negro: atuendo negro, medias negras, aun su chal era de ese color. Como una mujer decorosa de Ocotlán, maestra de escuela y esposa de un carpintero trabajador, nunca mostró su cuerpo delante de sus hijos. En la vivienda de un solo cuarto, Rufina se desvestía en la oscuridad. La lámpara de petróleo que se usaba para iluminar su pequeño hogar se encendía sólo en ocasiones especiales. Su esposo era el único que sabía lo que había bajo los vestidos negros de mangas largas o cómo se veían sus piernas cuando se quitaba las medias negras y las doblaba para el día siguiente. Y la mayor parte del tiempo, Ángel no estaba en casa. Estaba ocupado en su taller… Ya fuera por trabajo o porque así lo prefería; nadie dijo nunca por qué.

Una vez que se corrió la voz, Rodolfo, al igual que todos, corrió a ver a la mujer desnuda. Por la cercanía de su casa con el mercado, seguramente fue uno de los primeros en enterarse de la noticia. Cuando sucedía algo inesperado que rompiera la monotonía, nadie quería quedarse atrás. Todo Ocotlán se transformó en público, incluidos los niños.

¡Esto sí que era una novedad!

Rodolfo se detuvo abruptamente a la mitad de la calle a mirar. Quizá la mujer no le pareció bella en la forma en que su madre y sus tías lo eran, metidas en sus capullos negros. Tiempo después, cada vez que le preguntaban por qué siempre pinta mujeres, pero nunca desnudas, respondería: "Las mujeres son más bellas cuando están vestidas y adornadas. Son los cuerpos de los hombres los que son más hermosos cuando están desnudos". Posiblemente por esto no es extraño que pinte siempre a sus mujeres vestidas. El encuentro con una mujer desnuda caminando hacia él, loca, borracha o sonámbula en el más público de los lugares, no es la mejor manera de iniciar a un menor sensible en los secretos del sexo femenino.

Precisamente por ser quien era —un niño reservado y silencioso que vivía una vida interior compartida sólo con sus perros—, debe de haberse fijado muy bien en ella. Debe de haber visto los senos de Artemia y el ángulo de sus caderas, el triángulo negro de pelo púbico, los músculos correosos de sus muslos, el ligero abultamiento de su vientre. Pero no fue su sensualidad, ni siquiera su apariencia física, lo que le causó la mayor impresión. Fue algo más: un gesto artístico lleno de ternura, vergüenza, compasión femenina y pena.

Mientras la miraba, las mujeres del mercado que habían visto a Artemia se desataron los mandiles y corrieron a cubrirle el cuerpo desnudo con ellos, con esa actitud que es símbolo de domesticidad y servicio. Sus mandiles podrían haber sido alas multicolores y ellas, pájaros o mariposas bajando de todas partes sobre una flor. Es posible que la imagen de estas mujeres haya ayudado a crear el patrón de las mujeres voladoras, las mujeres con alas, los ángeles de Rodolfo que flotan en su pueblo imaginario de Ocotlán, derramando flores o lanzando listones azules de persona a persona y de edificio a edificio.

Él recuerda la imagen de las mujeres del mercado que cubrían a Artemia con los mandiles, no su cuerpo ni su cara; más bien, la agitación de sus manos y las telas que descendían de todas partes para cubrir su desnudez. Actos de compasión y comprensión, escudando lo vulnerable de las miradas del opresor. O quizá la protegían de la vergüenza y la violencia, real o imaginada. De todos modos, lo artístico de la acción, conectado a lo artístico de la imagen en su memoria, hicieron del acontecimiento algo casi poético cuando lo contó.

Años después, de visita en Italia, Rodolfo vio en Florencia una pintura de Botticelli: *El nacimiento de Venus*, considerada por muchos como su obra maestra. En ella aparece la diosa mitológica como la imagen central, en tanto que una de sus asistentes se inclina hacia adelante con un manto bordado para cubrir su desnudez. El ondulante manto —descrito por un historiador como "preparado para su protección"— está adornado con flores.

Al verla, Rodolfo recordó a Artemia y a las mujeres tratando de cubrirla con sus mandiles. Era típico de él hacer este tipo de relación de ideas. Toda su vida habría de relacionar una creación artística con otra, en una especie de síntesis muy peculiar. Si bien habla a menudo de escritores, arquitectos y cineastas, Botticelli es uno de los pocos pintores inmortales a los que Rodolfo menciona con el mismo tono que usa para su trabajo o sus recuerdos de la infancia. Al italiano se le ha señalado como un artista cuya forma de sentir es delicadamente femenina y que pintó con gentileza y caridad. Puesto que Rodolfo y su obra pueden describirse de manera similar, es lógico que se sienta relacionado con el *El nacimiento de Venus*.

Rodolfo Morales desvía la mirada cuando habla con extraños. Las palabras parecen agredirlo, hasta las que son para alabarlo —especialmente éstas—, y le llegan cada vez con mayor frecuencia conforme más fama adquiere. En su mundo interior, busca protegerse de las miradas y las palabras de aquellos que desean saberlo todo acerca de él, de aquellos que quieren ver su desnudez.

Su interés en las figuras estilizadas es evidente en las novias que aparecen una y otra vez en su trabajo, mirando por las ventanas, de pie en las puertas, flotando sobre las torres de las iglesias. Se han hecho tan familiares como la Venus de hace quinientos años que nació del mar. Siempre presentes, sus mujeres sugieren una madurez futura, con posibilidades tan fragantes y tan frágiles como las flores que derraman sobre el pueblo que cobijan, protegiéndolo en sus brazos.

Al igual que estas figuras, algunas otras acciones se repiten en la obra de Rodolfo. Las mujeres que tocan instrumentos musicales; los trenes que avanzan por las montañas; las manos y los pies sin cuerpo, o las manos de mujeres morenas que sostienen las casas de adobe del pueblo, son como hilos que se conectan una y otra vez en su mente hasta dar forma a una obra de tapicería visual, ilimitada por tiempo o espacio. Tan familiares son los diseños en esta tapicería, que cuando ve una imagen o una acción similar en una película, una obra de teatro o una pintura de otro artista, nuestro pintor responde a ello emocionalmente.

No es tanto que recree literalmente la imagen o acción en sus pinturas. Más bien, una acción o actividad en particular genera un sentimiento de pasión o dolor que lo motiva a pintar. Para él la realidad es lo que vio o lo que sintió, sin importar cuál haya sido la realidad "objetiva". Aunque asegura que nunca planea un lienzo con anticipación, y que simplemente empieza a plasmar un sentimiento, siempre dibuja sobre una experiencia tangible para producir la esencia de lo que quiere comunicar. Cualquier acción podría despertar compasión, belleza o un temor subyacente a una violación en potencia. Por ejemplo, cuando se le preguntó si ha pintado la escena de la mujer desnuda a quien cubrieron los mandiles de sus congéneres del mercado, sonrió con timidez, negó con la cabeza y dijo suavemente: "No, sólo el sentimiento".

Sin embargo, las mujeres con mandiles llenan muchos de sus cuadros: tocando instrumentos musicales, flotando como pájaros sobre los mosaicos geométricos de la plaza del pueblo, sentadas en las ventanas, bailando en el mercado o llorando a sus muertos. Algunas veces los mandiles están bordados de flores, como el manto que usa la mujer que cubre a Venus en el cuadro de Botticelli. Otras veces son lisos y repetitivos y los llevan puestos figuras uniformadas, alineadas como esperando poder servir. Los mandiles también adornan a mujeres aladas con tacones y carteras como si fueran a una fiesta. Las mujeres de mandil escarban la tierra atrás de árboles mágicos, bajo las ramas llenas de flores. Listones azules o velos blancos transparentes las unen como vírgenes vestales que se ocupan de atender a alguna deidad invisible. O posiblemente sean novias que, como muchos han sugerido, no necesitan al novio; novicias en espera de ser iniciadas en los secretos de lo femenino. Y, ¿qué podría ser más representativo de la feminidad que la diosa Venus? ¿Será la mujer que vio caminando desnuda otra dimensión de la diosa femenina en su forma no seductora? Frente a la sexualidad rapaz de algunos de los más flamantes contemporáneos de Rodolfo hay cierto sentido irónico del humor al comentar que las mujeres que él pinta no son ni eróticas ni hermosas, en el sentido común de la palabra.

Pero, ¿por qué mujeres?

Sus espectadores, coleccionistas, admiradores, entrevistadores y detractores, insisten siempre en hablar de las mujeres.

Cierto, han sido ellas, en todas sus formas, las que más han influido en su vida, desde su madre y sus tías hasta la amiga que promovió su primera exposición y sus dos corredoras de arte. Las pocas veces que los hombres juegan un papel en sus anécdotas o en su arte, casi siempre están relacionados con hechos violentos, con la muerte, la humillación y el ridículo, el autoritarismo y la burocracia. Las figuras masculinas que muy poco se encuentran en sus pinturas son siniestras, formas oscuras ocultas en las sombras o muertas, flotando sin vida alejándose de la tierra. El hombre que se ha ganado el título respetuoso de "Maestro" podrá decir que los cuerpos de los hombres son más bellos cuando están desnudos, pero casi nunca los pinta así.

La explicación obvia de la presencia de las mujeres en sus pinturas está ahí mismo: en sus respuestas en las entrevistas, en los ensayos sobre hechos de su vida, en las monografías que acompañan las exposiciones de su trabajo. Dicen lo que Rodolfo ha expresado muchas veces: que la mayor influencia en su vida fueron siempre las mujeres: su madre, en particular, y sus tías. Ellas, fuertes e independientes, son el simbolismo del nacimiento de la diosa que algunas veces debe ser cubierta y protegida, y al mismo tiempo admirada. No duda en resaltar que cada vez que se ha abierto una puerta importante y significativa en su vida, ha sido gracias a una mujer.

Cuando se le pregunta sobre otras imágenes en su trabajo, Morales sonríe, se encoge de hombros y mira hacia un lado, como si visualizara un lugar que sólo él puede ver. Sin duda es un lugar lleno de recuerdos de mujeres, imágenes de las vidas que llevaron aquellas que lo rodearon y recuerdos de las que ha inventado en los cientos de pinturas de su pueblo. Así como preserva a la Madre Iglesia a través de sus restauraciones de templos del siglo XVI, sus pinturas de las mujeres de Ocotlán son intentos de asegurarse de que el pasado espiritual y emocional de su país no se olvide nunca.

Este pasado espiritual es, con mucho, más extenso que la Iglesia o la política, ambas controladas por el sexo masculino. Si oficialmente la Iglesia ha suprimido la cara femenina del pasado espiritual de México, extraoficialmente ha permitido que la imagen de Dios evolucione en una amante Madre Virgen que entiende y se identifica con las necesidades de su gente. Es casi imposible hablar de México y su historia sin hacer referencia a la Virgen de Guadalupe, y a una poderosa manifestación de la fertilidad indígena o diosa del maíz, Tonantzin, representada con vestiduras indígenas.

A diferencia de Tonantzin, cuyo papel era dar fertilidad a la tierra, Guadalupe se convirtió en el refugio de las desafortunadas víctimas de la opresión y la violencia. Puesto que el poder masculino y sus atributos concurrentes de opresión y sumisión son evidentes en cada aspecto de la sociedad mexicana, las mujeres que llenan los lienzos, murales, gráfica y collages de Rodolfo proveen un equilibrio con el machismo de su país. Son como la Virgen en todas sus manifestaciones: más antiguas que Tonantzin y más contemporáneas que Guadalupe. Aunque parecen pertenecer a un periodo identificado como el México antiguo, son en realidad misteriosas e intemporales.

Las mujeres de Rodolfo Morales están omnipresentes en un mundo imaginario carente de hombres. Más grandes que la vida, dominan la plaza del pueblo, llenan ventanas y puertas con sus cuerpos impasibles y sostienen pueblos enteros entre los brazos, al tiempo que perros del pueblo les hacen compañía en sus quehaceres musicales. Gentiles y fuertes, miran desde las pinturas con una tranquila confianza que es infinitamente más fuerte que los políticos, las armas, las revoluciones y los hombres que usan la fuerza o el poder para controlar a otros. Son enormemente diferentes de los temas folklóricos de propaganda de los grandes muralistas o del cuasi narcisismo de los autorretratos de Frida Kahlo. Representan el alma misma de México, como si hubieran sido retratadas por un niño de diez años que cuando vio por primera vez a una mujer desnuda, lo hizo en el preciso lugar donde la gente de todas las razas y antecedentes se reúnen con un propósito común: el mercado.

Rodolfo ha imbuido a Ocotlán —un pueblo del que nadie había oído hablar— de una calidad espiritual de vida; lo ha magnificado. Ahora está embrujado con las memorias de todos los que fueron atraídos por su soledad y sus festividades, su riqueza y su escasez, sus colores y sus sombras. Ocotlán es "real" en el mismo sentido en que tantas cosas en México, que no existen en un nivel concreto, lo son. Es, como su creador, a final de cuentas, un misterio que nunca podrá ser penetrado.

Aunque no podemos hacer sino mirar por la rendija hacia otra realidad que la obra de Rodolfo ha abierto, siempre tenemos como opción ver de cerca a su pueblo y la familia en la cual nació unos cuantos años después de la Revolución. Podemos ver la tierra fértil en la que el más rico, más hermoso y más sensual de los pueblos de su imaginación cobró vida.

2. Si Dios nos hizo pobres...

Para bien o para mal, cada pueblo de México parece tener una reputación especial, debido a las características personales y al talento de sus residentes. Así sucede en Oaxaca. Teotitlán del Valle es un pueblo de tejedores. San Bartolo Coyotepec es la cuna del barro negro. Arrazola y San Martín Tilcajete son comunidades pequeñas, llenas de familias cuyos animales de madera, pintados con colores vivos y brillantes, les han traído cierto grado de bienestar económico. En cada caso, las destrezas individuales o de familias enteras han dado pie a una bien ganada reputación local o a la identidad de todo un pueblo.

Pero, en algunas ocasiones, a un pueblo se le identifica tan sólo por la personalidad de la gente que ha vivido ahí durante generaciones. Uno puede ser caracterizado como "sospechoso", "reticente", o "lleno de ladrones", y cada acción de sus moradores se explica o se descarta por el simple hecho de haber nacido ahí. Los habitantes de otro pueblo a unos cuantos kilómetros de distancia pueden distinguirse por su amistosa palmada en la espalda a manera de saludo, su manera abierta de ser, la belleza majestuosa y la habilidad para los negocios de sus mujeres, o el trabajo incansable de sus hombres.

Ocotlán no es la excepción. Considerado un pueblo "sin gracia y sin gente importante", era un lugar tranquilo donde "no ocurría nada", hasta que el artista empezó a darle una nueva identidad. Un pueblo de gente seria, poco expresiva, un tanto morosa y reservada, que se caracteriza por su falta de disposición o de habilidad para desafiar o cuestionar su suerte en la vida. Los padres de Rodolfo eran de Ocotlán y es natural que tuvieran algunos de estos atributos, mismos que, a su vez, tuvieron un profundo efecto en la personalidad del más joven de sus hijos.

Ángel Morales y Rufina López se casaron a la edad de treinta años. En el mundo indígena, la mujer se casaba joven, algunas veces con un hombre de su edad, pero muy a menudo con uno varios años mayor que ella. Según Rodolfo, no se casaron por razones románticas como el amor, sino porque "era lo que había que hacer". En muchos lugares del México rural de principios del siglo xx, algunas cosas (como el matrimonio) nada más "se hacían". Como se trataba de un pueblo chico, podemos suponer que Ángel y Rufina se conocían desde la infancia (ella y una de las hermanas de él eran muy amigas) y es probable que hayan decidido casarse porque no apareció otra persona que fuera más deseable.

En algunos casos, cuando al principio están ausentes la pasión o el romance, la pareja llega a enamorarse con el paso de los años. Pero parece que los padres de Rodolfo hicieron sólo los ajustes necesarios y nada más. Cuando se le pregunta por el tipo de relación que tenían, el pintor dice: "Se llevaban bien". Cómo se llevaban bien, es un tema que no está dispuesto a discutir. "Bien, bien", dice, moviendo la mano con rechazo, y cambia el tema. En múltiples entrevistas, su descripción de Ángel Morales nunca ha variado:

> Era un hombre callado, no muy simpático, un individuo gris a quien nada, o casi nada, le importaba. Nuestra relación era distante, no muy afectuosa; nunca tuve tiempo de aprender a quererlo.

Se iba a trabajar y eso era todo. Era casi como si tuviera dos casas. Su padre siempre estaba en el taller de carpintería, no muy lejos del inmueble donde la familia rentaba su cuarto. Lo que nunca se ha mencionado es que Ángel era muy religioso y no se preocupaba por aprender como Rufina y, sin embargo, era "más educado que muchos hombres" en su nativo Ocotlán. Aunque sabía leer y escribir, parece haber tenido poco interés en cualquier cosa. "Era muy callado; exactamente como Rodolfo", me dijo el hermano de éste, Javier Morales.

Según el artista, Ángel nunca comentó que su hijo menor logró un triunfo al acudir a la prestigiosa Academia de San Carlos en la Ciudad de México y llegar a ser maestro en una de las mejores escuelas públicas. Como era torpe con las manos y no le era útil al padre en su carpintería, no parecía tener mucho futuro. "Me veían como a un niño raro", dice; "tal vez hasta como el idiota del pueblo." Es inexplicable por qué su padre no demostró, por lo menos, algún sentimiento de alivio con los sorprendentes logros de su hijo. Pudo haber sido porque no tenía ningún interés en él, o porque quizá el hombre culto en que se convirtió era por completo incomprensible para él.

Este hombre pagó la indiferencia de su padre no en especie, sino con bondad, ya que lo mantuvo hasta el día de su muerte con el dinero que ganaba como maestro.

Si bien Rodolfo afirma que la familia de su padre era probablemente la más interesante, no se sabe casi nada de los antecedentes de Ángel Morales. Después de casarse con Rufina, ayudó a construir los techos de madera de las minas de oro y plata en pueblos cercanos como San Martín Tilcajete.

También hacía féretros. Su hijo mediano, Javier, describe que se usaban en ellos las más finas maderas de la región y se decoraban de acuerdo con la posición social del difunto. Javier y José, su hermano mayor, iban a menudo al taller de su padre. Debido a lo que el primero describe como "una situación económica difícil para la familia", sólo este último aprendió a ser carpintero, en tanto que él se dedicó a trabajar en otra cosa.

Ángel tenía muchas hermanas, dos de las cuales se casaron con hombres adinerados de la ciudad de Oaxaca. Los dos esposos eran dueños de farmacias y llegaron a ser tan ricos y "notables" que sus esposas apenas tenían tiempo de reconocer a sus parientes pobres que vivían aún en Ocotlán. Cuanto más alto subían las hermanas en su posición social, más se apegaban a ciertas exigencias sociales. Rodolfo, con su característico rechazo a tales cosas, comenta: "Tenían muchos prejuicios". Por ejemplo, después de las ocho de la noche, la casa se cerraba y nadie podía salir para mezclarse con el resto del pueblo. La rigidez de estas tías contrasta dramáticamente con el carácter abierto y el deseo de aprender de la hermana de Rufina, Petrona, quien continuó viviendo en Ocotlán y ayudó con la crianza de Rodolfo.

Dos fotografías conservadas por la familia muestran a una de las hermanas de Ángel. En la primera foto está posando con Rufina, quien, juzgando por la fecha de 1907 inscrita en la parte de atrás, debe de haber tenido como unos quince años. Ambas lucían vestidos blancos largos, de mangas abombadas y faldas plegadas, la moda europea del momento. Tenían el cabello arreglado de forma idéntica: con raya en medio y recogido hacia arriba. Su pose era la de dos amigas que se conocen íntimamente: Rufina estaba sentada, mientras que la hermana de Ángel se encontraba de pie, con la mano en el hombro de aquélla. Aun en la fotografía de hace noventa años, las oscuras facciones de Isaura y sus dramáticos ojos son marcadamente más indígenas que los de Rufina, de cara redonda, piel clara y ojos grandes.

En la segunda fotografía, la hermana de Ángel ya es una mujer madura, parada sola al frente de lo que parece ser una casa próspera. Atrás de ella hay plantas y árboles, un patio de piedra y un corredor de columnas anchas. Lleva el traje tradicional de las bellas mujeres de Tehuantepec, con el olán almidonado a la orilla de la falda bordada y porta el huipil. Lleva el cabello recogido en un moño y adornado con listones. Sobre ésta Rodolfo dijo: "Se vistió así nada más para la foto". Sin embargo, otras personas familiarizadas con las costumbres de esa época dicen que una mujer nunca se vestiría con el traje tradicional de una zona a menos que estuviera orgullosa de su sangre indígena o que participara en una festividad importante de su cultura. (El estilo con que Frida Kahlo portaba la ropa indígena habría de causar un gran impacto en la moda.) De ser eso cierto, parecería que los antecedentes de Ángel Morales son más indígenas de lo que Rodolfo ha dicho cuando nos cuenta que ambas familias eran mestizas.

El padre de Ángel, quien murió a los noventa años, era panadero. "También estaba loco", dice Rodolfo. "Siempre inventaba cosas para ver si sus hijas venían a verlo. Iba todos los días a la estación del tren y esperaba que una de ellas llegara a visitarlo." (Muy raras veces lo hacían.) Una vez el abuelo caminó los treinta kilómetros a la capital de estado. "Un día de éstos va a ir caminando a la Ciudad de México", decía la gente del pueblo.

Rodolfo cambia cuando habla de su madre. Rufina, una mujer de carácter firme, era la mayor de cinco hijos que se quedaron huérfanos a muy temprana edad. Javier Morales dice que ella nació en Ocotlán, pero la familia llegó de un lugar cercano a Guadalajara, posiblemente a trabajar en las minas de oro y plata que había en la región.

Los hermanos de Rufina salieron del pueblo tan pronto tuvieron la edad suficiente para probar suerte por su cuenta, y nunca volvió a verlos. Rodolfo dice que su madre siempre hablaba de sus hermanos que se fueron al istmo (la costa sur del istmo de Tehuantepec) y nunca volvieron. Tuvo también dos hermanas a quienes él no conoció. La otra era la tía que vivió con la familia durante algún tiempo y que ayudó a criarlo. En su madurez, la única persona de su familia con quien Rufina tuvo contacto fue esta hermana, Petrona.

Según Rodolfo, las madres malcrían a sus hijos y contribuyen a sus inseguridades, a tal punto que son forzados a hacer gala del machismo que él tanto desprecia: "En México uno nunca olvida la imagen de su madre, no importa si se es hombre o mujer". Rufina es la persona más importante en su vida, algo que reconoce en cada artículo o historia que se ha escrito sobre él.

La sensibilidad de nuestro artista para ver la relación con su madre como algo más amplio y más profundo que una simple "influencia" indica una sofisticación y un conocimiento de sí mismo ausentes en la mayoría de la gente. Parece dispuesto a hablar de ciertos aspectos dolorosos y personales de su vida; sin embargo, lo hace con ese estilo reservado y cauteloso que forma parte de su compleja personalidad. Una cosa es reconocer que fuimos formados indeleblemente por el intenso apego a uno de nuestros padres, y otra es revelar cómo nos sentimos por tal devoción. Las declaraciones del pintor son reveladoras por su falta de pasión. Al preguntársele en dónde se encuentran sus sentimientos, su respuesta es por demás enigmática. "En la soledad", nos dice, "y en la pintura."

La soledad prevaleció durante los meses que pasamos juntos hablando de sus historias de la niñez, de sus experiencias con su familia, de la conciencia de sí mismo como adulto y, en especial, de su arte. Sin embargo, es necesario decir que estos sentimientos de desapego del mundo no son únicos en él. Octavio Paz, en *El laberinto de la soledad*, su clásico relato del carácter del mexicano, explica la soledad mejor que nadie:

> La soledad es el más profundo hecho de la condición humana. Todos los hombres en algún momento de sus vidas se sienten solos. Y lo están. Vivir es separarnos de lo que éramos para poder acercarnos a lo que vamos a ser en el futuro misterioso.

En el caso de Rodolfo, la relación con sus padres —sobre todo con su madre— estaba tan ligada a la pérdida, que parece haber experimentado soledad mucho más temprano y con más intensidad que la mayoría de la gente. Aunado a la precoz conciencia de que era diferente y deseando algo que no sabía nombrar por su falta de experiencia, su sufrimiento se agrandó por su inteligencia excepcional. Al crear su propio mundo a través de su pintura, encontró un camino por el laberinto del sufrimiento, la separación y la pérdida. Su futuro misterioso habría de estar lleno de éxito, reconocimiento y respeto, más allá de lo que pudo haber imaginado.

Una noche tocó el tema de los complejos maternos y la naturaleza maternal de su país:

> La imagen paterna no tiene mucho que ver con la formación del carácter de un hijo o una hija; quien realmente importa es la madre, no el padre. Cuando un varón termina una carrera universitaria, es gracias a los esfuerzos de ella, no de él.

No obstante, su madre nunca alentó su educación escolar ni sus aspiraciones profesionales. Es más, sintió temor cuando el éxito estaba al alcance de su mano, en especial, el éxito económico. El rompecabezas que es Rodolfo Morales contiene muchos elementos disparejos. La madre que moldeó su carácter e inspiró su naturaleza creativa, podría también tratar de disuadirlo cuando las aspiraciones de su hijo iban más allá de su comprensión. Esto ejemplifica las contradicciones en su personalidad, su vida y su arte. Entender a Rodolfo y a su obra es mucho más sencillo si aceptamos estos contrastes por lo que son y no imponemos nuestro propio juicio sobre lo que es lógico, sensible o correcto.

Es raro que el amor que buscamos cuando niños llegue en la forma que queremos. Y él, un niño excepcionalmente tímido, "torpe en juegos de niños", con un padre distante y ocupado y una madre preocupada, pudo haber tenido una necesidad más grande de expresiones exteriores de amor que otros niños menos sensibles. Nos dice:

> Me daba miedo la opinión de la gente del pueblo… y terminé creyendo en la imagen que tenían de mí. Ni siquiera quería mirarme al espejo, así que no recuerdo cómo me veía de niño.

Insistí en preguntarle por la gente que lo quería y respondió:

> En mis primeros años en Ocotlán sentía que nadie me quería. Le contaba mis secretos solamente a mis perros. Pero cuando se murió mi perra preferida, la borré de mi memoria como si nunca hubiera existido. Así es como funcionan las cosas conmigo. Mis separaciones son radicales, sin resentimientos. Yo creo que lo que se acaba, se va para siempre.

Esta especie de determinación lo protege del dolor que causa una pérdida o una separación.

Javier piensa que la sensación de que nadie lo quería cuando era niño puede deberse a que Rodolfo era más inteligente que cualquier otro chico de su edad. Aun sus juegos siempre eran diferentes de los de otros niños: eran solitarios, enfocados a sus creaciones personales. Cuando se sentía muy solo, se escondía debajo de la mesa, desde donde veía los zapatos de todos los que pasaban por ahí.

Le pregunté si se había enamorado de alguien cuando era joven. El pintor rió por lo bajo y me contestó de una manera que sin duda eludía la pregunta: "No, no, de los perros, posiblemente". Luego se puso serio y agregó:

> No creo en el amor. Yo hago lo que me gusta. Pero no es lo mismo que hacer lo que hago por amor. La palabra *amor* no significa nada. No está bien necesitar a alguien en tu vida para poder ser tú mismo. Aprendí muy joven a ser yo mismo. Si me hubiera casado y formado una familia, no habría podido serlo. Pienso que el matrimonio habría sido para mí como un pase a la mediocridad.

Proclamar la falta de convicción en algo tan profundo como el amor puede ser su manera de defenderse del dolor que causa la falta de lo que uno más quiere y necesita. Al hablar del afecto que le tiene tanta gente ahora, respondió: "Cuando crecí, cambió mi perspectiva. Ahora siento que hay mucha gente que me quiere".

Es una ironía maravillosa que haya seguido queriendo a aquellos de quienes sintió un gran rechazo. La recreación en lienzo y pintura con tanto amor del pueblo que le tuvo tan poca confianza es una ofrenda de proporciones enormes. Devolver la maldad con amor representa un acto de perdón y humildad. Ha expresado no sólo lo profundo de sus sentimientos de niño, sino su amor y gratitud por todo lo que le era significativo en esa niñez silenciosa. Si los cientos de imágenes creadas por él intentan mostrar aprecio por lo que fue bello en su infancia, también revelan la magnitud de su necesidad de autoestima. Inventar un mundo propio es una forma poderosa de demostrar que uno existe.

Aunque su madre parece haber sido tan reservada y poco expresiva como mucha gente en Ocotlán, Rodolfo le atribuye el haberle dado las bases para todo lo creativo que ha hecho en su vida. Javier dice que era muy inteligente, buena para todo lo que hiciera, y una de las pocas personas del pueblo interesadas en la cultura. Pero está claro que para nuestro artista nunca fueron suficientes el tiempo y la atención que le dio. La describe siempre trabajadora y preocupada; una mujer ambiciosa que trabajaba del amanecer hasta el anochecer, tantas horas cada día, que casi no la veía. "Por eso disfrutaba mucho el poco tiempo que pasábamos juntos."

El mensaje silencioso es que la madre estaba demasiado ocupada para decirle que lo quería. Él comenta que no recuerda ninguna ocasión en que lo hubiera alabado o expresado su amor por él. Pero como en sus historias de la niñez suele estar presente la figura de su madre llevándolo de paseo, enseñándole algo y demostrando preocupación por él, es posible que con este sentimiento de carencia Rodolfo se esté mintiendo a sí mismo. Un niño tan sensible percibiría sus experiencias de una forma muy diferente que alguien con una naturaleza más fuerte o menos sensible. Cuando era muy joven, nos relata, su madre le dijo, en un gesto de espontaneidad, que debería irse de Ocotlán, que no había nada que valiera la pena para él en su pueblo.

Y, si bien no recibió las muestras externas del afecto de su madre, heredó su amor por el aprendizaje. Rufina fue maestra durante muchos años, desde antes de casarse. Javier cuenta que era muy estricta, siempre interesada en lo que aprendieran sus alumnos. La carrera de Rufina empezó alrededor de 1907, cuando tenía catorce años, después de haber aprendido lo suficiente de una de las instructoras itinerantes que estuvieron en Ocotlán durante el tiempo de la dictadura del general Díaz. En el porfiriato no había escuelas públicas en pueblos como Ocotlán. Aunque la Constitución posrevolucionaria establecía que la educación para todos los niños debía ser pública y gratuita, al igual que tantas otras cosas que se veían muy bien escritas, las escuelas públicas empezaron a funcionar a gran escala hasta 1936. Cualquier mujer decidida podía sencillamente reunir a un grupo de alumnas en su casa y enseñarles lo que sabía. La maestra de la joven Rufina era una "dama" de la ciudad de Oaxaca, una mujer rica, prima del gobernador del estado. Rodolfo admite que ciertos intelectuales de la capital del estado enviaron grupos de personas como esta mujer a los pueblos para enseñar a sus habitantes a leer y escribir.

Rufina tenía más deseo y motivación para superar su falta de educación que la mayoría de los habitantes de Ocotlán. Según Rodolfo: "Quería aprender y hacer más. Era la única que sabía hablar bien, que usaba el lenguaje con propiedad y sabía escribir". "Era muy conocida y apreciada por la gente", comparte Javier. El deseo absoluto y decidido del pintor de absorber y compartir todo lo posible en el terreno del aprendizaje y la cultura, es claramente herencia de su madre, no del padre.

Según Javier Morales, durante su infancia la única persona del pueblo, aparte de Rufina, que se interesaba en la cultura era el sacerdote quien, además de iniciar una escuela, quiso formar una orquesta y un grupo de teatro. Y añade:

> Pero siempre hay gente a la que no le gustan estas cosas y que inventa chismes, así que lo sacaron de Ocotlán. Esa clase de habladurías también rodeaban a mi madre por las actividades culturales que organizaba. Es falta de educación y envidia de la gente que no sabe pensar.

Una fotografía de 1934 muestra a una Rufina sombría, sentada en la primera fila de un grupo grande de niños y mujeres. Atrás hay un edificio con techo de paja. Era la escuela en la que enseñó hasta poco después de 1936, año en que llegó a ser presidente de México Lázaro Cárdenas, cuya política oficial era:

> La educación será socialista, combatirá prejuicios y fanatismo, creando en los jóvenes un concepto racional y exacto del universo y de la sociedad.

Como Cárdenas sabía que los maestros podían ser utilizados para difundir la propaganda que respaldaba su política oficial, buscó expander el sistema de escuelas públicas como una forma de sacar a México del caos en que aún se encontraba a causa de la Revolución. Las escuelas no contaban con material escolar. Rodolfo dice que en la de su madre no había lápices ni cuadernos y que durante los pocos años en que se le permitió asistir, usaba un pizarrón y una esponja que traía colgando del cuello.

La forma socialista de nacionalismo que se filtró hasta el pueblo de Rodolfo moldeó su personalidad drásticamente: llevó su educación formal a un alto abrupto. Rufina, que tenía su propia manera de pensar, no creyó en las metas socialistas que el gobierno quería promover en las escuelas; decidió, no sólo dejar de enseñar, sino sacar a Rodolfo de la escuela. El niño evolucionaría hasta convertirse en un artista comprometido también a expresar orgullo por el pasado de su país, pero no en un sentido en el cual pudiera ser usado por el gobierno para expresar algún tema nacionalista, como es el caso de Diego Rivera. Su deseo de expresar al México antiguo no tiene otra intención que mantener el pasado como él lo recuerda, a través de un mundo imaginario, creado como receptáculo de esas memorias idiosincráticas.

El socialismo, teñido de anticlericalismo, incomodaba a la madre de Rodolfo, pues lo percibía como un "lavado de cerebro", aunque esa expresión no estuviera en su vocabulario. El trabajo de Rivera y de los otros grandes muralistas, si bien no puede catalogarse como lavado de cerebro, es la clase de trabajo al que nuestro pintor después calificaría como propaganda, y distinto del estilo de arte mexicano que él crearía.

Rufina no era muy religiosa, pero, con el paso de los años, se volvió algo así como una fanática de la religión y hasta un poco paranoica. Sufría de "desórdenes nerviosos o alguna forma de demencia". Citaba a menudo la voluntad de Dios para sustentar su estilo de vida, personal y de sus hijos. No es nada extraño que una mujer cuya existencia entera había transcurrido en Ocotlán no se cuestionara el estilo de vida en que nació.

Le angustiaba que su hijo menor se moviera tan lejos de las expectativas del pueblo y le recordaba la voluntad divina para intentar forzarlo a renunciar a ciertas aspiraciones que no le eran familiares.

Aunque el artista no hizo caso de esas advertencias, elogia la influencia materna en todo lo relacionado con la parte creativa de su personalidad. La decisión de Rufina de sacarlo de la escuela —la cual tomó sin la opinión del padre— en efecto dio por terminada la educación oficial de Rodolfo, hasta que cumplió veinticuatro años y se mudó a la Ciudad de México para asistir a la Academia de San Carlos.

En cierto modo, separado de la escuela refinó sus habilidades para la contemplación y la soledad. Le gusta pensar que esto tuvo un efecto positivo. Si así fuera, irónicamente está en deuda con el presidente de la República. Cárdenas tomó su mandato educativo muy en serio y procuró asegurarse de que los padres de familia de todo el país enviaran a la escuela a sus hijos a estudiar el programa oficial establecido. En Ocotlán, la policía recogía a cualquier niño que estuviera en la calle y lo llevaba a la escuela. Entonces, Rufina lo encerró en su casa durante todo un año para que no se le obligara a asistir a las clases.

Los domingos eran los únicos días que podía escapar de su encierro. Acompañaba a su madre a misa "no porque me interesaran los sermones o las ceremonias", aclara, "sino porque me gustaba ver cómo arreglaban los altares". Empezó a crear sus propios altares en casi todos los rincones de la casa, usando las técnicas que observaba en un taller de manualidades que su madre inició en Ocotlán.

> Me fascinaban el oro, los adornos y el olor de incienso y flores. Me extasiaba con la música sacra y los cantos religiosos, no por cuestiones espirituales, sino porque me parecían muy bellos y sensuales y tal vez porque la gente sólo cantaba en la iglesia o en los funerales.

En el pueblo no había electricidad y era muy poco lo que se podía hacer por las noches. Rodolfo las aprovechaba para ir a la iglesia. La iglesia católica mexicana no se parece a las rígidas y desnudas iglesias protestantes del vecino del norte. Y si el protestantismo estadounidense puede describirse como "sin chiste", la iglesia mexicana, con sus altares, velas encendidas, estatuas de santos vestidos, Cristos sangrantes, Reinas del Cielo con corona y flores —siempre flores— es como "un helado con jarabe de chocolate, con crema batida, un par de plátanos, una cereza brillante y unas galletas para adornarlo". La decoración de los altares se cambiaba dependiendo de la festividad religiosa, lo que para un niño como Rodolfo, era motivo de fascinación.

La escritora y crítica francesa Christine Frerot dice que las mujeres, el arte religioso y el hogar formaron un círculo cerrado o un universo tridimensional en la niñez del pintor. Esto parece derivarse de las historias que él mismo cuenta sobre el periodo de germinación de doce meses en el que estuvo aislado de todo excepto la iglesia y su casa.

> Me sirvió mucho haber sido malo para los deportes y que por eso nadie quisiera jugar conmigo; así, me dediqué a poner altares y a observar lo que hacían los adultos.

A la luz del concepto hispánico de Dios como "madre", la fina trama de altares, mujeres y religión se reforzaba.

A través de la imagen de la Virgen en México, Dios se percibe como una presencia materna que consuela, nutre y ofrece bienestar y amor sin condiciones, en especial cuando hay que sobreponerse a la pérdida, el abandono, el fracaso o la soledad. Al igual que la diosa de la fertilidad a la que reemplazó, esta presencia materna da a luz y fertiliza la parte creativa o generativa de la vida. Nutre y mantiene en nuestro ser lo más expresivo de nuestras emociones. Nos ayuda a entender cómo la Iglesia y su arte religioso cimentaron el apego a lo femenino durante los primeros años de vida de Rodolfo.

El encierro fue la etapa en la que empezó a dibujar y a aprender lo que era estar por completo solo. Esta cualidad de confianza en sí mismo, combinada con el hábito de escuchar exclusivamente su voz interior, se fue refinando durante esos meses. Al niño solitario que observaba el mundo a distancia, la madre le impuso un silencio aun mayor con el aislamiento de compañeros de clase y vecinos. Y no podemos más que especular acerca del grado en que otros aspectos psicológicos de su personalidad se hayan reafirmado durante este destierro protector. Muchas de sus historias se basan en lo que vio durante este lapso, que él considera de los más memorables de su vida.

Aunque su madre se oponía a los requerimientos de las escuelas del Estado, no abandonó su amor por la enseñanza. Empezó a dar una clase de arte y manualidades en la escuela José María Morelos y Pavón; enseñaba a las niñas a dibujar, bordar, coser y pintar en vidrio con base de arena. Rodolfo recuerda que Rufina le permitía que la encaminara a su taller los sábados o domingos y algunas veces por las tardes. El taller estaba lleno de hilos, telas y papeles tirados por todas partes. Aunque era un solo cuarto, "no estaba muy limpio, pero sí lleno de vida".

Sacar algo de la nada es tan común en México que ya no sorprende a nadie. Cuando la gente es pobre, nada se tira; cada pedazo, cada trozo puede convertirse en algo útil o bello. Esta inclinación, aunada a la herencia artística del valle de Oaxaca, se incorporó una y otra vez en una clase en la que Rodolfo respiraba una atmósfera inevitable de creatividad.

Observaba a su madre enseñar a las niñas a coser y a crear cosas con las manos. Nadie esperaba que estuviera interesado en hacer lo que ellas hacían; más bien, como hijo de un carpintero, se suponía que tenía que crecer trabajando con herramienta y madera al igual que su padre. Pero él veía cómo su madre y las alumnas creaban belleza con pedazos de listón, tela y papel, y los montones de material colorido le fascinaban tanto como los altares de la iglesia.

Su hermano Javier no olvida que algunas veces, estando la familia reunida a la mesa, de pronto se percataban de que Rodolfo había desaparecido. Oculto bajo la mesa y la orilla del mantel, empezaba a construir algo con pedazos de papel y tela. A menudo era un altar de papel que colocaba en cualquier rincón disponible. Estas creaciones infantiles evolucionaron hasta convertirse en los papalotes que haría en su adolescencia, y que le ayudarían a sentar las bases para su entrada al amplio mundo del arte.

Años más tarde, este talento se enriquecería hasta llegar a sus cientos de collages creados a la par de sus pinturas de las mujeres de Ocotlán. "El taller de mi madre tuvo una gran influencia en mi técnica para hacer los collages." Enmarcados con hoja de lata decorada, estas obras han sido calificadas como la expresión íntima de los sueños del artista. Mucho más fantásticos que su pintura, son trabajos pequeños con una serie muy compleja de imágenes hechas de papel, tela, cuerda, fotografías de revistas y timbres postales.

En cada collage, la mano es una imagen prominente, como si con un ademán hablara un lenguaje silencioso buscando comunicarse con el espectador. (Las manos en sus óleos son también desproporcionadamente grandes.) Los collages no cuentan una historia y normalmente representan a una sola persona o animal. Puede ser, por ejemplo, una novia, cuyo velo de encaje enmarca su cara negra, un perro rodeado de corazones o un león hecho con tiritas de estambre multicolores.

Para él, la mano es crucial; ahora las suyas representan sus logros.

Durante un par de años Rodolfo decoró piñatas para fiestas y festivales, antes de caer casi por accidente en el diseño y construcción de papalotes. En la carpintería de su padre hacía también cochecitos de madera pintada con colores brillantes. Dice que una vez hizo una jaula de circo de madera, que le quedó "muy interesante y rara". Ninguno de los objetos que elaboraba a mano tenían uso práctico. Eran más bien producto de su fértil imaginación. Los papalotes —que le dejaron algo de dinero y, más importante aún, le ganaron el reconocimiento del pueblo—, los hacía con popotillo, papel crepé y engrudo. El primero fue de la Virgen de Guadalupe, que copió exactamente de una revista, con fondo blanco y tiritas multicolores para la imagen. La imagen de una mujer —la figura femenina más importante de México— le ayudó a dar el primer paso hacia la confianza en sí mismo.

Después, decidió hacer más papalotes. "Eran de diseño muy simple. "Traté de hacerlos de otro modo, pero no pude —dice; y agrega por lo bajo— : pero me salían muy bien los adornos." Cuando la gente empezó a querer comprarlos, Rodolfo descubrió su primer mercado de arte. No utilizó muchos materiales en los primeros que hizo: "Usaba casi siempre papel blanco y mucha pintura brillante para que brillaran con el sol y la luna". Eran sus diseños más populares; el sol tenía la boca abierta en una sonrisa y la luna siempre estaba en cuarto creciente (un símbolo más de lo femenino).

Tenía también otros diseños, en cuya elaboración capitalizó lo aprendido de las manos de su madre. Usaba papel picado y un tipo de madera muy delgada que recogía en las afueras del pueblo. Ahora esta clase de madera la venden en las tiendas para hacer papalotes.

Y sí. Los preciosos papalotes de Rodolfo volaban.

Los vendía en una pequeña tienda sin nombre que su madre abrió cuando dejó la enseñanza. El precio era de dos centavos cada uno. Aunque mucho se ha dicho de estos papalotes, y se ha escrito un sinnúmero de artículos sobre su destreza para hacerlos, en realidad, sólo se dedicó a ellos dos años.

> Viendo las cosas en retrospectiva, creo que los papalotes fueron mis primeros collages, pero en aquel entonces, de lo único que me daba cuenta era que la gente se peleaba por ellos.

Un óleo de 1992 titulado *El papalote* parece ser consecuencia directa de las actividades que el artista observó en el taller de su madre: una mujer, sentada en una silla, tiene los pies firmemente plantados sobre una superficie cubierta con un diseño que aparece de manera recurrente en el trabajo de Morales para representar el zócalo del pueblo. Sostiene un papalote tan pequeño que parece volar lejos en la distancia, como si el hilo al que está atado fuera interminable. Atrás de ella vemos los conocidos portales arquitectónicos de Rodolfo. Abajo hay seis mujeres atadas entre sí con un largo hilo azul, enredado de mano en mano como los hilos del taller de costura de Rufina. La pintura refleja el cerrado mundo de las mujeres que conversaban, cosían y creaban algo bello de la nada.

Pero la creatividad de Rufina no se limitaba al taller de costura. También dirigía obras de teatro por las noches, a la luz de las lámparas de gasolina que cada familia llevaba a donde se ensayara, porque todavía no había electricidad en el pueblo. Sus obras se basaban en una serie de comedias españolas que tenían un nutrido grupo de seguidores mexicanos. Dice Javier:

> Hacía todo esto en beneficio de la iglesia, del municipio o de la escuela en la que trabajaba. La combinación de sus aptitudes artísticas y su habilidad para saber usar bien el lenguaje garantizaba que sus producciones gustaran a una población con tan poco qué hacer por las noches y con tan escasos eventos culturales.

"Eran obras cursis", apunta Rodolfo, "como telenovelas, pero muy populares entre la gente... como la película Estela Dallas." Se refiere tanto a esta producción que uno se pregunta qué lo impresionó en tal medida. Quizá el que Estela Dallas estuviera medio loca… como la mujer desnuda que viera cuando tenía diez años.

Hablando de esas producciones teatrales, comenta:

> Había unas noches en que la calma y el silencio eran maravillosos, aunque me acuerdo de otros sonidos de mi infancia. Los espectadores cargaban con sus propias sillas. Cuando se acababa la obra, nos dispersábamos en silencio. La luna nos iluminaba mientras caminábamos en la noche con las sillas sobre la cabeza, lentamente, cada quien para su casa.

Recuerda con detalle los perros que seguían a las figuras silenciosas dirigiéndose a casa en la oscuridad. "Hay muchos perros en México, hasta en las iglesias." Estos animales son también una presencia importante en su pintura: se echan a los pies de las mujeres que ejecutan sus instrumentos, retozan con ellas cuando bailan, o cuidan la entrada de la casa, congelados para siempre en el silencio del pueblo. En *Nostalgia*, una pintura de 1967, un perro café ronda entre las piernas de una figura sentada. El torso de ésta se refleja en el cuerpo huesudo de la figura canina a sus pies, como si el cuerpo del animal se identificara con las emociones de quien está sentado.

Un día envenenaron a Camila, una perra blanca a la que Rodolfo quería mucho y con quien compartía sus secretos. Al parecer fue un vecino que estaba convencido de que ya había demasiados perros en Ocotlán. Por suerte, alguien en la familia le dio a beber agua con jabón y vomitó el veneno. Fue como si hubiera vuelto a la vida para seguir siendo la confidente de Rodolfo. "Éramos inseparables, me ayudaba a no deprimirme." Aún ahora, hay varios perros que controlan su casa de Ocotlán, a donde volvió después de treinta y cinco años de vivir en la Ciudad de México. Rodolfo dice que pinta perros porque "siempre estuvieron conmigo durante mi niñez" y éstos representan un aspecto irrestricto de sí mismo, que acompaña al espíritu femenino en un drama plasmado una y otra vez en sus pinturas.

El estilo teatral que usa como metáfora para describir la conducta de sus vecinos en Ocotlán, tiene sus raíces en las producciones teatrales de su madre. La gente de su pueblo —actores a quienes conocía bien— parecía representar un papel en un drama predeterminado. Las producciones teatrales y las películas seguían un patrón similar. Con el tiempo, construiría su propio teatro en el patio trasero de la enorme casa que compró en Ocotlán.

Ya en la adolescencia, el pintor asistía a ver todas las películas mudas que llegaban al pueblo, cortesía de la compañía tabacalera más importante del país. Todos se quedaban de pie porque no había sillas. La presentación se hacía en el parque, al aire libre. "Pura tierra", dice. Como Ocotlán era un pueblo tan pobre que el único piano se encontraba en la iglesia, no había música para acompañar las películas. La audiencia en su mayoría era de gente joven, en especial varones. Rara vez se veía a mujeres.

A los muchachos les divertía empujarse, tirarse al piso y llenarse de tierra, gritándose picardías entre sí o a las actrices en pantalla.

Pero para Rodolfo el argumento de la película era incidental. A él lo que en verdad le daba gusto era ir al cine y no le interesaba quién actuaba o de qué película se trataba.

Este amor por el cine nunca lo abandonó y jugó un papel crucial durante su estancia en la Ciudad de México. "Era muy importante nada más ver las imágenes."

A menudo, las películas se cortaban constantemente y había que pegarlas para poder continuar la función, así que el argumento casi nunca se entendía con tantos cortes. Las imágenes quedaban superpuestas de modo que en alguna forma se parecen a algunos de los íconos de los cuadros de Morales.

Los pequeños dramas que han hecho famosa su pintura, son una composición de imágenes como aquellas de las películas mudas que proyectaban en el parque de su pueblo cada viernes por la noche. Sus cuadros siempre ofrecen mucho más que una historia. Logra crear impresiones sensuales debido a la forma en que liga una multiplicidad de imágenes con una multiplicidad de escenarios. Una imagen queda sobre otra, como una pintura dentro de la otra.

En una de las funciones, había una mujer con un niño dormido en su regazo. De pronto apareció la imagen de una actriz semidesnuda en la pantalla. Por aquellos días las películas no tenían censura y no era raro que se vieran imágenes desnudas. La joven madre estaba decidida a que su hijo no se perdiera de nada y lo despertó: "Despiértate, despiértate", le dijo, "¡mira a la mujer encuerada!" Para entonces, Rodolfo ya estaba más grande y sabía más acerca de los cuerpos femeninos. La desnudez en pantalla era tan sólo otra imagen que agregar a su repertorio de experiencias visuales, puesto que el cine se había convertido en un sustituto artístico de su aprendizaje formal.

Por la época en la que dejó de ir a la escuela, la vida de su familia cambió dramáticamente, como cambió también para la dueña de la casa grande cerca del mercado en la que vivían. La dueña, que era comadre de Rufina, heredó la casa, una de las más grandes de Ocotlán. Según se acostumbraba, alquilaba cuartos como viviendas. Tal vez por el afecto que le tenía a Rufina, le dio a la familia uno de los mejores lugares de la casa: una vivienda en la esquina. Fue allí donde Rodolfo nació en 1925.

La dueña tenía tenía tres hijos. Juana, la hija mayor, se involucró con un soldado durante la Revolución y se fue con él a vivir a Guadalajara. Un día, cuando la familia aún vivía en la casa, Juana reapareció en Ocotlán. Estaba totalmente cambiada: fumaba cigarrillos y se había cortado el cabello. Rodolfo, que notaba todos los detalles, recuerda que se lo arreglaba con peinetas decoradas, como para resaltar que era sofisticada y diferente de las otras mujeres, y "tenía la piel más blanca que la mayoría de la gente del pueblo". Hay un matiz de celos por cuestiones raciales en el comentario de su piel blanca. A los ojos de Rodolfo, todos estos detalles indicaban lo liberada que era. Juana y su hermana eran las únicas mujeres que bebían en el bar del pueblo. Como acostumbraban pelearse, los hombres llegaban a ver qué novedades había. Juana y su estilo de vida desordenado y escandaloso se convirtieron en tema de conversación de todo mundo. El drama creció de tal manera que llegaron al punto en que los tres hermanos le robaban a la madre el dinero de las rentas. Las escenas que protagonizaban eran mucho más entretenidas que cualquier película u obra de teatro que Rodolfo hubiera visto.

Al poco tiempo, murió la madre (tal vez para escapar de la vergüenza de los escándalos de sus hijos). Después murieron Juana y su hermano y la hermana menor heredó la casa. Por su ubicación, era una propiedad muy deseada. Uno de los españoles residentes de Ocotlán se interesó en comprarla y empezaron las negociaciones. Queriendo presumir su suerte, a la mujer le gustaba pararse en la puerta a contar el dinero que el español le diera en depósito de compra, para que todo el pueblo pudiera verla. Pero ella también murió dejando al español con el dinero y con la casa, misma que éste empezó a restaurar de inmediato.

El nuevo dueño hizo algo más: le dijo a Ángel Morales que tendrían que mudarse de allí. Se había casado con una de las mujeres más ricas de la ciudad de Oaxaca y querían la casa para vivir en ella. Rodolfo tenía diez años y ya no iba a la escuela, así que pudo concentrarse en todos los detalles de lo que sucedía a su alrededor. Y como ese mismo año vio a la mujer desnuda en el mercado, hasta entonces no había habido escasez de mujeres locas, independientes, liberales, escandalosas y poco convencionales en su vida.

La casa a la que se mudaron los Morales por el año de 1937 estaba en mal estado, abandonada y casi junto al panteón, pero era mucho más grande que la vivienda de dos cuartos. Petrona, la hermana de Rufina, se mudó a vivir con ellos para hacerse cargo de la cocina y el cuidado de la casa mientras la madre de Rodolfo enseñaba y trabajaba en su tienda. El dueño del inmueble era un indígena que, cosa rara en el sur de México, logró hacer fortuna a partir de la Revolución comprando y vendiendo tierra, aunque también era agricultor. Cada sábado llegaba a contar su dinero delante de todos, diciendo de paso que tenía pacto con el diablo y nadie podía robarle.

La avariciosa hermana de la infame Juana, de pie a las puertas de su casa contando su dinero, y el dueño de su nuevo hogar manoseando sus pilas de monedas de plata, pueden haber convencido a Rodolfo de que la riqueza es para compartirse, no para acapararla. Lo que el hombre da libremente, no pueden quitárselo ni el diablo ni la muerte.

Cuando años más tarde compró la casa en Ocotlán, su madre se agitó tanto que le dijo: “Si Dios nos hizo pobres, Él espera que cumplamos su voluntad y sigamos siendo pobres”. Pero no era coincidencia que la casa se pareciera a la primera en la que vivió la familia, en la que dominaron las mujeres poco convencionales, de cabello corto y medias de colores, quienes, al igual que él, hicieron su voluntad.

3. Las tías y el aeroplano

Además de su madre, las tías de Rodolfo fueron las mujeres más importantes en su vida mientras crecía, y no sólo porque ayudaron a criarlo y por ello estuvieron más involucradas física y emocionalmente con él que los hombres de la familia. Ellas representaron un horizonte más amplio para él; la apertura, no de una, sino de muchas puertas a otros mundos. Había varias tías, a veces tantas, que cuando cuenta sus historias es difícil distinguir cuál hizo qué.

Petra y Petrona, dos variaciones del mismo nombre, eran las tías más importantes. Son los personajes principales en las historias de Rodolfo y, consecuentemente, en su formación. Sus nombres comparten la misma raíz latina que Pedro el discípulo, a quien Jesús dio "las llaves de Su reino", y es honrado por el pueblo católico como aquel sobre quien la Iglesia está construida. Pedro significa piedra, una piedra grande que no puede moverse.

Por ello es tan significativo que las tías tan importantes en la vida de este niño fueran mujeres fuertes y estables, inamovibles como rocas, que hacían honor a sus nombres.

Petra era una de las hermanas del padre de Rodolfo que se casó con un hombre rico y se mudó a vivir a la ciudad de Oaxaca; era la única que iba regularmente a Ocotlán en el tren, para visitar a sus parientes menos afortunados. Siempre llegaba impecablemente vestida y le llevaba regalos especiales a Rodolfo. Recuerda uno en particular que incorporó a los altares que hacía en su casa: unas bellas figuritas de barro que representaban la pasión de Cristo, hechas en Oaxaca.

Las figuras bien pueden haber sido el modelo para las muñecas, juguetes, figuras de porcelana e imágenes de la Virgen que llenan los rincones de sus casas en la actualidad. Antes de pensar en hacer los papalotes que vendía en la pequeña tienda de su madre, enfocó toda su energía creativa en adornar los altares.

Continuamente y con suma paciencia, trabajaba y retocaba estos pequeños objetos de arte en miniatura, no para venerarlos, sino para admirarlos como objetos bellos. Después describiría esta actividad como "una valiosa experiencia para desarrollar el sentido de composición" en sus pinturas.

Eran muy grandes la paciencia, la ternura, el amor y la atención al detalle que prodigaba a los altares, sobre todo considerando su edad y el hecho de que, según él, "no era bueno" con los trabajos manuales. Eran objetos muy pequeños con mucho papel y estandartes, como en la iglesia. Una vez imaginó que la armónica que tenía —y "que nunca podía tocar"—, era el órgano de una iglesia, y la colocó al frente de su altar. La música que imaginaba era como la más bella sinfonía. Javier se sorprende de cómo Rodolfo aprendió tanto de música clásica. Los dos peleaban en su infancia acerca de qué clase de música era la mejor. Su madre optó por declarar que cada una en su género era buena y que ya estaba bien de estar discutiendo por eso.

En su casa de Ocotlán recuerda a su otra tía, Petrona. La cuñada de Rodolfo, Guillermina, dice que era "una mujer muy alta que usaba faldas largas". Era hermana de Rufina y, debido a su carácter abierto y a su franqueza, le habló de "muchas cosas" a su sobrino (también a ella le gustaban los altares, y llevaba a sus amistades a casa para admirarlos y comentar sobre su belleza). Rodolfo dice que su tía no tenía idea de que estaba introduciéndolo a "las cosas culturales" y la recuerda como una gran conversadora que ni siquiera sabía el significado de la palabra cultura. Fue la primera en contarle de la ciudad de Oaxaca, un mundo tan lejano a Ocotlán, que Rodolfo, después de su primera visita, ya nunca volvió a ser el mismo.

La ciudad capital era un lugar de gran sofisticación para un niño que no había visto la luz eléctrica hasta finales de 1930, cuando tomó el tren que lo llevaría ahí. En ella se encontró con cosas vislumbradas sólo en sus sueños, por ejemplo, las lámparas eléctricas en cada esquina, que iluminaban la noche como luciérnagas jugando en la oscuridad hasta el amanecer. (En Ocotlán aún se usaban velas y linternas.) Rodolfo observó otras llamativas luces: más allá de los balcones y portones, embriagadores resplandores le revelaban patios con fuentes centrales en casas más grandes y más adornadas de lo que él jamás imaginó. Las sólidas y enormes casas y edificios públicos de la ciudad de Oaxaca lucían como centinelas guardianes en cada cuadra, invitando a las miradas curiosas, y al mismo tiempo excluyéndolas. Adornadas con balcones coloniales de hierro forjado, ventanas con postigos y enormes portones españoles, le parecieron esas casas como salidas de un cuento. Mientras curioseaba por las calles pavimentadas, recordó el cuento *Las habichuelas de oro* y pensó que si tiraba frijoles para encontrar su camino a casa, aquí sí sería fácil verlos, pues las calles estaban empedradas y no eran de tierra como en Ocotlán.

Era obvio que un niño sólo podría entrar a alguna de estas casas siendo invitado. Y muchas familias, incluyendo la suya, nunca recibirían una invitación para cruzar tales umbrales.

Oaxaca, la ciudad adoptiva de sus tías ricas, estaba tan llena de una belleza sensual y de innumerables sitios mágicos, que Rodolfo no sólo conserva en su memoria todo lo que vio, sino cómo se sintió durante esta primera visita. Lo absorbió todo, con una intensidad poco común en los niños. No se le escapó detalle alguno que tiempo después pudiera serle de valor artístico, estético o emocional. La gente que paseaba por las calles en la noche, riendo y conversando; las pequeñas tiendas y oficinas de puertas abiertas; los olores de la comida en cada cuadra; las cúpulas de las docenas de iglesias y el ruido, el maravilloso ruido después del silencio de Ocotlán. Lo vio y lo escuchó todo.

Durante este viaje, antes de haber vivido su primera década, el futuro pintor se enamoró de la arquitectura. Para él fue una suerte que la primera ciudad que visitara esté considerada una de las más bellas de México. (Los oaxaqueños insisten es que lo es, pero del mundo.) Lo llevaron a las iglesias, sólidamente construidas con piedra de cantera verde, para resistir los temblores.

Aunque hoy le sigue pareciendo muy oscuro, recuerda en especial el dorado templo de Santo Domingo, una de las construcciones barrocas más suntuosas de México, con sus imágenes del sol y la luna pintadas en sus ventanas.

Según Petrona, el templo resplandecía, pero a él le pareció oscuro y sombrío. "Por eso", dice, "aún ahora prefiero la descripción de mi tía a la iglesia en sí."

A pesar de esa primera impresión, la fascinación por las iglesias barrocas se arraigó en él para siempre. Algunas décadas después, se encontró buscando en Oaxaca templos del siglo XVI cercanos a su pueblo para poder preservar el pasado para siempre.

La plaza, llena de árboles, estaba circundada por cafés bajo los portales, donde tocaban bandas de música por las noches, y las familias prominentes paseaban al atardecer tomadas del brazo con sus niños muy arreglados y bien vestidos.

Las tías formaban parte de este paseo, bajo la mirada de las familias indígenas que, con rostros impenetrables, se posaban silenciosamente a las orillas del zócalo. Su tía Isaura, íntima amiga de su mamá cuando les tomaron la fotografía de jóvenes, también se había mudado a la ciudad. Como nunca se casó, vivía con su hermana Petra y formaba parte de la estructura social.

Las casas que Rodolfo compró y restauró años después son un sustituto de aquellas casas cerradas de los ricos a las que nunca tuvo acceso. Hoy, la Fundación Rodolfo Morales tiene cuatro casas coloniales en el centro de la ciudad, bellamente restauradas por él.

Otra de las contradicciones de su personalidad es que permite que las puertas de estas casas, llenas de antigüedades y obras de arte, estén abiertas a casi todo aquel que aparezca por ahí. La casa que compró en Ocotlán en contra de la voluntad de su madre y en la que vivió su padre durante sus últimos años de vida, parece tener invitados casi todos los días. Aunque el portón de hierro se encuentre cerrado, siempre hay alguien que sale a atender a quien llegue. Visitas, parientes, amigos y extraños que quieran ver la casa del Maestro, todos son siempre bienvenidos.

Cuando empezó a enamorarse de la arquitectura, Rodolfo ya estaba consciente de que era diferente de otros niños, sin saber aún que esta diferencia le beneficiaría cuando empezara a pintar. Al igual que otra gente creativa, guardó sus observaciones para sí mismo durante largo tiempo, alimentándolas inconscientemente con su propio sentido de la belleza. Su primer viaje en tren hacia la ciudad de Oaxaca, a través del paisaje montañoso, es un ejemplo.

Estaba seguro de que no era el tren el que se movía sino las montañas, pero nunca lo dijo a nadie. Conforme avanzaba pesadamente sobre las vías, recorriendo los treinta kilómetros a la ciudad de Oaxaca, las montañas, los cerros, las rocas y los arbustos iban cambiando. Y, aunque fue incapaz de expresarlo verbalmente hasta muchos años después, durante este viaje tuvo la certeza abrumadora de que Ocotlán no era el centro del universo, y esto cambió su mundo para siempre. Ahora entendemos por qué las montañas ocupan un lugar tan importante en su trabajo. Aparecen en casi todas sus pinturas, como mudo testimonio del sentimiento de haber estado encerrado por ellas durante su niñez. Rodean su mundo, protegiéndolo de invasores (hablando de manera física o literal), pues el valle de Oaxaca está aislado del resto de México por ese anillo de montañas, de una manera parecida a la bruma que protegía a Inglaterra en las leyendas del rey Arturo.

Si bien asegura que los trenes en sus pinturas no tienen otro significado que formar parte de los recuerdos de su infancia, una de sus historias favoritas consiste justo en describir ese viaje en tren por las montañas.

Cuando sus pinturas muestran trenes o aeroplanos, la sensación de espacio es casi física. El tren va siempre en su recorrido por las montañas que van cambiando con el movimiento. Y los aviones vuelan sobre esas mismas montañas.

Conscientemente, para el artista el tren no es un concepto intelectual, como tampoco lo es el avión que vuela en lo alto del cielo oaxaqueño. Algunas veces sitúa en la misma obra a un tren y un aeroplano, lo cual no hace que la pintura se vuelva más complicada, alegórica o significativa, sino simplemente ilustrativa de un sentimiento.

El tren y el aeroplano, símbolos de una era reciente, representan un encuentro con algo nuevo; personifican la libertad que experimentó al expandir su mundo más allá de los confines de Ocotlán. En el tren lo tomó por sorpresa una nueva conciencia de sí mismo y del mundo que lo rodeaba.

Sus tías ayudaron también a moldear otros aspectos de su carácter. Petrona fue quien lo introdujo al mundo de la literatura, aunque en la casa, lo mismo que en el pueblo, había muy pocos libros. Le leía las fábulas de Esopo.

Una de ellas fue de tal importancia para él, que Rodolfo la cita como una metáfora de su vida: la historia de "La zorra y las uvas". Según la fábula, la zorra intentaba alcanzar un delicioso racimo de uvas maduras que colgaban de la rama de una vid. Se esforzaba una y otra vez, saboreando anticipadamente lo ricas que estarían. Al fin, aceptando que nunca las alcanzaría, se dio por vencida y se alejó diciendo para sí misma y todo aquel que quisiera oírla: "Al fin que ni estaban maduras".

Una noche Rodolfo estaba de un humor particularmente expresivo:

> Nunca he sido como la zorra de la fábula. Nunca intenté alcanzar las uvas. No pensé que pudieran ser mías. Y ahora, cuando al fin están al alcance de mi mano, están maduras.

Sonrió con gran satisfacción. Es cierto que nunca buscó la fama, el reconocimiento, el dinero; que cada una de estas "uvas maduras" estuvo al alcance de su mano mediante el apoyo de mujeres. Rodolfo escuchó por primera vez esta fábula durante su temporada de encierro, cuando tenía como ocho años. Su madre obtuvo de alguna manera la edición de *Las fábulas de Esopo* en español, publicada en España. Después de que Petrona leyó parte del libro en voz alta, se le permitió a Rodolfo leerlo. Estaba ilustrado con dibujos que lo impresionaron para siempre y lo ayudaban a recordar las fábulas. También recuerda la de la lechera que llevaba en la cabeza el jarro de leche y soñaba con lo que compraría cuando la vendiera. Pero, de pronto, tiró el jarro y sus sueños se vieron desvanecidos. Él asegura que aun cuando era tan pequeño la primera vez que escuchó esta historia, nunca se identificó con la lechera. Nunca tuvo sueños tan grandes que deseara realizar.

En su vida la relación entre libros, aprendizaje, literatura y mujeres, es inevitable. Hablando de la pequeña biblioteca que había en su casa, Rodolfo cita su libro de cuentos favorito, así como otros de geografía y de agricultura. Había también uno con los trabajos de los poetas mexicanos del siglo XIX, que una amiga de su madre regalara a la familia. No nos sorprende que se acuerde de libros de mujeres o para mujeres, como los de Sor Juana Inés de la Cruz, que escribió poesía y literatura extraordinarias para su época y su posición en la sociedad. Sobre todo, fue otra mujer atrevida que tenía una voluntad de acero y que cuestionaba por igual la ciencia que la filosofía, por lo que era muy atractiva para Rodolfo.

Me comentó: "Me gustaba mucho ver los libros con imágenes". Años después, en un viaje por varios países, descubrió en Barcelona algunas obras del artista que ilustró uno de los libros que leía en su niñez.

Parece ser que Petrona aprendió algunos pasajes de *El Quijote*, y disfrutaba comparando las aventuras reales e imaginarias del alto y delgado caballero y de su rollizo compañero Sancho Panza, con los sucesos que acontecían en el pueblo.

Según le contaba a su sobrino, a los vecinos de Ocotlán les gustaba imitar las acciones de Don Quijote. Estos comentarios le daban mucha risa a todos, en particular a Rodolfo y reforzaron también su percepción de sí mismo como un "extraño". Se sentía como un auditorio de una sola persona en el que se encontraba presente para que lo entretuvieran, pero no para ser uno de los actores.

La vida en Ocotlán era vista a través de los ojos de su tía y su significado real o imaginario dependía de una sola perspectiva. Podía enriquecerse, decía Petrona, usando la imaginación y viendo las acciones de la gente como en una obra de teatro. Es fácil entender que Rodolfo haya transferido esta habilidad para definir la realidad a su propia manera y poner un toque de magia a su arte.

Si la gente actuaba como si fueran personajes de un libro, no sería extraordinario que tuvieran alas y que volaran. O quizá que se sentaran en los marcos de las puertas de edificios pintados sobre una pared. O que deambularan sin cabeza por las montañas de Ocotlán. Podría quedar implícito que por su soledad, y porque habían vivido cientos de años como testigos de tantas cosas, no se requería que tuvieran ninguna emoción, aparte de la contemplación.

Los esfuerzos de Petrona por presentar a su sobrino lugares e ideas que iban mucho más allá de lo que era su pueblo, pueden haber sido deliberados, o tan sólo un reflejo de su propia personalidad aventurera. Si amaba al personaje más famoso de Cervantes, quizá no era simplemente porque Don Quijote se aventuró por el mundo sin ningún temor, sino porque ella, a su manera, se identificaba con él.

Esta mujer formidable se casó con un viudo que tenía dos hijas que la querían mucho.

Petrona y su marido caminaron dos veces desde Ocotlán hasta Salina Cruz, en el istmo de Tehuantepec, y que está como a trescientos kilómetros de distancia. Aún ahora, se hacen seis horas en autobús. En aquella época, Salina Cruz era un pequeño puerto en el que la gente vivía en chozas con techos de palma, debido a su clima caluroso. Como no había camino, Petrona iba montada en un burro y su marido abría brecha con un machete. Cuando la fiebre amarilla mató a cientos de personas en Salina Cruz, Petrona enfermó y pensó que moriría. Después de haberse quedado en el monte durante más de un mes a causa de la cuarentena, logró sobrevivir. Ya totalmente recuperada, regresó (en burro) a Ocotlán. "No había otra forma de llegar", subraya Rodolfo. Viajar en burro por una parte del estado donde no había caminos y sobrevivir a enfermedades y epidemias sin medicinas, era algo que no cualquiera hacía.

Mientras compartía con su sobrino historias e información que consideraba importantes, Petrona debe de haber percibido que se trataba de un niño poco común, y diferente de sus hermanos. Reservado como era, seguramente la escuchaba sin hacer demasiadas preguntas. Esto siempre es agradable para una persona mayor, y la animó a contarle muchas más cosas para ampliar su visión del mundo. Debido a su timidez, nuestro artista no jugaba con los otros niños y la seguía por todas partes, viendo lo que hacía y escuchando los cuentos que contaba tomados de los pocos libros que había en la casa. A otro tipo de niño más extrovertido no le hubiera importado tanto.

Rodolfo no se cansa de contar cómo le gustaba sentarse debajo de la mesa a escuchar a su madre y a sus tías conversar mientras trabajaban. Como en la iglesia, éste era un lugar en el que se sentía seguro; este sitio acogedor a los pies de las mujeres de la familia, parece haberle dado literalmente una cierta perspectiva para mirar el mundo. Esto está presente en todos sus cuadros. Este mirar hacia arriba desde un ángulo raro, casi en distorsión simultánea de tamaño y perspectiva, es un punto de vista único en su mundo artístico y ha sido criticado durante años por quienes consideran que su perspectiva es mala. Los portales no se inclinan así. Las sillas no son deformes como él las hace. Las sombras no se proyectan en esa forma.

Pero negar su destreza con el pincel o descartar su visión de la perspectiva indica una comprensión muy superficial de su obra. Su estilo para pintar iglesias, portales, sillas, trenes, aviones y montañas es la forma en que recuerda todo esto, no con el mismo enfoque de otra gente, sino desde su propio punto de vista: el de un niño que ve desde abajo hacia arriba. Por lo que a él concierne, en nivel emocional —que es lo que más le importa— no existe ninguna distorsión. Su visión de la realidad es la que experimentó cuando niño; desde abajo, desde los pies de sus tías, pudo mirar hacia el universo.

Puede decirse que como artista es libre de distorsionar el tamaño y la perspectiva como le plazca, pero hay un componente en su obra que va más allá de la licencia artística y que explica su insistencia en que lo que hace no es arte popular. Los trabajos de pintores autodidactas suelen exhibir imágenes planas que algunos espectadores perciben como "encantadoras", "inocentes" o "infantiles". La perspectiva distorsionada ayuda a definir la pieza como arte popular genuino. Para el ojo neófito, la pintura de Rodolfo contiene cierta similitud con dichos trabajos, por el tratamiento que da a la perspectiva. Pero, debido a sus razones personales y emocionales para su uso de la perspectiva pictórica, no cae en la categoría de pintor popular. Cada ángulo distorsionado y profundidad de visión truncada no es a causa de falta de técnica, sino intencional. Lo que parece ingenuidad, en realidad es una forma sofisticada de ver al mundo desde un ángulo poco común.

En la pintura multidimensional de 1989, *Serenata en la plaza*, se aprecia a varias mujeres de piel oscura, vestidas en tonos pasteles de rosa y lila, tocando instrumentos musicales: violonchelo, violín, clarinete y trompeta. Llevan guantes blancos. A cada lado de la parte superior, los pliegues de sus vestidos se abren como cortinas para revelar un escenario para una audiencia invisible. Debajo se ve un paisaje de montañas como escenografía del centro de la plaza. Sobre la montaña, el tranquilo azul del cielo se rompe por un elemento más bien incongruente en este drama pacífico y estilizado de un momento intemporal: un avión moderno.

Ésta es una pintura compleja y no simplemente un cuadro con la perspectiva distorsionada. No sólo contiene todos los elementos que conforman el soporte del vocabulario artístico de Rodolfo (mujeres, sombras arquitectónicas, manos, montañas), sino también un avión. Su inclusión lleva el trabajo a otro nivel, casi como si el artista jugara con el espectador. Porque es el avión el que provoca la segunda pregunta más frecuentemente formulada acerca de la obra de Rodolfo (la primera es sobre las mujeres, desde luego).

La gente siempre pregunta: "¿Y qué quieren decir los aviones?" (Se ven tan "raros", tan "modernos", tan fuera de lugar con respecto a las imágenes surreales de las mujeres sentadas desapasionadamente en la plaza del pueblo.) Ellas podrían pertenecer a una escena de una obra teatral que ha sido representada muchas veces. En tal exhibición el tiempo se detiene. No importa cuántas veces las mujeres (las tías) se sienten con las manos enguantadas acariciando instrumentos musicales; la acción nunca cambia.

Sin embargo, con la introducción del aeroplano, las cosas sí cambian. El aeroplano no es un elemento estático como lo son las mujeres, quienes siempre parecen saber su lugar y su papel. Es un misterio que Rodolfo incluya tal toque tecnológico contemporáneo en un trabajo que él mismo describe como su propia forma de preservar el México antiguo.

Le pregunto de los aviones y desvía la mirada, como si examinara una imagen en una película muda que se proyecta continuamente en su mente: "Si hay un avión en la pintura, es nada más porque pensé en eso". Y empieza con otra historia de su infancia, la de un aeroplano. Pero apenas si insinúa el significado de estos aparatos en sus pinturas. De hecho, no pretende dar una explicación en sí, sino la reseña del momento mágico en el que vio un avión con sus ojos de niño, y pudo tocarlo con los dedos.

Dice que había una familia opulenta que vivía en la ciudad de Oaxaca y tenía varios aviones pequeños. Cada semana volaban en círculos sobre Ocotlán y toda la gente salía a mirarlos. Al principio tenían curiosidad, sobre todo aquellos que nunca habían visto un avión. Al cabo del tiempo ya nada más lo hacían porque entrañaba algo diferente. Probablemente, nadie en el pueblo había tocado nunca un avión, mucho menos volado en uno. Era entretenido especular acerca de la familia dueña del avión y qué se sentiría ser tan rico como para andar por las nubes y pasarle las alas encima a los campesinos que miraban como bobos, nada más porque se le daba a uno la gana.

Pero un día ocurrió algo fuera de lo común. Se escuchó el leve ruido de un avión en la distancia. La gente que miraba ociosa supuso que se trataba de uno de los aparatos de la familia de Oaxaca. Se hicieron comentarios sobre los dueños. Algunos rieron. (Resulta más fácil reír ante las debilidades de los ricos, que decir públicamente que uno querría estar en su lugar.) Cuando el avión se acercaba, voló un poco más bajo de lo usual, titubeando como un animal al borde de un colapso. Y se estrelló en el campo atrás del cementerio, en las afueras de Ocotlán, cerca de la casa donde vivían los Morales.

Era un avión chico de los años 30, de un solo motor de hélice, para un pasajero. Su estructura de madera estaba cubierta con una tela como de lona que se rompió fácilmente. Era asombroso que el piloto sobreviviera al aterrizaje forzoso saltando entre las piedras y espinos. Pero sobrevivió. La gente que presenció el aterrizaje quedó pasmada. Para los habitantes de un pueblo sin carreteras que los conectaran con otras partes del país, que alguien aterrizara en su patio trasero era como si hubiera llegado una nave espacial. Los de la familia rica de Oaxaca que tenían varios aviones nunca lo hicieron, nada más volaban en círculos para exhibirse.

Pero éste sí que aterrizó: con las hélices echando chispas y las ruedas saltando por la terracería. Rápidamente se corrió la voz y todos salieron corriendo a ver el avión y al piloto. Medio atontado, salió un hombre de la cabina y miró a su alrededor, preguntándose dónde diablos estaba. Por lo menos, se encontraba vivo y de una pieza. Y había seres humanos que corrían hacia donde se encontraba. A poca distancia, podía ver el pueblo. Tuvo suerte de no estrellarse más arriba en la montaña, donde no se veían muchas señales de vida. Habló ansiosamente a sus rescatistas en potencia, quienes lo miraron con extrañeza. Algunos tenían más curiosidad por la máquina voladora que por el que la aterrizó. Que los hombres jugaran con su vida era algo que ocurría todos los días. Un avión era otra cosa.

El hombre gritó algo entre: "¿Dónde diablos estoy?" y "¿Pueden ayudarme?"

Una vez que vieron que estaba vivo, la gente procuró por todos los medios comunicarse con él. Hicieron cuanto pudieron por preguntar cosas importantes como: "¿Por qué se estrelló su avión?" y "¿Por qué estaba volando sobre Ocotlán y a dónde iba?" Cuando fue evidente que no se entendían, la gente se miró y se alzó de hombros. Él, estadounidense, no hablaba español, y ellos no hablaban inglés. ¿Qué hacer?

Se convocó a una de las tías. Aunque no era una de las tías de Rodolfo, lo era de su cuñada y se le consideraba parte de la familia. Se llamaba Josefa Sanders y se había casado con un minero norteamericano que le enseñó algo de inglés. Durante la Segunda Guerra Mundial, cuando los primeros "mojados" cruzaron a Estados Unidos, esta tía era la que escribía las cartas que les enviaban sus familias desde Ocotlán.

A pesar de ser famosa por su mal carácter, le pareció un honor que la llamaran para ayudar en el grave problema suscitado por el avión inhabilitado en medio del cementerio. Era un reto enfrentarse al piloto que parecía no poder explicar por qué voló tan peligrosamente bajo. La multitud que lo rodeaba se apretujó más cuando la mujer de tez oscura se abrió paso entre tanto vecino curioso. Todos querían ver lo que sucedería.

El piloto seguramente sintió un gran alivio cuando la mujer se dirigió a él en su propia lengua. Después de mucho discutir con grandes ademanes y el lenguaje corporal adecuado, sacó unos papeles del avión y se los enseñó. Hasta hoy, nadie está seguro de lo que decían, pero hubo mutuos gestos de entendimiento. Como ella era la única persona capaz de entenderlo y ayudarlo, su prestigio en Ocotlán aumentó en gran medida. Unos sesenta años después, Rodolfo contó la historia con el deleite de un niño que observa la acción como parte de la multitud. Y el hijo de la tía la platica como si acabara de suceder.

Se hicieron las reparaciones necesarias al avión dañado. Un aparato de los años 30 con motor de hélice no era complicado. Unas cuantas vueltas de ajuste con una llave apropiada, el reemplazo de varios pedazos rotos de madera y estaba listo para volver a volar. Mientras tanto, posiblemente se llevaron al piloto al pueblo para darle de comer frijoles con tortillas, con la tía como intérprete. O tal vez estuviera preocupado por el motor de su avión y haya insistido en quedarse a ver las reparaciones. Rodolfo no está seguro. Después de todo, a los niños les importaba el avión, no el piloto.

Por fin, llegó el momento en el que éste se metió en la cabina y echó a andar el aparato. La multitud que se juntó a verlo partir era mucho más grande que la que lo vio estrellarse: todos los habitantes del pueblo. El motor hizo algunas pequeñas explosiones, pero encendió. El avión empezó a rodar por la terracería, esperando el momento oportuno para despegar. El piloto estaba ansioso por levantarse y continuar hacia su destino, que ciertamente no era Ocotlán. Pero un gran grupo de adolescentes se agarraron de la cola del avión, riendo y pidiéndole que los llevara a dar una vuelta. El piloto les gritaba que se soltaran, pero ellos, alborozados, se agarraban con más fuerza. El motor hizo una pequeña explosión y se apagó.

El piloto tuvo que bajar, hablar con la tía y hacer arreglos para que desmantelaran el avión. Todas sus partes fueron puestas cuidadosamente en cajas. Al día siguiente, cuando el tren silbaba a su salida de Ocotlán, el piloto y sus cajas con el aeroplano en partes, estaban a bordo, rumbo a Oaxaca y luego a la Ciudad de México. En la capital presumiblemente volvieron a armarlo y pudo al fin salir volando de México.

El piloto extranjero luchó por sacar su avión del pequeño Ocotlán, donde nadie hablaba su lengua. Resulta tentador explicar los aviones y los trenes en la pintura de Rodolfo como representativos de una necesidad similar de huir del tedio represivo de la vida cotidiana en su pueblo.

Sin duda, ambos medios de transporte lo han llevado a mundos y experiencias que no se atrevió a soñar cuando era niño y se escondía bajo la mesa a escuchar a su madre y a sus tías. Sin saber que sus sueños y anhelos tenían un nombre, en un tren o un avión Rodolfo podría escapar del lugar en el que lo humillaban y sentía que nadie lo quería. Una vez que estuvo lejos, descubrió otras personas creativas, que hacían cosas que a él le interesaban: expresaban sus ideas; daban conferencias; dirigían conciertos; diseñaban edificios y escribían obras de teatro. Personas que lo introdujeron a una existencia cultural que nadie en su pueblo creía posible.

Pero su pintura no es intelectual y él nunca tuvo pretensiones de que lo fuera. De modo que, sencillamente, la explicación de una imagen recurrente como la del aeroplano es, más que nada, inútil. Sería como tratar de explicar *El rey Lear* con sólo declarar que cada una de las hijas de Lear representa un aspecto de la personalidad de Shakespeare. Sin embargo, eso no detiene a los críticos, que persisten en interpretar elementos como el tren o los aviones en las pinturas de Morales. Y hay muchos (algunos se hacen pasar por amigos) que no se cansan de repetir la vieja frase de que este hombre no sabe ni dibujar, ni pintar. Están decididos a analizar los elementos que aparecen y reaparecen en su trabajo y los etiquetan como "símbolos" o "alegorías", aunque él diga con paciencia: "Si puse un avión en la pintura, fue solamente porque pensé en ponerlo".

Desde que empezó a pintar, nuestro artista tiñó cada experiencia con su propia interpretación personal. Dice que nunca consideró que algo fuera falso o verdadero sólo porque se lo dijera un adulto. Una vez que determinaba por sí mismo su manera de ver las cosas, rara vez se desviaba de lo que había decidido.

Así fue como se curó de los dolores de cabeza que lo acosaban. En su infancia sufría de migraña aunque entonces no sabía lo que era. Los dolores eran sumamente agudos; veía luces y en ocasiones vomitaba hasta dos veces al día. Pero los domingos, cuando iba a la iglesia y se veía rodeado de altares y de toda aquella colorida decoración, la migraña desaparecía.

Durante un periodo en el que tenía las migrañas muy fuertes, su familia decidió ir a Oaxaca a visitar a la patrona de la capital, la Virgen de la Soledad. Le dijeron a Rodolfo que él no podía ir, debido a sus dolores de cabeza. Dice que se enojó muchísimo e insistió en que nunca más volvería a tener otro dolor de esos. Y así fue.

La timidez que caracterizó su niñez desaparecía súbitamente cada vez que quería algo a como diera lugar. Su terquedad, que casi puede llamarse "fuerza de voluntad", habría de hacerse evidente en otros momentos significativos de su vida, en los que su conducta sorprendería a todos los que lo conocían. Por medio de un acto de fuerza de voluntad Rodolfo podía confrontar su complejo de inferioridad y declararse victorioso.

Pero, como suele ocurrir con las personas introvertidas, su vida interior es como tierra fértil que lo procesa todo a través de un filtro idiosincrático. Esto puede ser una ventaja o una desventaja: a menos que el filtro se ajuste, el introvertido puede desarrollar una personalidad muy peculiar en cuanto a su sistema de valores. Posee una clase de confianza poco común que le permite refinar su interpretación de lo que ve o experimenta.

El niño introvertido aprende a confiar únicamente en sí mismo, en especial si su familia es como la de Rodolfo, con una madre siempre ocupada y un padre psicológica y emocionalmente ausente.

Algunas veces, una persona mayor y más experimentada —como la tía Petrona— tiene un punto de vista que vale la pena escuchar. De las historias de infancia del pintor, surge una clase de sabiduría que aprendió de su tía. Sin percatarse de que ella contribuyera tanto a su sabiduría, ésta se volvió parte de sí mismo. La relación perdurable con su tía es clara.

Sin el vínculo de las tías con los trenes y los aviones, un niño que crecía en el México rural se hubiera quedado congelado en el tiempo, sin culturas o gentes ajenas a su educación.

Pero la pregunta permanece. ¿Por qué cambió Rodolfo y no otros? Indudablemente, cientos de niños han hecho su primer viaje en tren de Ocotlán a Oaxaca; vieron las luces de la ciudad, las calles pavimentadas, las casas grandes y regresaron a casa sin ser diferentes de cuando salieron. Ellos, más que él, pudieron haberse agarrado de la cola del avión que se estrelló en el cementerio, esperando que los llevara a un lugar imaginario.

Acaso la diferencia se deba a que ellos comunicaban sus experiencias, las externabam y las compartían con quien quisiera escucharlos. Él, en cambio, guardó sus emociones durante largo tiempo. Los poetas, escritores y artistas de todas clases entienden este lugar húmedo y oscuro de los secretos, en el que se acumulan las experiencias.

Esto nos devuelve a las tías y al aeroplano. Como las historias de ellas se entrelazan con las imágenes repetitivas en la obra de Rodolfo, las historias en sí tienen una calidad de arquetipo. Que ciertas pinturas suyas contengan la palabra "tía" en el título, no es ningún accidente.

Para Morales, México es un lugar con "una cantidad enorme de vírgenes por todo el país". Aunque se refiere a la religión y la Iglesia, donde la Madre de Dios es representada con un sinnúmero de nombres, inconscientemente pinta el arquetipo de virgen tomando la forma de las tías de su infancia.

En su pintura *El velo del ángel*, cuatro mujeres ocupan el centro y en sus brazos sostienen un pueblo: Ocotlán. Todos los elementos arquitectónicos de su pintura se encuentran ahí: los portales, la cúpula de la iglesia, los techos planos. El pueblo está a salvo porque lo cobijan los fuertes brazos de ellas.

Como *El velo del ángel* es una pintura de Morales, contiene muchas otras escenas: debajo de las mujeres se encuentra otra imagen que forma el tercio inferior de la pintura. Es la pared que rodea al pueblo. A través de un arco morado en la pared, se puede ver un camino de tierra alineado por casas de adobe. Sobre esta escena en miniatura vuelan tres mujeres con un cielo anaranjado al fondo. A ambos lados del arco, la perspectiva plana de la pared del pueblo es un toque inconfundiblemente Morales. Cinco siluetas grandes —las tías, desde luego— flanquean un lado de la puerta, mientras en la pared opuesta se ven cinco entradas oscuras, delineadas en morado.

Sobre las siluetas de las mujeres, un grupo de manos se levantan como si fueran a aplaudir; se parecen al cactus gigante mexicano. En el lado superior derecho, una tía con zapatos de tacón coloca con cuidado un velo para cubrir la cabeza de las cuatro mujeres que abrazan al pueblo. Tiene alas... un ángel que ata todas las figuras del cuadro con el listón azul que Rodolfo usa una y otra vez para conectar a las mujeres de sus pinturas.

Algunas veces sus tías se sientan en la plaza del pueblo, rodeadas de perros, tocando instrumentos musicales o, vestidas con velos blancos, se asoman a las ventanas de sus casas, esperando... esperando... y esperando; pero también tienen alas y vuelan. Si Rodolfo se identifica con las mujeres, ¿por qué no habrían ellas de ser quienes se levantaran sobre la tierra y sus exigencias? Volando alto y viendo la belleza del pueblo y sus limitaciones, pueden regresar cuando lo deseen.

Como los aviones.

Mucho más que cualquier artista que viva y trabaje hoy en México, Morales ha creado un tipo de obra que no tiene pretensiones intelectuales, pero que está lleno de la fuerza emotiva y la ternura que contrastan dramáticamente con cualquier historia de violencia del exterior. Sus imágenes tan personales sirven como equilibrio a otras fuerzas de este país; al machismo, por ejemplo. Como lo hace con la convicción de estar expresando sus sentimientos, ésta ha sido parcialmente la razón de su éxito como pintor. Pero la delgada línea entre la ilusión y la desilusión se hace más aparente cuando examinamos en detalle cómo la violencia, la muerte y el machismo han influenciado su trabajo.

4. “Un soldado en cada hijo...”

En los casos extremos, según el machismo mexicano, las mujeres son las únicas que pueden darse el lujo de expresar sus sentimientos y sus emociones personales. Los hombres deben limitarse a hacer públicos sólo sus planes a futuro. Lo que cuenta son los logros, sin importar si son reales o únicamente temas de conversación. La política y los asuntos militares atraen a los “hombres de verdad”. Conforme a esta forma de pensar, todas las artes —del cine a la pintura— pertenecen en esencia al reino de lo femenino.

Pero Rodolfo Morales no pretende ser otra cosa que un verdadero hijo de México, y no evita ni a los hombres ni al machismo tan evidentes en su cultura. Asegurándose de que quede claro que él pinta sus recuerdos y sentimientos de la infancia, en especial porque pertenecen a las mujeres de su vida, automáticamente se sitúa como alguien diferente de ciertos contemporáneos machistas. Pero, como siempre se ha sentido diferente de todos, eso no es nada nuevo.

Dar crédito a las mujeres de haber sido quienes mayor influencia ejercieron en él y expresar que las entiende mejor que a los hombres, no le impide entretejer historias acerca de los hombres que formaron parte de su vida. Lo hace de una forma artística que da a los elementos machistas de México un matiz singular y una nueva interpretación. En tanto sus mujeres riegan flores sobre las iglesias de su imaginario Ocotlán para representar el imperecedero poder de lo femenino, el lado oscuro del machismo surge como una sombra en sus recuerdos de la infancia, así como en muchas de sus pinturas.

Para entender la complejidad y la profundidad del arte de Rodolfo, es importante recordar que al proyectar una sombra, la imagen deja de ser unidimensional.

Al describir los aspectos frágiles e inseguros de su personalidad a través de los ojos de un niño, Rodolfo le resta importancia al machismo y le roba la influencia que pudiera tener en él o en su trabajo. Lo hace con sus historias, con un toque de humor matizado de sátira y un trazo teatral. En el contexto emocional de las narraciones es posible discernir el efecto psicológico de los hombres en su vida. En algunos casos no tienen nombre y casi nunca tienen rostro. En otras, se trata de un artista que ha tenido un profundo impacto en la compleja personalidad de Morales. Cuando aparece algún hombre en sus historias, a menudo está relacionado con la soledad y la muerte.

Algunas veces Rodolfo retrata estas emociones en una obra que, extrañamente, no está llena de mujeres voladoras. Una noche vi una pintura diferente e inolvidable en una esquina de su estudio en la ciudad de Oaxaca. Aún sin terminar, la eclipsaban dos óleos más grandes con flores brillantes y coloridas, exhibidos en un lugar prominente. Un hombre muerto o moribundo ocupaba el primer plano. La cara enorme de una mujer que abrazaba el paisaje montañoso situado atrás de la figura masculina, dominaba el fondo. La mujer era la montaña; era la Madre Tierra abrazando a su hijo muerto. Al respecto de la pintura, Rodolfo me dijo algo que no olvidaré nunca:

> Cuando un mexicano se emborracha, grita y se tira al suelo dejándose vencer por sus penas. Después, al darse cuenta de lo vulnerable que ha sido, de cómo se ha rendido a su sufrimiento y a sus fracasos, no puede aceptarlo. Se siente castrado y se torna violento. Ésa es una de las razones por las que hay tanta violencia en este país… por las contradicciones. Ahora bien, la mujer es la montaña, la tierra. Debido a la falta de confianza en sí mismos, los hombres siempre buscan la protección materna.

Su declaración nos recuerda el punto de vista mexicano sobre los aspectos femeninos de Dios: el amor incondicional, combinado con el consuelo maternal, siempre está disponible cuando un hombre se siente abandonado, despojado, solo y vencido.

Se ha dicho que Rodolfo pinta hombres —vestidos y activos— a manera de pronunciamiento político. En el trabajo de los grandes muralistas como Diego Rivera, los hombres representan los periodos históricos de México: la Revolución, la Conquista, la opresión de los pueblos indígenas o las figuras políticas. Aunque nunca nadie ha calificado a las pinturas de Rodolfo como "políticas", sí se les ha llamado "folklóricas", "sugerentes de Chagall", "caprichosas", "infantiles" o "líricas".

Estas explicaciones de su trabajo se difuminan a la luz del bello y sombrío óleo del joven abrazado por la montaña. Esta pintura nos permite ver su personalidad con mayor profundidad que una serie de mujeres aladas, con bolsos, que lanzan flores sobre la tierra. ¿Podría ser que este hombre estuviera engañándose a sí mismo? ¿Estará creando la ilusión de amor que se apoya en el espíritu femenino ante la muerte y la entrega?

Empezar a dilucidar el tema podría llevarnos toda una vida.

Estela Shapiro, la primera corredora de arte del pintor, quien promovió su trabajo y viajó con él durante más de una década, dice que "hay un misterio en el mundo de Rodolfo Morales; uno sólo puede llegar hasta cierto punto". De todas maneras, cree entender ciertos aspectos psicológicos de su personalidad:

> El dolor que sintió de niño fue tan fuerte como él lo sintió, mucho o poco. Es un hombre honesto y aunque es humilde y nada exhibicionista, tiene un ego muy fuerte, lo cual es una combinación interesante. Es inseguro y siempre sintió que no era querido, pero deseaba demostrar que podía ser "alguien".

Los temas de desolación, muerte y silencio, presentes en muchos de sus trabajos, aumentan el misterio del mundo que ha creado en el caballete. Es fácil no fijarse en estos elementos cuando el interés se enfoca primero en los colores brillantes que llenan sus óleos de luz.

Las escenas de pueblos apretadamente acurrucados en los brazos de fuertes mujeres invitan a una sensación de fantasía o a una obvia comparación con los pueblos de Rusia que pintara Chagall. Mucha gente que ama y admira la obra de Rodolfo no ve más allá de los colores en la superficie. Sin embargo, bajo la brillantez del color están ocultos el dolor y algunos sentimientos que podemos adivinar pero que nunca podremos entender por completo.

Nuestro artista no niega que los temas de aislamiento y muerte son importantes para él. En varias entrevistas ha dicho que pinta sus recuerdos de muerte. Al mismo tiempo, no hay temor en las descripciones de lo que recuerda, no hay alusiones a pesadillas por llegar; sencillamente, admite que “esto es lo que ofrece la vida”. Como mexicano, no está solo en esta actitud, aunque la personaliza a su modo con sus pinturas.

La aceptación de la muerte como parte de la vida siempre ha sido tema importante en la cultura y el arte en México. Sin estar teñida de misterio o temor, la muerte es algo natural para adultos y niños. Esto se debe, en gran parte, a que la creencia cristiana de que la muerte era el comienzo de una nueva vida fue asimilada fácilmente después de la conquista pues los indígenas veían a la vida y a la muerte como un proceso continuo.

Puesto que siempre estaba ahí, la muerte se tomaba en serio y a la ligera a la vez. Era tan sólo otra paradoja en una cultura que reconocía y valoraba las contradicciones mucho antes de que Cortés impusiera la bandera y la religión de España en el valle de Oaxaca.

Aun así, las pinturas de Rodolfo transmiten mucho más que el silencio y la muerte. El internacionalmente aclamado artista mexicano Rufino Tamayo reconoció de inmediato lo que estaba oculto en los cuadros de Morales al verlos por primera vez en 1975. Dijo que Rodolfo expresa el lado negro/oscuro de México pero con tan buen humor que resulta refrescante.

Su énfasis en lo femenino redondea los dos aspectos de la vida: hombre y mujer. Al hacerlo, compensa de alguna manera la cultura dominada por los hombres en su país. El que Rodolfo sostenga que no hace esto de una forma consciente, intensifica la elocuencia de su trabajo. De hecho, el aspecto de hacedoras de vida de sus mujeres, con sus flores, música, perros, velos y alas, es lo que da el toque exacto de buen humor ante el poder, la violencia y la muerte.

Su profundo interés en fiestas, mercados, música, decoraciones de iglesias, actividades entre mujeres y su amor a la arquitectura, dan un lugar muy importante a los patios, plazas e iglesias del México colonial. Su genio radica en que, aunque a menudo transmite las sensaciones de soledad y abandono, éstas son sólo un aspecto de lo que pinta.

En la pintura de 1988 titulada *Mujer dormida*, una mujer vestida de azul está acostada en la tierra como si estuviera muerta o dormida. En primer plano, cuatro perros observan el cuerpo, como testigos mudos de algo demasiado profundo como para compartirlo con un ser humano. Sin embargo, incongruentemente, en el centro de la pintura un par de manos tratan de tocar a la mujer desde alguna parte. Sobre ellas flota una figura en rojo que toca una trompeta de la que cuelga un listón rosa. A lo lejos, varias cabezas femeninas se alinean ante una pared mirando al frente.

Ésta es una de las muchas pinturas que celebran la muerte, pero no de manera obvia. No hay siquiera una sensación de desvarío en aquellos que pudieron amar a la mujer del vestido azul. Se limitan a escuchar con pasividad mientras despierta —literal o figurativamente— en otro mundo, acompañada por el toque de una trompeta. Lo que sí parece decir Rodolfo en su obra es que si no se les asigna un lugar, a la paradoja y la contradicción seguirán la muerte y la violencia.

Estela Shapiro piensa que el bajo nivel de autoestima del pintor le hizo formar su lenguaje personal y crear su propio mundo para combatir la violencia, el dolor y la oscuridad de sus años mozos. "Tuvo que luchar contra muchas cosas para poder llegar a ser él mismo", dice. Sin duda, la violencia, la muerte y la separación formaron gran parte de sus primeros años; fueron cosas contra las que tuvo que luchar. Fue testigo de asesinatos y muertes al igual que otros niños que crecían en el México rural no mucho después de la Revolución. Describe esos encuentros con la muerte de una forma tan concreta que uno no puede sino maravillarse de que su personalidad no haya quedado completamente torcida con esas experiencias:

> Cerca de dos veces por semana había un asesinato en el pueblo, y todo se llenaba de vida con los curiosos que querían salir a ver al muerto. Como buen niño, casi siempre era el primero en llegar a observar el cuerpo tirado en un charco de sangre. Recuerdo haber presenciado cómo se escapaba la sangre del muerto de la herida y manchaba la tierra de negro. Después de estos asesinatos, el pueblo tenía otra vez algo de qué hablar: de las familias del muerto y del asesino. En el velorio servían chocolate y cantaban toda la noche. Todo esto se me ha quedado grabado en la memoria.

A diferencia de muchos pintores mexicanos, que parecen incapaces de sustraerse de una danza emocional con la muerte, Rodolfo ha logrado mantenerse distante de los asesinatos y muertes de que fue testigo. Según Estela: "Su interés por la vida, es mucho más grande que el dolor".

Hoy día, los sociólogos se horrorizan ante el daño emocional y psicológico ocasionado a niños de las áreas urbanas, donde los tiroteos y crímenes relacionados con el tráfico de droga forman parte de su vida mientras crecen. Y cualquier padre de familia de clase media cuyo hijo hubiera observado un asesinato en primera fila, lo llevaría a terapia sin pensarlo dos veces. Sin embargo, las palabras de Rodolfo no son las de alguien que esté psicológicamente dañado por haber visto el crimen de una persona que conoció, ni las de un hombre que tema a la muerte.

De lo que sí tenía miedo era de la frase patriótica incluida en el himno nacional y que su familia usaba como amenaza cada vez que no estudiaba lo suficiente según ellos: tendría que convertirse en soldado cuando creciera, le decían, unirse al ejército y a lo mejor hasta matar gente. Cuando se cantaba el himno nacional y todos escuchaban con rígida atención, parecían mirarlo de reojo. En tanto las palabras "Un soldado en cada hijo te dio..." concretaban el carácter nacional de su país con su historia sangrienta, el tímido niño, que se escondía en la iglesia o bajo la mesa, estaba seguro de que habían sido escritas específicamente para él. Le daban miedo. La muerte puede ser normal pero actuar como soldado no lo es.

Cuando me contó esta historia, Rodolfo rió con ganas, lo mismo que sus amigos. Parece absurdo pensar que este hombre gentil que llena sus telas de mujeres y flores y restaura bellas casas e iglesias con su propio dinero, pudiera portar uniforme, apegarse a las reglas de la burocracia militar, usar un arma, pelear y quizá aun matar gente en defensa de los intereses del gobierno.

Pero cuando era niño, él tenía miedo de que pudiera suceder. En todo México, cuando se tocaba el himno nacional, una expresión de gran solemnidad transformaba los rostros de la gente. Cantarlo era proclamarse mexicano —y proclamarse hombre—, algo que había que tomar muy en serio. Observar a los hombres de Ocotlán cantar acerca de convertirse en soldados, con un vigor que rivalizaba con el compromiso hecho con la Iglesia o la familia, causó en él una aterradora impresión.

Convertirse en soldado no sólo era algo odioso que había que evitar. Habría sido el peor destino para alguien que se define tan torpe y falto de coordinación que no podía llevar el paso cuando le tocaba desfilar por las calles del pueblo en algún festival. "¡Miren! ¡Rodolfo no distingue entre el pie izquierdo y el derecho!" Un niño así no podría nunca aprender a marchar en el ejército. Era otra humillación que tendría que enfrentar.

Ya de adulto, su falta de coordinación física cuando se encuentra bajo el escrutinio público refleja el desasosiego que le provocan las intromisiones en su vida privada. Cuando aparecen demasiadas visitas en su gran casa de Ocotlán, esperando ver trabajar al reconocido artista o llenarlo de halagos, solicitudes de apoyo o de dinero, su incomodidad hace que le tiemblen las manos y el cuerpo. Aquí reside una de las muchas paradojas en su vida: aunque aún se retrae del escrutinio público, muchos piensan que se ha convertido en alguien tan heroico y patriótico como el más bravo de los soldados de México. Y, ciertamente, mucho más hospitalario.

Pero no son reconocimientos a su generosidad ni elogios por su patriotismo lo que él busca; más bien, es algo que se aproxima al respeto. No precisa qué forma quisiera que tuviera ese respeto, pero podemos sacar algunas conclusiones a partir de lo que no quiere. Primero que nada, si bien es un pintor mexicano que únicamente podría retratar sus temas porque es mexicano, no busca reconocimiento basado en nada parecido al "patriotismo". No hay señal alguna de fervor nacionalista en los cuerpos muertos, desnudos que yacen en las sombras o que llevan en hombros las mujeres que habitan el mundo que ha inventado. Un soldado en cada hijo... cada hijo varón… hombres... soldados... armas... violencia... muerte.

En su mente son intercambiables.

Cuando Rodolfo habla de los hombres, en sus historias pululan actitudes de intimidación, opresión y pullas machistas. Como todo buscapleitos, el macho es un cobarde que esconde su cobardía tras sus fanfarronadas. Él ha tenido que aguantar una buena dosis de buscapleitos; hombres que lo humillaron y ridiculizaron, al tiempo que insistían en que ellos estaban en lo correcto y Morales estaba equivocado. Sin embargo, al llegarle el éxito en la segunda mitad de su vida, su venganza contra el machismo y las humillaciones de sus compatriotas ha sido dulce. El respeto que desea, y que ha obtenido, reside en parte en probar cuán equivocados estaban aquellos que se burlaron de él en sus primeros años.

Se sugiere que al pintar principalmente mujeres, el artista se burla del machismo de su país. Pero su respuesta es: "Pinto mujeres porque fueron importantes en mi infancia". Y comenta con sarcasmo cómo sus compatriotas corren a la bandera y la saludan, cantando el himno nacional en voz alta con su patriótica letra tan sugerente de violencia.

Con estas observaciones es interesante notar cómo trata a la bandera nacional en su trabajo. Los familiares colores verde, blanco y rojo encuentran camino en muchas de sus pinturas, pero a menudo en manifestaciones inesperadas, como en listones colocados en las cúpulas de las iglesias o en cortinas que se abren a un escenario. En una escena pintada como escenografía para una obra de teatro llamada *Historia de familia*, una mujer envuelta en la bandera tricolor yace de espaldas sosteniendo en las manos el portal de un edificio. Sobre su cabeza, un marco oval contiene el retrato de cinco personas; a un lado, dos siluetas masculinas parecen pintadas en el piso, sus cuerpos rígidos y fantasmales cruzados como una gran X que marca el lugar en el que murieron o los mataron. Ésta es una de las primeras imágenes de Morales del alma femenina de México, cuya fuerza soporta a la familia y al pueblo, inquebrantable por la muerte.

Hacia 1978, cuando pintó esta obra, el artista ya estaba metido en los temas que predominarían en su trabajo. Pero aclara que aunque la bandera, el pueblo, las mujeres y la muerte aparecen juntos en muchas de sus pinturas, la bandera no representa al gobierno ni la iglesia de su Ocotlán imaginario, personifica la religión.

Para él, la Iglesia y el Estado, la religión y la política ejemplifican la conformidad institucionalizada. Sus historias ilustran cómo su punto de vista se arraigó tan firmemente, y por qué insiste en que la bandera y la iglesia tienen significado sólo en los términos de estas historias. Dice que la gente necesita "levantar la bandera pero no está de acuerdo con el ejército porque los soldados dan su vida para defender los intereses de otra gente". Mucho antes de que entendiera el significado de la palabra conformismo, Rodolfo descubrió que era incapaz de moldear sus acciones siguiendo las reglas, intereses o esperanzas de nadie.

Sus creencias y sus acciones siempre se han generado en su muy privado mundo interior. Desde su niñez, parecía destinado a avanzar por su propio camino mientras maduraba gradualmente para convertirse en un hombre cuyo trabajo creativo, hasta fechas recientes, estaba fuera de las normas aceptables. Es similar la forma en que veía las actividades de Ocotlán cuando niño, "desde afuera". Piensa que el conformismo es algo que se aprende a la fuerza, a menudo inculcado por alguien que no sabe de lo que habla y que quiere impresionar con su importancia, su poder o su machismo.

En el Ocotlán quimérico de Morales, la bandera mexicana aparece una y otra vez en las alas verde, blanco y rojo de los ángeles, en listones que unen a sus mujeres o en velos colgantes de edificios con portales. Los hombres continúan con sus actos de violencia en algún lugar "fuera del escenario", mientras las mujeres soportan estoicamente su papel de mediadoras entre la vida y la muerte. Puesto que usualmente es a los hombres a quienes matan, Rodolfo escogió que las mujeres sean las que se aflijan. Esto le permitió alejarse, despegarse, para retratar su universo a su propio modo: con mujeres silenciosas que han pasado de la rabia intensa a mostrar su penar abiertamente.

Carlos Monsiváis, en *Secretos de la multitud*, dice que las mujeres de Morales parecen ya no ser sujetos de rabia o compasión. Nunca volverán a afligirse. En su silencio han pasado de la pena a otro estado emocional.

Cientos de pinturas ilustran este tema; sin embargo, una imagen aparentemente simple hecha por Rodolfo en 1996, anunciando la inauguración de una exhibición de su trabajo en la *Galería Polanco* de San Francisco, merece la pena ser examinada de cerca. Tres largas caras femeninas dominan el óleo al frente de un cielo de tono lila y un terreno montañoso. Aunque las diferencias son sutiles, la expresión en los rostros parece decir: "Soy una mujer que lo ha visto todo; nunca podrás rebasarme o hacerme a un lado; ya no tengo ningún temor".

Tal expresión emocional implica, desde luego, una pérdida en el pasado y una pena asociada con esa pérdida. Al igual que Rodolfo, las mujeres recuerdan a alguno de los hombres muertos en la niñez del artista —quizá el hijo, el esposo o el padre—, cuya sangre oscureció la tierra mexicana, lo mismo que la de aquellos que pelearon con Zapata antes de que él naciera.

En algunas de sus pinturas, los hombres son sólo figuras sombrías, recuerdos de la historia de muerte y violencia de este país. Su retrato fantasmal también convive íntimamente con esa energía masculina positiva que a menudo era sustraída en Ocotlán por la violencia.

Por ejemplo, en un cuadro ejecutado en 1987 y titulado *Cisne de muerte*, Rodolfo retrata a un hombre muerto, fantasmalmente blanco y delgado cuyo cuerpo parece haber sido depositado en los brazos extendidos de cinco mujeres suspendidas en las nubes sobre el pueblo. Atrás, un cisne negro mira al hombre muerto. Es una pintura desgarradora y muy extraña.

Puede considerarse una actualización de la imagen de la Virgen que sufre con su hijo crucificado en su regazo, o una forma de mostrar pesar por los asesinatos sin sentido que presenció cuando niño. Pero el cisne negro es una presencia inesperada. Al cisne se le relaciona con la diosa Afrodita o Venus. Como tal, representa la vida y el poder del amor. El cisne de Rodolfo, negro, posiblemente indica cuán rápidamente puede ser eclipsada la vida por la muerte. Parece decir justo que, cuando ocurre la muerte, las mujeres mismas que dieron a luz, están ahí para asistir en esa transición.

Aunque durante los primeros años de Rodolfo la muerte era aceptada como parte del ciclo de la vida y no se le temía, los crímenes, torturas y pérdida de los seres queridos parecieron acentuarse por la Revolución. Nadie sabe exactamente cuántos hombres murieron durante esos años caóticos, pero su número anda cerca de los dos millones. Rebeldes y soldados del gobierno —hijos de sus madres sin importar de qué lado peleaban—, estaban muertos todos.

Seguramente el pintor no ha olvidado una pérdida de tal magnitud, como sucede con Zapata, quien fuera líder de los rebeldes en el sur de México y aún es honrado como un héroe hasta el punto que los insurgentes modernos se autonombran zapatistas.

La Revolución pudo haber terminado en el sentido de que el dictador Porfirio Díaz fue exiliado de México; pero los residuos de la destrucción aún eran evidentes en el pueblo de Rodolfo. Lo remoto de Ocotlán, por su falta de vías de comunicación con el resto del país, lo convertía en blanco fácil para los hombres con sombreros y carrilleras, que varias veces lo tomaron temporalmente cuando él era todavía un niño. Y cuando esto ocurría, parecía que nadie podía hacer nada hasta que llegaban los soldados y los cadáveres llenaban las calles polvorientas.

Rodolfo recuerda que arribaban al pueblo hombres armados montados a caballo "cuando estaba muy chiquito", quizá en 1933 o 1934.

Al contar la historia, intercambia la manera en que califica a los hombres: "rebeldes", "bandidos", "ladrones"... Le pregunté si defendían alguna posición política y respondió con desprecio: "Decían que estaban en contra del gobierno, pero en realidad eran unos matones". Y probablemente lo eran, usando como pretexto la lucha entre el Estado y la Iglesia, que alcanzó el dramatismo de 1926 a 1929. Durante ese periodo, el presidente Plutarco Elías Calles cerró las escuelas católicas, deportó a los sacerdotes y monjas extranjeros y puso como requisito a los miembros del clero en México que se registraran ante las autoridades civiles.

Mientras Calles batallaba con la Iglesia, Rodolfo tenía sólo dos años y Diego Rivera pintaba el magnífico mural de la Escuela Nacional de Agricultura celebrando el triunfo de la Revolución. La Iglesia, para fastidiar al gobierno, suspendió los servicios religiosos en todo el país. Y como los sacerdotes le habían dicho al pueblo durante siglos que sus almas estaban condenadas si no se confesaban, comulgaban e iban a misa diariamente, se esparció el pánico espiritual, sobre todo en las áreas rurales.

Los "soldados" de la Iglesia, que se decían cristeros, se levantaron en armas contra el ejército de Calles. Usando el grito de guerra "¡Viva Cristo Rey!", iniciaron la llamada "Guerra de los Cristeros". En ésta no se ganó mucho más que incrementar el número de muertos; pero en el México rural, los grupos de bandidos atacaban a la gente que estaba temerosa de perder sus almas si las iglesias volvían a cerrarse. Una de esas bandas entró a Ocotlán en una quieta tarde de sábado en la que, como de costumbre, "no pasaba nada".

Al grito de "¡Viva Cristo Rey!" se dirigieron a la cárcel, disparando sus armas al aire. (Es interesante notar que cuando en la memoria de Rodolfo se relacionan los hombres y la violencia, se evoca el nombre de Jesús, una deidad masculina. En cambio, las mujeres parecen estar siempre asociadas con días de fiesta, festividades religiosas, música, flores hermosas, animales juguetones y trenes o aviones capaces de transportarlo a uno a nuevos mundos.) Haciendo a un lado al carcelero, los falsos cristeros tomaron las llaves de la cárcel, abrieron las puertas y dejaron libres a los pocos reos que allí se encontraban. Yo pregunté: "Pero, maestro, ¿que no había fuerza policiaca?" Él se encogió de hombros y respondió: "Claro, ¿y qué?"

En ese tiempo, en Ocotlán, un hombre bajito, gordo y de mal genio tenía su propia policía y distribuía la justicia de la manera que creía conveniente. Al enterarse de que los rebeldes estaban en Ocotlán y soltaban a los presos que él ayudó a encarcelar, organizó a su ejército y fue en su persecución para sacarlos del pueblo. A pesar de que consideraban estar del lado de Jesucristo Rey, los rebeldes rápidamente se batieron en retirada.

Al día siguiente, el dueño del ejército privado se presentó a su visita semanal en la casa del hombre más rico de Ocotlán, uno de cuatro españoles que vivían ahí con sus familias. Toda la tarde la gente escuchó disparos, pero esta vez provenían de esa casa: los amigos practicaban tiro al blanco. Deben de haber tenido suficientes balas porque el tiroteo duró horas.

El sábado siguiente regresaron los rebeldes, que ahora no dispararon sus armas al aire. Fueron directo a casa del hombre bajito de mal genio y lo asesinaron junto con su esposa y sus tres hijas. Sus soldados ya no le eran de ninguna utilidad. A las 5:00 a.m. del domingo, la gente del pueblo llenó Santo Domingo. Después de rezar y escuchar misa, salieron para encontrarse con una visión terrible: tirados en la calle, frente a la oficina del alcalde, completamente llenos de balas, estaban los cuerpos del hombre gordo, de su mujer y sus hijas. Fue horrible. Pero, según Rodolfo:

> También fue una oportunidad de ver algo diferente. Todo el pueblo salió a la calle a mirar los cuerpos. Padres, madres, hijos, todos querían ver a la familia muerta y hablar de ellos. Se dijo de todo lo que la gente sabía o se imaginaba que habían hecho los miembros de esa familia.

Luego llevaron los cuerpos con el médico del pueblo y se les hizo la autopsia. Muchos de los niños del pueblo, que podían subirse a la barda que rodeaba el consultorio, observaron el procedimiento que se les hizo. Uno de ellos era el hermano de Rodolfo y al llegar a casa le contó todo lo que vio. Por la tarde se enterraron los cuerpos en el mismo cementerio en el que se había estrellado el avión del estadounidense.

Como la muerte en Ocotlán se celebraba invariablemente, al día siguiente el pueblo entero estuvo de fiesta. Para la gente acostumbrada a una felicidad sin límites y a una tristeza extrema, no había nada de raro o irreverente en esto. El mexicano no le teme a la muerte. Siente angustia cuando piensa en morir y pena cuando muere un ser amado pero, en esencia, sigue con la actitud de sus distantes antepasados. La fusión entre la vida y la muerte, la oscuridad y la luz, el silencio y el ruido, los celos y la ternura, todo esto forma parte de la dualidad que ha ayudado a definir el carácter de México y moldear el arte de Rodolfo Morales.

Los contadores de cuentos tienen un hilo mágico en los sucesos que describen, revistiéndolos de la realidad que requieren para explicar lo inexplicable. Las historias de Rodolfo son su propio modo de exponer los pensamientos y observaciones de un niño solitario absorto en el silencio absoluto que rodea a la muerte. Cuando dice: "Quiero verme en cada una de mis pinturas", es dentro del contexto de silencio, soledad y muerte manifestado en las escenas de pueblos vacíos con figuras sombrías que observan desde los portales.

Por estos temas, su trabajo se ha comparado con el del pintor italiano Giorgio de Chirico. Famoso por pintar sombras amenazadoras que surgen de estructuras arquitectónicas clásicas, Chirico logra crear un estado de ánimo o un ambiente que se parece superficialmente a la obra de Morales. Pero, en tanto que las sombras de éste son algunas veces raras, sus colores

Rufina, la madre de Rodolfo (sentada) a los 15 años de edad. La acompaña su hermana.

La hermana de Ángel Morales, padre de nuestro artista.

José Morales (centro), hermano de Rodolfo.

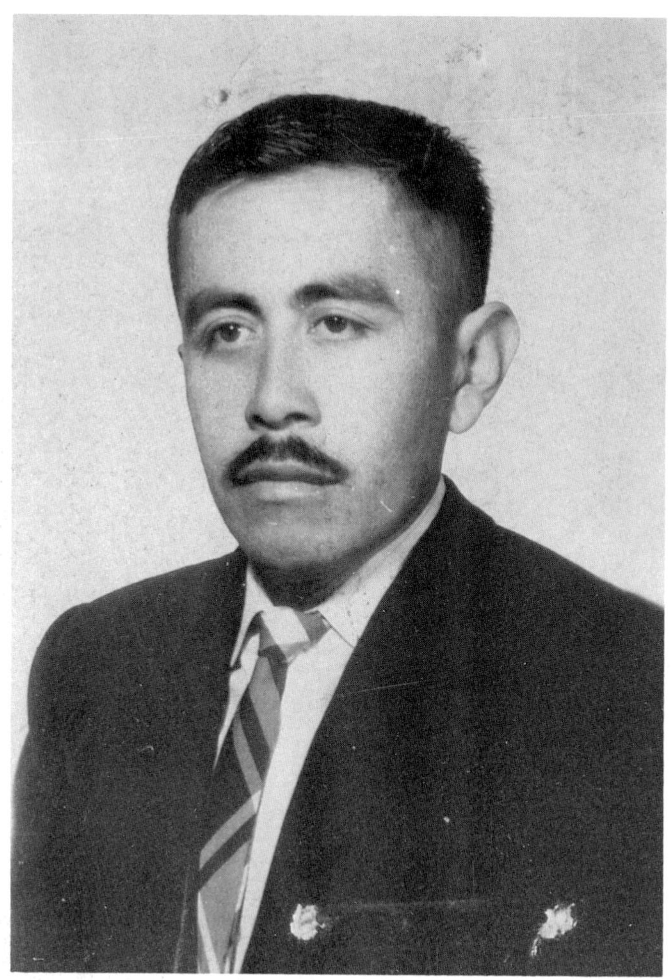

Rodolfo en la década de los 50, cuando estudiaba en San Carlos.

Amigos y compañeros de San Carlos. Transcurría la década de los 50.

Rodolfo Morales recibe un diploma en la Academia.

En la primera comunión de su sobrino (el artista tenía cerca de 30 años de edad).

Divirtiéndose con una amiga en un baile de la Academia de San Carlos en los 50.

La escultora Geles Cabrera, gran amiga de Rodolfo.

El pintor en el departamento que compró en Coyoacán en los 50.

Rodolfo posa con amigos y artistas frente al mural que pintó en Ocotlán en los 50. Es el cuarto de izquierda a derecha.

Estela Shapiro, primera corredora de arte de Rodolfo Morales en la Ciudad de México.

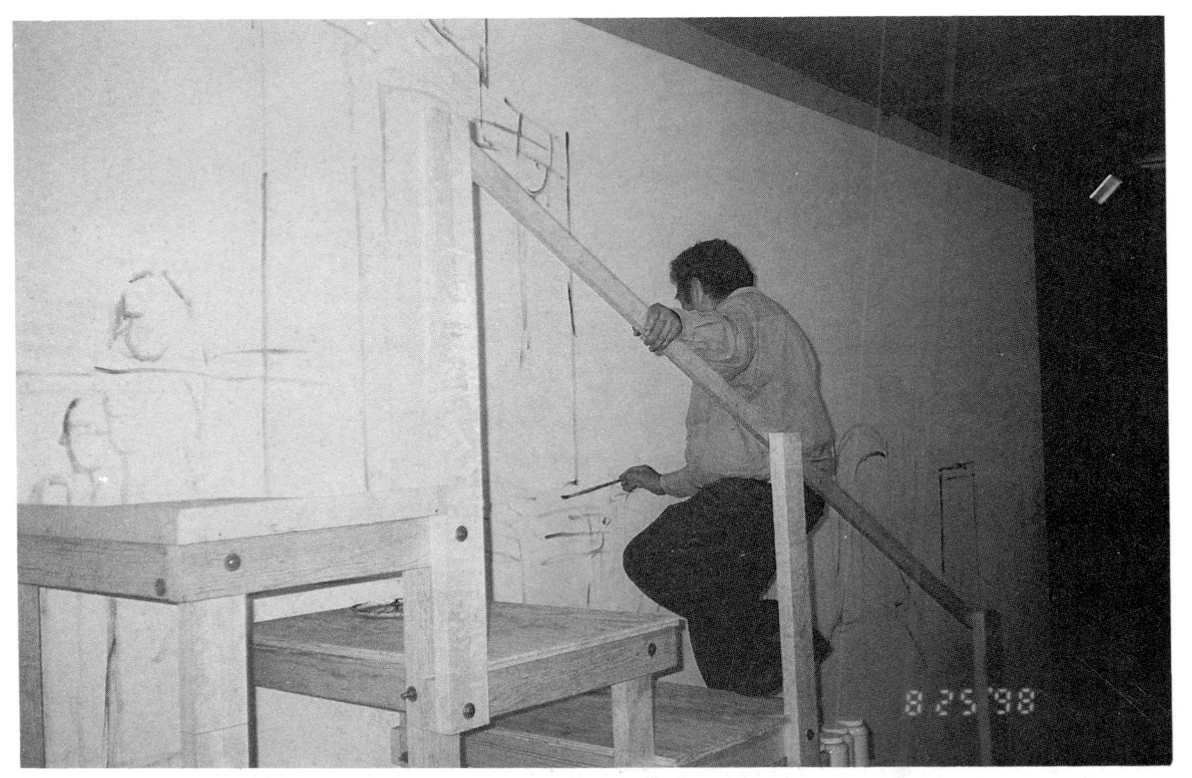

El pintor empieza el mural en la estación del metro Bellas Artes en agosto de 1998.

Nancy Mayagoitia, corredora de arte de Morales en Oaxaca y Humberto Urbán, el mejor amigo de Rodolfo desde la época de San Carlos.

Cortesía: Ariel Mendoza Baños

Martha Mabey.

Cortesía: Ariel Mendoza Baños

Martha Mabey y Rodolfo Morales.

idiosincráticos y su perspectiva distorsionada, no hay nada francamente amenazador en las calles y portales de su pueblo. Él pone sus edificios donde le parece bien ponerlos.

Sin embargo, debido a que el ambiente está influenciado por sus recuerdos de la infancia, hay una indicación ominosa de algo que no podemos identificar tras los juguetones colores y figuras. En los de sus primeros años, casi siempre había ruido y caos, gritos y balazos, mujeres que gritaban, hombres con armas… y luego, silencio. Especialmente, silencio. Morales nunca ha olvidado lo que era ver que los soldados y los bandidos se mataran. Y si nunca pinta directamente tales escenas, tras cada pincelada hay siempre un niño vigilante escondido en un portal tras un arco sombrío absorbiendo el silencio absoluto que rodea a la muerte.

Rodolfo redondea su historia del regreso de los rebeldes a Ocotlán con la llegada de la tropa del gobierno. Cuando los bandidos volvieron, disparando al aire como lo hicieran antes, descubrieron un cartón de cerveza en la estación de trenes y rápidamente bebieron todas las que pudieron. Ya borrachos, se dirigieron a la casa del español cuyo amigo habían asesinado un año antes y le prendieron fuego, usando una sustancia química llevada al pueblo para matar una plaga que estaba destruyendo la cosecha en la zona. De alguna manera, la familia escapó con vida. Los bandidos, intoxicados y excitados por las llamas, dispararon al aire más que de costumbre. Narra Rodolfo:

> El tiroteo duró más de una hora. Todo mundo tenía miedo. Había mucho movimiento y balazos. De hecho, con la casa en llamas, los bandidos borrachos, el ruido, la gente gritando, los perros ladrando, los niños chillando y la confusión en general, los rebeldes no oyeron que el tren llegaba a la estación.

Esta vez no eran los comerciantes de Etla con sus canastas de pan aromático los que iban en él, ni los agricultores de San Antonino con sus canastas con tomates brillantes y gordas cebollas. Venía repleto de soldados del gobierno uniformados y armados. No se sabe cómo se enteraron de que los bandidos estaban en Ocotlán, pero claramente tenían una misión: tirar a matar.

Entonces sí que empezó el fuego. Los bandidos, ya borrachos, no tenían escapatoria. Era como si hubiera empezado de nuevo la Revolución.

Todos los habitantes corrieron a sus casas a esconderse a piedra y lodo, temerosos incluso de asomarse a ver por las rendijas. Hubo momentos en los que el ruido y el caos fueron ensordecedores. Hasta pasada la medianoche se detuvo por fin el tiroteo y fue seguro salir. Alguien escuchó el sonido de una corneta. Una de las tías, que lo sabía todo, interpretó su toque.

"Es un toque de retirada", dijo con voz firme. "Quiere decir que la tropa ya se va."

Para entonces deben de haber sido las 2 o 3 de la mañana aunque, por supuesto, nadie dormía. El hermano de Rodolfo echó un vistazo hacia afuera: había polvo y sangre por todos lados y los cuerpos estaban tirados por las calles, pero el pueblo parecía haber recuperado la calma. Empezaron a sonar las campanas de la iglesia: la violencia había terminado.

Y al día siguiente, ¡otra fiesta!

Uno pensaría que sucesos de esta clase pondrían nerviosas a las otras familias españolas y que considerarían irse del pueblo a otra comunidad más segura. Pero no, se quedaron un tiempo más pese a que todos deseaban que se fueran. Con sus aires de grandeza y su actitud de superioridad, no eran precisamente populares en Ocotlán. Lo que por fin hizo que decidieran irse, llevándose todas sus pertenencias, fue la nueva carretera que conectaba al pueblo con el resto del mundo. La gente se paraba a mitad de la calle y gritaba: ¡"Ahí vienen, ahí vienen!", y todos corrían a protegerse. Sobre todo los españoles que nunca lograban entender si los que venían eran los bandidos o el ejército.

Lo que inequívocamente acabó con el saqueo del que era objeto Ocotlán fue la nueva carretera. "Cuando se abrió", dice Rodolfo, "se acabaron los rebeldes." Ya no podían descolgarse al pueblo por las montañas, crear un alboroto y desaparecer sin ningún temor de que los siguieran y arrestaran. La carretera servía también como enlace con la ciudad de Oaxaca, que hasta entonces sólo era accesible por ferrocarril. El aislamiento del pueblo empezó a disolverse gradualmente y Rodolfo no fue el único que se aventuró a explorar el resto del mundo.

Después de un largo tiempo, regresó al cementerio a ver si las cinco cruces de los sepulcros de la familia asesinada por los rebeldes aún estaban ahí. A menudo pensó que había soñado todo lo sucedido. Un buen día, las cruces desaparecieron: enterraron a alguien más sobre los cuerpos del militar de mal genio y su familia.

Sin embargo, la lucha continuó esporádicamente en el sur de México durante algún tiempo; eso ocasionó que los viejos odios se recrudecieran y las antiguas sospechas se renovaran, en vez de traer la justicia que todos esperaban y que parecía estar garantizada por la Revolución. Hubo nuevas humillaciones y aumentaron la miseria y la confusión. El gobierno tenía más poder que nunca y más hombres murieron. La gente terminó muriendo tanto por la Iglesia como por el Estado y nada parecía cambiar.

Los vecinos de Rodolfo parecían representar papeles asignados en el drama que él observaba al margen de los hechos. Algunos rituales formales que ayudaban a contener la pena y la destrucción lo impresionaron. Esto explica en parte cómo se protegió o se escudó de lo que a otros niños pudo haberles causado un trauma.

> Cuando alguien estaba moribundo, todos se reunían alrededor de esa persona a rezar. Al acercarse el final, el sacerdote daba la bendición a un poco de agua, mojaba en el agua las puntas de unas hojas de totomoxtle y rociaba con ellas el cuerpo del moribundo.

Cada cultura tiene sus propios ritos para la muerte. La tía Petrona, cuyas historias e información tuvieran tanta influencia en la vida de Rodolfo, le mostró cómo lidiar apropiadamente con el cuerpo de un difunto. El elaborado rito ancestral de preparación creaba una escena dramática que parecía teatro viviente o una de las obras dirigidas por la madre del artista. Cada persona jugaba un papel determinado, incluso el muerto. Y, desde luego, eran las mujeres quienes preparaban y orquestaban el ritual. La elocuencia asociada con la promulgación del rito de muerte se repite en las pinturas de Morales sin que tenga que pintar al cura rociando con agua bendita el cuerpo del difunto.

La familia trazaba una enorme cruz de cal en el suelo de la casa y se colocaba cuidadosamente al difunto sobre ella, con los brazos abiertos, como los del Salvador muerto en la cruz que se encontraba en el altar de la iglesia. Luego, todos caminaban alrededor del cuerpo para verlo desde todos los ángulos. El cadáver se dejaba en esta posición durante un día entero, tiempo suficiente para que todos pudieran dar el pésame a la familia, y no demasiado como para que empezara a descomponerse.

La relación entre el ritual familiar y la figura del Hijo de Dios moribundo es obvia. La cruz de la infancia de Rodolfo nunca fue plana y vacía como la de las iglesias protestantes de Estados Unidos. El cuerpo de Cristo sacrificado y sangrante introducido por los conquistadores españoles al Nuevo Mundo era similar a muchas de las prácticas de sacrificio de los indígenas, por lo que la conversión de la población indígena al catolicismo fue mucho menos difícil de lo esperado. Pero tenía que haber un cuerpo y un sacrificio: una cruz vacía no le daba consuelo a quienes sufrían. El Salvador moribundo, con las manos atravesadas por clavos y la corona de espinas, era significativo para las mujeres que estaban de duelo: la madre de Dios también había sufrido.

Como las imágenes de Cristo (de yeso o de madera) siempre estaban sangrando, las imágenes de muerte de Rodolfo se reforzaban cada vez que se refugiaba en el santuario de Santo Domingo. Talentosos indígenas conversos esculpieron y pintaron Cristos crucificados muy realistas y bellamente trabajados que el pueblo veneraba.

Podemos pensar que no es accidente que en casi cada óleo de Rodolfo haya una iglesia. A menudo es sólo la cúpula a la orilla de la tela. A veces es un edificio que forma parte de la vista panorámica del pueblo. Pero siempre está ahí, de la misma forma en que ocupó un lugar crucial en la niñez de Rodolfo. El Ocotlán de su creación estaría incompleto sin la iglesia o su ejecución de la procesión que sale del templo.

La procesión de Semana Santa combinaba la vida y la muerte a manera de celebración; le asignaba un papel especial a las mujeres y servía como un ejemplo más de su entereza ante la muerte.

Él interpreta muchas de las procesiones sin identificarlas plenamente con el ritual que observara cuando niño; pero es el mismo ambiente. En el cuadro *La cena de ángeles*, de 1989, ocho mujeres están en primer plano, sentadas a una mesa larga. Frente a ellas, hay tazas con chocolate. Atrás, al centro de la calle alineada por casas de adobe y portales oscuros, va una procesión de ángeles con bolsos de mano, acompañadas por perros.

En la procesión del Jueves Santo participaban las mujeres del pueblo. Vestidas de negro, tomaban su lugar al frente, cargando imágenes de santos y velas. En silencio, o rezando a coro o cantando, se dirigían al atrio de la iglesia mientras los hombres las seguían caminando lentamente. En el centro de la procesión iba la imagen más importante: la Virgen de los Dolores, a quien llevaban cargando por encima de las cabezas en un palanquín lleno de flores. Al final de la procesión los hombres portaban un féretro con una imagen de Cristo crucificado en tamaño natural.

A nuestro artista le gustaba mucho esta tradición de Semana Santa pero su celebración favorita era la más mexicana de todas las fiestas: el Día de Muertos, cuando los difuntos llegaban a visitar a los vivos. Cada año, en los dos primeros días de noviembre las almas eran recibidas en casa por sus familias con panes hechos especialmente para la ocasión, calaveras de azúcar, flores de cempazúchil, vigilias en el cementerio y esqueletos bailarines. Se jugaba al parchís y se burlaba uno de la muerte. En cada casa, restaurante o tienda, se instalaban elaborados altares enmarcados con cañas de azúcar para poner la ofrenda a los muertos por todo el país. El que las almas de los que se fueron en verdad regresaban era una realidad aceptada, en especial en lugares como Oaxaca y Ocotlán.

Los aztecas creían que los muertos se iban sonrientes a través de cinco inframundos hacia el reino de Mictlantecuhtli. Los mexicanos de la niñez de Rodolfo creían que regresan una vez al año en su camino al Reino de los Cielos. Recuerda el pan de muertos en canastos grandes: había tal cantidad que uno hubiera pensado que los familiares vivos de los difuntos nunca más volverían a pasar hambre. Era costumbre preparar canastas llenas de ese pan, cubiertas con servilletas bordadas, para llevar de regalo a familiares y amigos. Algunas veces las familias eran tan pobres que después de comprar el pan, tenían que irse al campo a cortar las flores para el altar. Aunque costaran sólo unos centavos en el mercado, eran demasiado caras para algunos.

Para fines de octubre, el mercado del Día de Muertos estaba lleno de flores, calaveras de azúcar de todos tamaños, esqueletos de pasta, pan para el espíritu de los niños difuntos, panes decorados con caras de ángeles y largas filas de caña de azúcar que parecían haber llegado marchando desde los campos. El peculiar aroma del cempazúchil, la flor de muerto, era tan penetrante como el incienso y las velas especiales para los altares. Rodolfo describe el mercado del Día de Muertos como "el más rico en color y con aromas imposibles de olvidar".

Pero es en el cementerio donde la magia de Oaxaca se hace más evidente. Ahí se reúnen las familias a la medianoche del 1° de noviembre para llevar ofrendas de comida, recuerdos personales para sus seres queridos que se han ido, y flores y velas para decorar los sepulcros. Es casi imposible describirlo a quien no lo ha visto nunca. La cercanía de las familias que conversan en voz baja a la luz de miles de velas y veladoras, rodeadas de montañas de flores amarillas, da la sensación de una sorprendente intimidad a la que no me pude resistir. A nuestro alrededor, las tumbas estaban cubiertas con lo mejor de lo que cada familia podía ofrecer. En algunos casos, era un simple jarrón con flores. En ciertas tumbas más elaboradas, se habían hecho tapetes de arena de colores con imágenes como la de Jesús en el sepulcro vacío. También puede ser la sonriente imagen de "La Catrina", cuya cara huesuda se asoma bajo el enorme sombrero cubierto con flores y plumas, y que puede verse por todo México durante estas festividades.

Como los estadounidenses se toman muchas molestias para pretender que la muerte no juega un papel importante en la existencia cotidiana, les es casi imposible entender la forma macabra en que los mexicanos celebran su Día de Muertos. Desde principios de 1900, esta relación se ha descrito en cientos de "calaveras" o versos, supuestamente escritos por los muertos para criticar o alabar a los vivos y, al mismo tiempo, satirizar la muerte. Colocar un esqueleto a caballo en la tumba de alguien que montaba, o uno con bata blanca en una silla en la de alguien que habría sido dentista, muestra sentido del humor y a la vez respeto hacia las diferentes personalidades.

El Día de Muertos era una colorida celebración que Rodolfo disfrutaba enormemente y una vez terminada, se reforzaban en él los sentimientos asociados con la muerte y el silencio. Cada muerte que presenció fue individualista y la pena de los sobrevivientes, personal. Monsiváis describe la obra de Morales como el retrato de un universo paralelo en el que todo es reconocible y al mismo tiempo es visto como si fuera la primera vez.

Un recuerdo vívido de Rodolfo es el de un ejército de zapatos negros camino al cementerio para un funeral. Acostumbrado a sentarse debajo de la mesa a los pies de su madre y sus tías, no es raro que recuerde los zapatos en vez de las caras. Su trabajo tiene múltiples imágenes de zapatos, cruces, flores y portales sombríos.

Después de quedarse despiertos toda la noche en el velorio platicando y llorando, la familia del difunto levantaba el cuerpo que había estado sobre la cruz de cal en el suelo, formaba una solemne procesión y se dirigía al panteón para enterrarlo.

Las sensaciones paradójicas de cercanía y soledad de las familias cuando preparaban el cuerpo del ser querido para darle sepultura, emanan de muchos de los cuadros de nuestro artista.

Recuerda que se percibía un acercamiento entre la gente durante los nueve días en que todos se reunían para hablar del difunto. Hablaban de sus méritos y sus errores, comían tamales y tomaban chocolate. La cruz pintada en el suelo se cubría de flores. Al noveno día se hacía la fiesta grande con comida y mezcal aparte del tradicional chocolate. Finalmente se levantaba la cruz con flores y se llevaba en procesión al panteón con todos los invitados. Los miembros de la familia se reunían en un rito final para esparcir las flores y la cal sobre la tumba.

Esta bella celebración de la muerte es una de las razones por las que Rodolfo puede verse a sí mismo en sus pinturas, oculto a la sombra de los portales para observar a las llorosas mujeres reunidas alrededor del cuerpo del hombre amado. Otros recuerdos de la muerte no son tan atractivos, como los de los soldados y los cristeros rebeldes, pero invariablemente contienen un elemento "teatral", casi surrealista, que hace que las historias de Rodolfo no suenen desesperadas y siniestras.

De algún modo, en medio del absurdo de la muerte, nuestro artista se dio cuenta de que empuñando un pincel y no un arma, podría por fin salir de Ocotlán. Creyó que aprendería a pintar iglesias, no iglesias en el lienzo, sino imágenes en las paredes para decorarlas. El mismo tren que llevó a los soldados a su pueblo para acabar con los bandidos que crearon tal caos pronto lo llevaría a la Ciudad de México. Ahí descubriría un mundo que iba más allá de las puertas de la iglesia y las muertes de su pueblo.

José, su hermano mayor, lo ayudó a dar el primer paso en esa dirección y algo importante para Rodolfo fue que su madre estuviera en la estación del tren para guiarlo al centro de su nuevo mundo.

5. La Real Academia y el alumno inadaptado

A los veintitantos años, Rodolfo necesitaba hacer algo para ganarse la vida. Los años que pasó mirando iglesias, decorando altares, observando a la gente de su pueblo y dibujando en secreto en sus libretitas, le ofrecían pocas opciones para mantenerse. Intentó dedicarse a la carpintería pero era un artesano tan malo, que nunca pudo cortar la madera lo suficientemente pareja como para poder calificar como carpintero. Y aunque alguna gente encontró interesantes y diferentes sus carritos y jaulas de circo pintados en colores brillantes, ya no había más mercado para ellos, ni para los famosos papalotes que hizo de adolescente.

Nunca consideró seriamente hacer carritos de madera o papalotes más que para dar rienda suelta a una imaginación rica que estaba buscando siempre formas de expresión. Tampoco podía pensar en ganarse la vida decorando altares en casas particulares o en la iglesia, y no quería ser carpintero y trabajar con su padre. Tal vez no era más que un soñador, tan diferente de los otros jóvenes de Ocotlán que no podía esperarse que hiciera un trabajo convencional. Los años que pasó "haciendo nada" en su pueblo, fueron un periodo increíble de incubación, apropiado para absorber sensaciones y experiencias y acumularlas como se acumula el capital en un banco. Sus recuerdos se convirtieron en inversiones colaterales a la carrera que se desarrollaría más de treinta años después.

Si pensó en alguna vocación durante su adolescencia, fue en llegar a ser pintor de iglesias. Blandiendo una brocha podría embellecer el interior o exterior de edificios que él consideraba hermosos.

Un hecho poco conocido es que también hacía pequeñas casas modelo de cartón, en respuesta a la chispa de interés encendida por los edificios de la ciudad de Oaxaca. Nunca las vendió. Basadas en su imaginación, las hacía estrictamente para deleitarse a sí mismo y a nadie más. Serían como avisos de lo que el futuro le deparaba como restaurador de iglesias barrocas, algo muy similar a como podría predecirse el futuro de un científico por el interés demostrado por los microscopios durante su niñez o el de un astrónomo por su fascinación por las estrellas desde la infancia.

A la pregunta de si su padre mostraba agrado por sus carritos de madera o por sus pequeños modelos de edificios, me dijo:

> No me prestaba atención ni a mí, ni a nada de lo que hiciera. Pero me ayudó mucho que me ignorara; nadie me dijo nunca que era bueno haciendo nada, y creo que eso resultó positivo.

Mientras contemplaba las posibilidades de un futuro productivo, Rodolfo se topó en un libro de historia de México con una fotografía de la Real Academia de San Carlos en la Ciudad de México. (Aunque desde la Revolución de 1910 se le conocía como la Escuela Nacional de Bellas Artes, el pintor siempre se refiere a ella por su nombre original de San Carlos. Imitándolo, en este libro la llamaré San Carlos o la Academia.)

La leyenda al pie de la fotografía la identificaba como un lugar importante para estudiar arte. En ese momento no tenía idea de lo que había que hacer para poder asistir a tal academia, pero se le ocurrió que en San Carlos podría aprender lo necesario para ganarse la vida. En el mejor de los casos, podría ser pintor. El reconocimiento como artista nunca se le ocurrió. Su hermano mayor, José, ya vivía en la Ciudad de México, trabajando como carpintero en una fábrica de muebles. Pese a estar separado de su familia y tener una vida propia en la gran ciudad, estaba dispuesto a ayudar a su hermano menor a salir de Ocotlán.

En diciembre de 1947, a la edad de veinticuatro años, el futuro pintor se encontró en un tren rumbo a la Ciudad de México, un lugar que nunca había visitado. Estaba decidido a inscribirse en la que ha sido considerada desde su fundación en 1785, la escuela de arte por excelencia en México, a donde asistieron —y siguen asistiendo—, de una u otra manera, todos los grandes artistas del país.

Pero él sabía muy poco de esto cuando salió de su ciudad natal con unos pesos en el bolsillo y la promesa del apoyo económico de José.

Además de la fotografía, lo único que sabía de San Carlos lo extrajo de algunos artículos de un periódico liberal llamado *El Machete*, fundado por los muralistas Diego Rivera y David Alfaro Siqueiros. Rodolfo estaba "más o menos" al tanto de la existencia de estos muralistas, sin entender cabalmente lo que significaban. Dice que aunque el periódico tenía tendencia comunista, incluía también grabados y reproducciones de trabajos de los artistas fundadores, así como referencias a la Academia.

A la carrera de Rodolfo como artista le faltaban otros veinticinco años cuando el tren entró a la estación de la Ciudad de México. Su emoción primaria fue de descanso ante la posibilidad de estar en el anonimato y escapar de las miradas críticas de toda la gente que lo conocía en Ocotlán. Recuerda que el cielo estaba gris. Es lo primero que observó entonces, y la primera cosa que dijo para describir esos años vividos en la enorme mancha urbana, identificada por alguien como "una ciudad construida en un pantano a los pies de un volcán".

Como el cielo de Oaxaca es considerado el más extraordinario en México, no es de sorprender que haya quedado impactado con el tinte grisáceo que cubría su nuevo hogar.

Felizmente, no tuvo que sumergirse en la ciudad solo. Una cara familiar lo esperaba en la estación: su madre, que se encontraba en la Ciudad de México cuidando a José que se recuperaba de un accidente y acababa de reintegrarse a su trabajo. Una vez más, una mujer estaba ahí para ayudarlo en su iniciación en un nuevo mundo.

Si la ciudad de Oaxaca, con su impactante arquitectura colonial, calles de cantera verde, gente bien vestida y rica historia cultural ejerció una poderosa impresión en él, la Ciudad de México lo transportó a un ambiente nunca imaginado. La información cultural y el respaldo que recibiera de su tía Petrona no lo habían preparado para lo que le esperaba. La otra cosa que notó después del cielo, fue la arquitectura, "la arquitectura colonial en particular", dice.

Acomodarse en el vecindario en el que vivía José no le causó problema. Como la mayoría de la clase trabajadora de la Ciudad de México, su hermano residía en una vecindad de la colonia Morelos, una colonia cuyos residentes eran gente pobre "en vías de dejar de serlo". Como no había nada que se pareciera a un departamento disponible para un joven en las circunstancias de José, tenía un cuarto en una casa grande, de las muchas que se encontraban en esa área. No fue difícil encontrar un lugar en la vecindad para su hermano menor. Casi de inmediato a Rodolfo se le acomodó en su propio cuarto, situado a no más de diez cuadras de la Academia.

Después de pasar los primeros años de su vida en un solo cuarto grande con su familia entera, las condiciones de vivienda que le esperaban en la gran ciudad no le parecieron ajenas. Es más, le emocionaba su primer ambiente urbano en el que los estudiantes se mezclaban con naturalidad con las clases sociales más bajas. "Reinaba un ambiente especial ahí", explica, "una gran comunicación con los vecinos." Con su habilidad típica para explicar lo que sucedía a su alrededor en términos de experiencias artísticas, recuerda *Los signos del zodiaco,* una obra de teatro de mucho éxito que vio en el Palacio de Bellas Artes y que trataba de los problemas de la creciente clase media.

La ciudad que estaba destinada a ser el hogar de Rodolfo durante casi cuarenta años era sofisticada, tanto cultural como arquitectónicamente, y él estaba ansioso de experimentar todo lo que podía ofrecerle. El contraste con Ocotlán no podía ser mayor.

Pero, primero que nada, debía inscribirse en la Academia. Le fue bastante fácil encontrar la escuela, ubicada en una excelente zona de la ciudad con cierto estilo europeo, a una distancia que bien podía caminar desde su nuevo vecindario. Los arquitectos y constructores de la Ciudad de México emularon en su máxima expresión lo mejor de las principales urbes del Viejo Mundo. La ciudad fue diseñada para hacer eco de la elegante "bella época" de París y Madrid, con lujosos edificios de departamentos, en avenidas adornadas con elaborados monumentos. Sólo los murales nacionalistas pintados con brillantes colores que se encontraban en muchos de los edificios públicos sugerían que había algo históricamente significativo acerca de México.

En el aspecto físico, la Academia era un edificio clásico, construido alrededor de un patio enorme lleno de reproducciones de esculturas griegas y romanas y pinturas hechas por los estudiantes que allí habían asistido. Había también algunas piezas de bellos trabajos de arte europeo, entre ellas, un grabado de Rembrandt. El zócalo estaba cerca, así como la catedral y el palacio de gobierno, en cuyas paredes se exhibían algunos de los murales más famosos de Diego Rivera.

Según Rodolfo, la característica más sobresaliente era una vasta biblioteca de libros viejos supervisada por un bibliotecario que se sentía orgulloso de su colección de clásicos de la literatura. Años después de que él saliera de San Carlos, la biblioteca fue desmantelada en aras de la modernidad y los libros absorbidos por la estructura de la Universidad Nacional Autónoma de México (UNAM). En un intento de "estar al día", el espacio que perteneciera a la biblioteca fue transformado en un taller de pintura y los salones de lectura, en estudios.

En los años en que Rodolfo apareció en escena, la Academia había sufrido un tumulto de cambios en cuanto a prácticas y orientación filosófica. En ese momento, era una de las muchas escuelas bajo la protección de la UNAM, como la de Arquitectura y la de Teatro. Por el año de 1948, cuando nuestro pintor estudió en ella, se había tornado profundamente conservadora.

Siendo la primera academia de arte de las Américas, y la única establecida bajo la corona española como filial de la Academia de San Fernando en Madrid, San Carlos adquirió en sus primeros años la reputación de ser de pensamiento independiente. En España, la Madre Patria, era considerada un "error político mayor". Algunos historiadores sugieren que las ideas democráticas discutidas entre los estudiantes en San Carlos a finales de 1700 ayudaron a preparar el terreno para la Guerra de Independencia de México (1810-1820). Ya había una reacción en contra de los académicos desde principios de la primera década en la que se fundó la escuela. Los alumnos querían que sus maestros fueran mexicanos, no españoles, aunque el concepto de una identidad "mexicana" no estaba muy claro todavía.

Pero el clima de pensamiento libre de esos primeros años pronto se convirtió en una rutina tediosa de clases sin imaginación, hasta que la Revolución volvió a calentar las cosas. Una huelga de estudiantes encabezada por Orozco (quien se convertiría en parte de la tercia de muralistas, junto con Rivera y Siqueiros) cerró la escuela de 1910 a 1913. Protestando por viejos y gastados métodos académicos europeos, que incluían horas de copiar los mismos modelos en las mismas poses e imitar a "pintores españoles de segunda", la huelga introdujo nuevas formas de enseñar arte.

Cuando la Academia volvió a abrir sus puertas, la "pintura al aire libre", con énfasis en el paisaje mexicano y una forma mucho más libre en el uso del pincel y el color, disfrutó de un breve periodo de actualidad. Diego Rivera regresó de Europa en 1921, anunciando con su estilo extrovertido que estaba listo para desatar una nueva forma de arte para el pueblo. Es imposible describir la excitación y controversia que la nueva propuesta generó entre los artistas en formación. El innovador programa de Rivera en San Carlos incluía no sólo a las bellas artes, sino también el arte indígena y la artesanía. Súbitamente —o así lo parecía— se puso de moda considerar el trabajo de los grupos indígenas como "arte".

Puede parecer un salto enorme ir de la pintura impresionista al aire libre al realismo político de los muralistas, pero hasta que los artistas como Rivera aparecieron en escena en los años 20, los estudiantes de San Carlos tenían muy poca noción de su cultura o de cualquier hecho histórico para plasmarlo en su trabajo.

La deuda que México tiene con los muralistas es gigante, pues crearon un sentido de orgullo nacional donde no lo había. La gente se percató de sus raíces indígenas y decidió que tener sangre india no era algo de lo que había que avergonzarse. Las cosas se dieron más fácilmente debido a que el gobierno gastó sin cortapisas para asegurarse de que el trabajo de los muralistas pudiera ser visto en todas partes y por toda la gente. Y resultó muy conveniente que este nuevo orgullo por el indigenismo coincidiera con la modernización del país.

Una gran contradicción que Rodolfo descubrió cuando entró a San Carlos a fines de los 40, era que a los estudiantes se les requería copiar el estilo y la técnica de los mismos muralistas que lucharon tan arduamente en los años 20 por encontrar una nueva forma de acercarse al arte. Lo más irónico era que a cualquiera que tuviera orígenes indígenas no se le permitía inscribirse en la escuela. El concepto de vanguardia se convirtió en el de vieja guardia.

Al menos, no se requerían exámenes formales ni certificado de secundaria cuando Rodolfo se informó de los requisitos para asistir a clases. Entre los estudiantes que empezaron con él ninguno tenía estudios previos de arte o credenciales de ninguna clase. Más adelante, cuando algunos de ellos se convirtieron en maestros de San Carlos, instituyeron toda una serie de requisitos para la admisión. Ésta es una de las injusticias que le molestan:

> Una vez que la gente se encuentra en una posición de poder, su único interés es ver cómo pueden imponer su punto de vista a los demás.

Había libertad de escoger cualquier clase que quisiera simplemente asistiendo y pagando una cuota muy baja, así que se inscribió como alumno de medio tiempo en una clase de grabado por las tardes que incluía dibujos al carbón de objetos fijos como botellas, vasos y frutas. Rodolfo recuerda que su primer maestro fue un artista de la generación de Rivera llamado Sóstenes Ortega. La clase de grabado era un principio sencillo para una experiencia educativa que habría de durar cinco años. También perpetuó sus sentimientos de infancia de estar fuera de lugar y ser un inadaptado.

Meses más tarde, después de que su hermano pagara la colegiatura de ochenta u ochenta y cinco pesos al año, y continuara proporcionándole el dinero suficiente para cubrir sus otros gastos, Rodolfo empezó a tener compañeros de otros países. Aunque San Carlos era una escuela de arte, como un complemento de la educación de sus alumnos, el plan de estudios incluía las materias de historia, literatura y francés.

Cada maestro de la facultad era considerado un experto en su campo. Por ejemplo, el profesor de perspectiva era arquitecto, el de historia, historiador y el de anatomía, médico. Hacia 1948, cuando Rodolfo se inscribió, todos los maestros eran mexicanos, excepto uno: Antonio Rodríguez Luna, español, quien impartía la clase de dibujo de figura humana, y a quien él califica como el idiota más grande de la Academia.

Yo comenté que por ser expertos supuestamente los maestros sabían de lo que hablaban y Rodolfo contestó: "Ah, pero es que ahí es donde está el problema". Me explicó que un maestro que no haya sido un pintor del Renacimiento, por ejemplo, no podía realmente entender ni explicar el trabajo de esa época; no tenía más que un método para ayudar al alumno a aprender a pintar.

Un profesor que personificaba este estilo escribió un libro sobre "los cinco pintores más importantes de México" (Frida Kahlo y Juan O'Gorman fueron dos de los que escogió). A él le gustaba explicar a sus alumnos cuán necesario era: "ser muy cuidadosos con su trabajo" o pintar "siempre en diagonal" los pliegues de la ropa (como Diego Rivera). Las ideas de moda, como las llamadas *simetría dinámica* o *sección de oro*, tan usadas por los muralistas, no tenían ningún sentido, según Rodolfo, si se trataba de ayudar a un alumno a expresarse o a pintar con pasión y sentimiento.

Al contarme esta experiencia más de cuarenta años después, se agitó: "Este crítico también me dijo que no tenía yo ningún talento, y que debería dedicarme a otra cosa". Hizo una pausa y me miró directamente, como si quisiera asegurarse de que entendía bien la intención de sus palabras.

> Ahora puedo decir cuán estúpida era esa forma de pensar. Los que siguieron al pie de la letra lo que se les enseñaba, al igual que los que lo enseñaban, se refugiaban en ciertas fórmulas para justificar su mediocridad.

Esa pobre opinión acerca del trabajo que se hacía en la Academia incluía la posición oficial de la escuela respecto a que los alumnos tenían que copiar los trabajos clásicos de pintura. En otras palabras, ninguno debía seguir sus propias convicciones o puntos de vista. Aun Orozco, que fuera líder de la rebelión de estudiantes veinte años antes, era citado por las autoridades de la Academia.

"La naturaleza debe copiarse con exactitud fotográfica, sin importar el tiempo que tome ni el esfuerzo que se haga", dijo este antiguo rebelde.

Nada podía ser más opuesto a lo que Rodolfo creía. Él estaba convencido de que el sentimiento y la emoción —no la perfección fotográfica— deberían ser el objetivo. Dice:

> La perfeccción es trabajo manual, y no la expresión de uno mismo. Un pintor que es simplemente un pintor puede tener una técnica impecable y, sin embargo, nunca progresar más allá de la perfección formal. Por el contrario, un artista puede decir muchas cosas —todo lo que haya que decir— en un trabajo que puede no ser perfecto. La obra de un verdadero artista posee eso que en un momento dado puede cambiar nuestra vida, iluminarla, enriquecerla.

No es necesario tener mucha imaginación para adivinar cómo fue recibida esta actitud en San Carlos.

Por ejemplo, en una clase típica de pintura, el profesor hacía que, usando papel carbón, sus estudiantes primero copiaran o calcaran una pintura, y después transfirieran la imagen al lienzo en blanco. Se les requería que organizaran su paleta de cierta manera, empezando por los colores pálidos, para terminar con los oscuros. El negro no podía usarse nunca, porque según la Academia, "no existía". Hasta el pincel tenía que sostenerse de cierta manera para que la pintura corriera libremente. Se les ordenaba primero aplicar una mancha y luego tonos medios, poco a poco. No tenían la libertad de ejecutar una pincelada espontáneamente. Según los maestros, como "los colores puros no existen en la naturaleza", debían mezclarse en la paleta y no podían aplicarse directamente del tubo de pintura. No se les permitía pintar un tema como ellos lo veían.

Humberto Urban, un artista mexicano que se convirtió en uno de los amigos más cercanos de Rodolfo después de que se conocieron en San Carlos, dice que éste veía todos esos requerimientos como "una agresión":

Rodolfo no quería aplicar la pintura en medios tonos o mezclando los colores en la paleta. Quería usarlos como "le gustara a él" emocionalmente hablando. Fue un rebelde desde el principio. Siempre tenía problemas con los maestros, pues ninguno aceptaba lo que pintaba. Aunque realmente eran discusiones más que altercados reales, él siempre terminaba perdiendo porque le ganaba la mayoría.

Trató de ser "bueno", pero estas discusiones y críticas sobre su trabajo continuaron durante los cinco años que estudió en San Carlos. Y aunque sacaba buenas calificaciones en historia general y en literatura, cuando se trataba de la pintura, era un fracaso según los cánones establecidos. Los maestros nunca creyeron en él; lo veían mal porque nunca siguió las reglas de la Academia. Y éstas eran estrictas. No había libertad para explorar tus propias ideas o tu propio modo de hacer arte. La expresión personal era un anatema. Tu maestro metía las manos en tu trabajo y te mostraba sobre tu propia tela cómo era que supuestamente debía hacerse. Las pinturas modelo se escogían de la vida misma. Las que parecían fotografías se consideraban las mejores. Los alumnos tenían que copiar un vaso, por ejemplo, así como las sombras, y se seguía el mismo método con la figura humana. El maestro decía: "Esto está mal. Las arrugas de la piel deben hacerse así".

Le pregunté por qué no había más estudiantes que se rebelaran contra este método de enseñanza y me explicó:

La mayoría de los alumnos tenían muchas habilidades y esto era lo que querían: copiar exactamente. Les encantaba hacer lo que los maestros les decían que hicieran. La pregunta es: ¿en dónde están ahora? ¿Qué pasó con todas esas estrellas?

No había nada que distinguiera el trabajo de un alumno del de otro; todos se parecían. La obra de Rodolfo era la brillante y colorida excepción.

Muchos de sus compañeros provenían de familias acomodadas, en particular, las mujeres. Algunas querían estudiar arquitectura en la escuela vecina a San Carlos "para conseguirse un buen marido". Los estudiantes de arquitectura eran por lo regular de familias solventes y veían a la escuela de pintura con cierto desprecio.

En San Carlos, "los hombres eran siempre los alumnos más pobres" según Rodolfo, "y muchos estudiaban pintura con beca, porque no tenían otra opción".

Muchos de sus compañeros varones congeniaron con nuestro artista y siguieron siendo sus amigos durante años. De sus amistades más significativas, sólo Humberto, un pintor reconocido por derecho propio, ha sobrevivido para ser testigo del éxito de Rodolfo. Vive en la Ciudad de México y lo ve con frecuencia cuando lo visita en Oaxaca o cuando éste viaja a la capital. Tal vez Humberto sepa más de Rodolfo que cualquier otra persona. Cuando habla de su amigo de casi cincuenta años, lo hace con gran afecto y un conocimiento exacto de sus fuerzas y sus flaquezas.

Se conocieron en 1955, cuando Humberto empezaba su primer año en San Carlos y Rodolfo enseñaba en la escuela preparatoria.

> Ambos éramos intrusos y estábamos desorientados. La mayoría de los estudiantes de la Ciudad de México nos veían casi como campesinos. Como necesitábamos tener amigos, fue natural que empezáramos a andar juntos. Rodolfo organizaba unas fiestas pequeñas pero buenísimas en el pequeño departamento que compartía con mucha otra gente. Tenía un cuarto chiquito, junto a donde vivían unos ciegos. Las visitas tenían que pasar esquivando a los ciegos; era algo un tanto surreal.
>
> Nos reuníamos porque ésa era exactamente la razón por la que a Rodolfo le gustaba organizar fiestas: para atraer a los amigos. Uno quiere que lo quieran. Rodolfo invitaba a alguien, y le pedía que invitara a otros amigos.

Recuerda en particular las fiestas para celebrar el Día de Muertos con "altares preciosos" y cuidadosamente decorados con botellas de tequila que el pintor obsequiaba a sus invitados. La decoración poco común debe de haber impresionado a todos los asistentes a esas fiestas.

Era una costumbre que el artista creara algo especial para regalar a sus invitados. Sus atenciones para con ellos eran extraordinarias. Como Humberto también era tímido y venía de un pueblo, descubrió que tenían mucho en común. Solían conversar de sus respectivas experiencias.

> Nos identificamos por completo y compartíamos los mismos problemas. Y como muy pocos de los compañeros mostraron deseos de explorar las riquezas culturales de la Ciudad de México, este interés en común nos acercó aún más.

El momento era perfecto para que Rodolfo pudiera tomar ventaja de todo lo que su extraordinario nuevo hogar tenía que ofrecerle. Los artistas, escritores e intelectuales que habían salido de Europa debido a la Segunda Guerra Mundial descubrieron en la Ciudad de México una atmósfera liberal, cosmopolita y vibrante. La mayoría de las actividades culturales que les agradaban a Rodolfo y a Humberto —devoradores del espíritu creador e intelectual citadino— eran gratuitos o costaban muy poco. Como estudiantes podían asistir a lugares y espectáculos que en otras partes del mundo serían accesibles sólo a los pudientes.

Según Rodolfo, los maestros de la Academia no estaban más interesados que los estudiantes en el tesoro educativo, intelectual y artístico de la gran ciudad. "Casi siempre iban al cine", dice con suave sarcasmo; "o, para hacerse los interesantes, a la ópera." Para él, San Carlos era una cómoda avenida hacia un mundo cultural que ansiaba tanto como el moribundo que lucha desesperadamente por respirar.

Al enterarse de que casi todos sus compañeros de la Academia recibieron becas en sus respectivas provincias, Rodolfo decidió solicitar al estado de Oaxaca una para él. En ese tiempo, el gobernador era un general que "no sabía lo que era la cultura", pero que, no obstante, acordó darle doscientos pesos para material artístico y libros. Sólo que la burocracia impidió que recibiera este respaldo financiero. "Me cansé de esperar."

Un día se enteró por el periódico de que el gobernador había dado apoyo financiero a los estudiantes de leyes para estudiar en la ciudad de Oaxaca. Rodolfo se enojó mucho; le devolvió al gobernador todas las solicitudes que había hecho para recibir el apoyo e informó a los periódicos lo sucedido. Dijo que, a pesar de las promesas de ayudarlo en la Academia, nunca recibió un peso. El único diario que aceptó publicar la protesta fue *El Chapulín*. Esto disgustó mucho a su madre quien pensaba que era una muestra de falta de respeto a las autoridades.

Rufina no imaginaba que a lo largo de su carrera su hijo tomaría decisiones más drásticas para oponerse al autoritarismo, mostrando una faceta diametralmente opuesta a la tranquila y condescendiente que presentaba en clase cuando su trabajo era ridiculizado y criticado. Escribir la carta de protesta a los periódicos significó hacer acopio del valor que más adelante demostraría ante las injusticias. Es curioso que un hombre tan tímido y celoso de su privacidad, que no hizo nada para defender su propia obra de los ataques, se convirtiera en una voz a favor de la justicia en Oaxaca.

Rodolfo estaba muy herido por las críticas que recibió en San Carlos, las cuales no le parecían injustas, sino dolorosas; tanto como el hecho de ser ignorado. Lo que no aceptaba era el trato injusto, ya fuera para sí mismo o para alguien menos afortunado. De algún modo, era como si pudiera hacer objetiva su indignación cuando consideraba que algo estaba mal, y encontraba la voz para poder hablar.

El apoyo le llegó de manera inesperada, y de una mujer: María Izquierdo, la pintora, identificada como uno de los grandes talentos artísticos de México, y a quien había escuchado en la radio en una entrevista. Rodolfo dijo que la frase llamó su atención, porque, aunque sabía poco de los pintores, tales palabras se aplicaban sólo a los hombres. Izquierdo rápidamente tomó su lugar en la lista de mujeres que lo inspiraron: "Cuando vi sus pinturas me emocionaron su uso del color y su estilo tosco". Este mismo estilo aparecería en su trabajo consistentemente, aun cuando sus maestros durante los cinco años de entrenamiento clásico en San Carlos hicieron un esfuerzo para quitarle tan "malos hábitos". Hasta hoy, Rodolfo insiste en que fue Izquierdo, y no la Academia, quien tuvo mayor influencia en su técnica y estilo de pintura.

Pese a que nunca la conoció, parece haber encontrado su obra en el momento crucial de su carrera: cuando descubrió que San Carlos no le daría la clase de entrenamiento artístico que él necesitaba. Enfrentado a la crítica y al ridículo, se sintió reconfortado por Izquierdo. La forma tan distinta de pintar que ella tenía, reforzó su determinación de escuchar la voz interior que le decía que él tenía razón y no los demás.

La propia María estudió en San Carlos unos veinte años antes y durante un tiempo fue amante de Rufino Tamayo, quien enseñaba ahí. Pero, al igual que Rodolfo, no recibió más que críticas en su entrenamiento académico y declaró que tenía miedo de que le bloqueara la inspiración. Diego Rivera sí alabó su trabajo durante su breve y controvertido periodo como director de la Academia, pero Izquierdo también tuvo que soportar las burlas y la falta de comprensión que Rodolfo experimentó.

Descrita como una artista que "favorecía la espontaneidad por encima del refinamiento pictórico", María se independizó en los años 30. En vista de que el mundo del arte mexicano estaba dominado por los hombres, esto era un logro extraordinario, aun para una mujer con un talento como el suyo. (En sus memorias, ella acusa: "Es un crimen nacer mujer, y un crimen aun mayor ser mujer y tener talento".) Contemporánea de Frida Kahlo, vestía ropas indígenas, listones en el pelo y maquillaje teatral antes de que Frida impusiera este estilo. Octavio Paz, en su comparación de las dos mujeres, dice: "Frida quería apasionadamente ser mexicana, pero su mexicanidad es una máscara... Por su parte, María no quería ser mexicana, pero no había forma de que no lo fuera".

En su vida personal María Izquierdo era también la clase de mujer que llenaba las historias de Rodolfo: independiente, inconforme y sexualmente liberada. Hizo lo que quiso a pesar de las habladurías, la crítica y los problemas personales.

Nuestro pintor siempre se ha sentido atraído por esta clase de mujeres. Con frecuencia se refiere a ellas cuando las aprecia en películas poco convencionales, en el teatro, en su pueblo y hasta en anécdotas que le cuentan sus amigos. La obra de María Izquierdo era mexicana sin ser nacionalista, folklórica o sentimental. En 1947, año en que Rodolfo entró a San Carlos, María escribió:

> Lucho por hacer que mi trabajo refleje el México auténtico, el que siento y amo. Evito los temas que son folklóricos, de anécdotas y políticos, porque no tienen fuerza poética ni expresiva...

Años después Morales diría algo parecido acerca de sí mismo.

En estilo, hay también una similaridad en la obra de los dos artistas. Un autorretrato al óleo de Izquierdo de 1933 se parece a muchas de las mujeres de Rodolfo con su oscura cara ancha y sus enormes ojos. Atrás, sobre su hombro izquierdo, un caballo blanco volador nos recuerda a los cisnes negros que se encuentran en algunas de las primeras pinturas de él.

El uso de elementos arquitectónicos en Izquierdo es obvio en la pintura de 1952, *Infancia del país*. Las paredes con puertas vacías, iglesias y edificios de apariencia oficial, casi desaparecen en la tierra café, bajo un cielo lleno de nubes.

Su prolongada perspectiva es realmente como un sueño, al tiempo que globos de apariencia surrealista cuelgan inmóviles en el aire. Rodolfo usa muchos de los mismos elementos pero sin las cualidades pesimistas de Izquierdo.

De toda la gente que conoció nadie alcanzó la fama de María, dice nuestro artista, a excepción de un maestro de historia. Sólo una vez comentó algo positivo acerca de la Academia: en un artículo sin fecha, declaró que al copiar los trabajos de la escuela mexicana, aprendió que como indígena, tenía más razones para pintar indios que cualquier otro artista. Ésta es una declaración curiosa, pues siempre se refiere a sí mismo como mestizo, nunca como indio.

Rodolfo tenía muchas ideas acerca del arte y las compartió discretamente con un grupo de amigos. Por ejemplo, en una ocasión la Academia patrocinó un concurso de carteles para un baile. Él no quería participar pero le sugirió a un amigo la idea para hacer uno. Su amigo la usó y ganó el concurso. A él le dio mucho gusto y tiempo después obsequió algo de su obra a esta persona, pero como ninguna de sus amistades creía en su trabajo como pintor, "probablemente lo tiró".

Había empezado a pintar para sí mismo y nunca mostraba sus obras más que a un par de sus amistades más cercanas. Con óleo, pintaba una imagen en la tela para expresar alguna emoción. Una vez que lograba cierto sentimiento de satisfacción, pintaba sobre la imagen y usaba la misma tela para hacer otra cosa.

Curiosamente, fue en este mismo periodo cuando Rodolfo pintó su primer mural público. En 1953 empezó a trabajar en un proyecto del municipio de Ocotlán, que terminaría hasta 1956. (De hecho, regresó a su pueblo en 1978 a seguir pintando en el mural para cubrir cada centímetro de espacio disponible.) El mural representaba escenas típicas de la gente trabajando en el campo, en el mercado y otras actividades familiares fácilmente identificadas por todos.

> Todavía jugaba con la idea de que la pintura debería tener un mensaje; era de lo que se trataba el movimiento de la escuela mexicana. A la gente le encantó; cuando se inauguró, todos estaban muy entusiasmados.

Algunas de las imágenes, que mostraban la influencia de sus clases en San Carlos, están pintadas con el estilo muralista de Diego Rivera, aun cuando la Academia respaldaba más el de Orozco. "Era considerado menos comunista", dice Rodolfo.

Si bien su estilo todavía no se desarrollaba hacia la forma peculiar de manejar las imágenes múltiples y escenas dentro de escenas, me dijo que se daba cuenta de que ciertos temas habían empezado a surgir en su trabajo. En el mural de Ocotlán, por ejemplo, se encuentra la plaza llena de un color exuberante.

Una fotografía tomada frente al mural muestra a Rodolfo parado con otros pintores de Oaxaca, "ninguno de los cuales llegó a ser famoso", dice. Él es el más solemne del gupo. Esperaba que el gobernador asistiera a la develación del mural y le cumpliera la promesa de la beca. Pero el gobernador murió de repente y Rodolfo se sintió profundamente traicionado. No sólo no le dieron la beca, sino que tampoco le pagaron por hacer el mural de Ocotlán.

Esta experiencia le ayudó a darse cuenta de que era un gran error andar buscando premios o jurados que le ayudaran a dar a conocer su trabajo o le ofrecieran ayuda financiera. Lo valioso fue que el mural le dio la primera oportunidad de pintar algo a gran escala y dentro de un espacio arquitectónico, y le preparó el camino para lo que habría de llegar.

Rodolfo me contó de dos de los pintores que aparecían en la fotografía, de quienes era muy allegado: Dante Lazzarone y Jesús Díaz. Con personalidades totalmente diferentes, estos dos hombres lo dotaron de un contrapunto en su búsqueda para determinar en dónde "encajaba" en San Carlos y en la Ciudad de México. Ambos murieron antes de que se escribiera este libro, y la emoción se refleja en la voz de Rodolfo cuando habla de ellos.

> Jesús era el más divertido y un excelente narrador de cuentos llenos de implicaciones sexuales y un sentido del humor muy negro, que hablaban de hombres que se habían hecho de grandes cantidades de dinero gracias a sus complejos enredos con mujeres de conducta cuestionable.

Los cuentos de Jesús podrían ser versiones adultas de la propia niñez, más bien surrealista, de Rodolfo.

> Con picardía e implicaciones riesgosas, Jesús siempre se las arreglaba para encontrar sin ningún problema la relación entre lo cómico y lo dramático y el lado chusco de cualquier situación. Es muy saludable saber burlarse de uno mismo.

Su larga amistad con Jesús (se veían con frecuencia en la capital hasta su muerte en 1998) indica cuánto ayudó el sentido del humor de su amigo a la naturaleza introvertida de Rodolfo.

Su amistad con Dante es más complicada. Nuestro pintor confiesa:

> Tuve muchas experiencias dramáticas con él, porque tenía tal complejo con su madre, que casi se volvió loco. En esa época no entendía qué pasaba... pero su problema era que estaba enamorado de su madre.

Los dos amigos se veían a menudo mientras estuvieron en la Ciudad de México. Un buen día, Dante regresó a su país y se casó. Tiempo después, su madre se comunicó con Rodolfo y le rogó que fuera a Honduras —fue la primera vez que el artista salió de México— porque su amigo estaba muy enfermo. Cuando llegó, la esposa de Dante le dijo que el problema era tan terrible que éste se levantaba en la madrugada y se golpeaba contra la pared una y otra vez, gritando y gimiendo que se estaba muriendo. Estos episodios, que incluían espasmos de vómito, duraban hasta bien entrada la mañana. Cuando Dante podía finalmente hablar, negaba que le sucediera algo grave.

Las cosas parecieron mejorar cuando su amigo, considerado un pintor con mucho talento, recibió una beca para estudiar en Estados Unidos. Aunque Rodolfo ahorró suficiente dinero para ir con él, tan pronto llegaron a Nueva York, Dante anunció que estaba "tan desesperado" que iba a tirarse por la ventana. Pero, en lugar de suicidarse, regresó a Honduras, donde sus problemas se agravaron.

Por los ruegos de la madre, Rodolfo regresó a este país centroamericano para llevarse a Dante a México.

> Era terrible, no podía pensar en nadie; ni en su madre, ni en su esposa, ni en sus hijos. Fue hospitalizado y sometido a tratamiento psiquiátrico. Creo que le hicieron una lobotomía, aunque nadie lo sabe con certeza. Después regresó a Honduras con su mujer, a quien el psiquiatra le dijo que su esposo nunca mejoraría.

Cuando Rodolfo completó la historia de Dante, describiéndolo como "muy afortunado y muy malcriado al mismo tiempo", me pregunté si no era él en realidad el afortunado. Al contrario de Dante, el reconocimiento de su "complejo con su madre" no lo destruyó emocionalmente, ni le impidió usar su talento o crearse una vida próspera para sí mismo. Quizá se salvó de un destino similar porque no había sido malcriado ni por sus padres, ni por otro miembro de la familia. Rodolfo nunca recibió una beca, ni fue reconocido como talentoso. Le pregunté cómo se las arregló para no caer en lo mismo y su respuesta fue típicamente enigmática:

> Por lo que he visto... Todos tenemos estos complejos, nos hacen humanos. Muy poca gente se conoce a sí misma y en México los padres hacen

difícil el ser autoanalítico porque ponen mucho énfasis en ver nada más el exterior.

Al sugerirle que él es una persona que mira hacia su interior, dijo:

> Sí, pero todos tenemos problemas. Lo más fácil es culpar a otros. Si una persona ha sufrido, está más dispuesta a buscar en su interior.

La amistad de Rodolfo con Jesús Díaz parecía carecer del sufrimiento y la intensidad emocional que caracterizó la que tuvo con Dante. Aunque el sufrimiento del primero no se nota en las pocas fotografías que sobreviven de los días de San Carlos, sí revelan un rostro delgado, intenso y muy atractivo, con el cabello negro bien arreglado y con bigote oscuro. Y si bien no se describe como "serio" durante esa época, dice:

> Yo era el único que tomaba los estudios en serio. Todos los demás querían nada más pasarla bien y andar de fiesta.

El evento más importante del año era un baile de máscaras para celebrar el aniversario de la Academia. Era tan famoso que venía gente incluso de Estados Unidos. Empezaba en el zócalo con un gran desfile, en el que todos participaban disfrazados; estudiantes, amigos e invitados se congregaban con gran alboroto y entusiasmo por la celebración. Después se trasladaban al edificio de la Academia, el cual lucía lleno de decoraciones preciosas y brillantes, "algunas muy eróticas", cuenta Rodolfo. Ahí bailaban toda la noche al ritmo de una de las orquestas más famosas de México. Luego me enseñó dos fotografías del baile. Una incluye un grupo de jóvenes sonrientes de sombrero. Él no está y dice que nunca se vestía como los otros, aunque asistía, bailaba y se divertía en grande. En la segunda fotografía aparece vestido impecablemente con un traje oscuro bailando con una bella muchacha adornada con un rebozo y una sonrisa deslumbrante: "Una compañera de clase, no una novia". Otras fotografías del mismo periodo lo muestran vestido de traje y sentado con gesto serio junto a un joven que está de pie: su sobrino en su primera comunión. Rodolfo tenía unos veinticinco años y fue padrino del muchacho. Es una fotografía tradicional tomada en un estudio. En otra aparece recibiendo un certificado del rector de la Universidad Nacional Autónoma de México, otorgado al estudiante más destacado durante el año escolar. "Fue la primera vez que recibí un aplauso."

El reconocimiento era por haberse destacado en francés y literatura, no por pintura o dibujo.

Aunque nadie le aplaudió por su pintura durante sus años en la Academia, Rodolfo continuó procurando sus propios intereses en el arte a pesar de la crítica de los maestros y la falta de apoyo de sus amigos. Disfrutaba lo que llama dibujos "naturales": una línea de gente sentada o dormitando en las bancas, de perros, y de mujeres envueltas en sus rebozos. "Me gustaba ir a la estación de autobuses", me dijo, "y dibujar a la gente que dormía allí."

Hizo docenas de estos dibujos simples y exquisitos, muchos de los cuales son evocativos de Matisse, y todos con un encanto y una inocencia que son tan frescos ahora como cuando se hicieron en los años 50. De hecho, uno de los primeros coleccionistas de su obra, Mauricio Fernández, una figura importante en el mundo del arte en Monterrey, me dijo en una cena en Oaxaca en julio de 1998, que él posee algunos de estos dibujos y los considera unos de los trabajos más espontáneos y atractivos que haya realizado el artista.

Ninguno de sus maestros vio nunca estos dibujos. Y si lo hubieran hecho, sin duda los habrían criticado al igual que sus pinturas. Muy poca gente vio su trabajo, a excepción de un par de amigos.

Rodolfo parecía considerar el mural de Ocotlán como algo separado de su pintura personal: después de todo, no era una expresión de sus sentimientos, sino más bien un resumen objetivo de sucesos reales. La gente retratada en el mural del municipio no imaginaba que continuaría apareciendo una y otra vez en sus pinturas, pero en una forma tan distinta que nunca podrían reconocerse.

Le pregunté si alguno de sus maestros aún vivía, o había asistido a una de sus exposiciones cuando se hizo famoso. Contestó que algunos seguían vivos pero que nunca se había topado con ninguno.

> Ninguno se ha puesto en contacto conmigo, pero me sería imposible tener alguna relación con cualquiera de ellos. Deben de estar muy amargados conmigo porque yo logré lo que todos ellos querían y buscaban. Sobre todo, me menospreciaban porque nunca pensaron en mí como alguien con quien se tuviera que competir.

Quise saber si se había preguntado qué pasaría por su mente al ver sus exposiciones, escuchar lo que costaba un cuadro suyo, o leer sobre él y sobre su creación de una fundación para restaurar iglesias barrocas. Me miró y me dijo tranquilamente: "Seguro que me odian".

¿Y sus compañeros? Algo habrá sabido algo de ellos. "No, nunca he tenido contacto con ninguno desde que dejé la Academia, a excepción de una muchacha italiana." Era una de las chicas de la foto tomada al grupo de estudiantes sentados en la azotea de San Carlos. Le escribió una tarjeta postal felicitándolo por su éxito después de leer un artículo sobre él en una revista.

También se acordó de la hermana de una compañera que compró el primer collage que vendió. Le pagó cincuenta pesos por la pieza en 1967 y recomendó su obra a otras personas. La compañera, "una mujer muy inteligente", dice nuestro artista, se casó con otro pintor que más tarde se convirtió en director de la Academia. En una reunión relacionada con el arte realizada en la Ciudad de México años después, se habló del sorprendente éxito de Rodolfo. Alguien se acordó del collage y preguntó si la hermana de su compañera aún lo conservaba. "No", dijo el pintor, displicente, "probablemente lo tiró."

Insistí en intentar entender por qué la Academia no lo reconoció como uno de sus genuinos talentos. Replicó que había algunas cosas embarazosas en el pasado de la gente relacionada que nadie quería recordar. Reconocer su obra nada más haría que estas experiencias salieran a relucir.

> En esa época algunas personas que venían de familias muy conservadoras y religiosas querían relacionarse sólo con las formas más "modernas" del arte.

Piensa que tener que elogiar ahora un trabajo como el suyo —al que se opusieron con tanta vehemencia— sería un trago amargo. Y en tanto otras personas en su posición se hubieran dado por vencidas, él, dice:

> Yo perseveré en contra de gente que no puede admitir su equivocación. Si uno no está seguro de lo que está bien o está mal, o no tiene confianza en su propio juicio, se siente más seguro si lo que tiene se parece a lo que tienen los demás. A la gente le gusta agradar. Siempre anda buscando lo que está de moda.

Pero haberse abierto camino paso a paso durante tanto tiempo, soñando, dibujando en privado, creando objetos —papalotes, autos, casitas—, lo preparó para sobrevivir a la crítica, el ridículo y la falta de comprensión. Después de resistir las burlas de la gente de su pueblo, tuvo la capacidad de aguantar la rigidez de San Carlos, el severo juicio sobre sus aptitudes como pintor y las fanfarronadas de sus compañeros.

La sensación de amargura al salir de la Academia en 1953, sin un diploma, para tomar el trabajo de medio tiempo como maestro, fue mitigada por la idea de que al fin podría dar por terminada su relación con tal estrechez mental. Creyó que había dejado atrás a los críticos. Pero le esperaba una sorpresa desagradable.

6. El querido maestro y la escuela preparatoria

En vista de las críticas y las burlas que tuvo que soportar Rodolfo durante el tiempo que estuvo en la Academia, parece irónico que quien le ayudara a escapar de ésta haya sido uno de sus maestros: Alfonso Payares. De éste, su benefactor y profesor de historia del arte, el pintor dice:

> Era uno de los pocos que se portaba bien conmigo; siempre iba a la cafetería, a tomar café y a hablar con los alumnos. Cuando le preguntaba a diferentes grupos de muchachos quién era el estudiante más responsable de la Academia, siempre decían todos: Rodolfo Morales.

Las preguntas de Payares tenían una intención: la escuela preparatoria más prestigiada de la capital de la República buscaba a un profesor de dibujo de medio tiempo, como parte de su plan de estudios. San Carlos era el lugar en el que, por lógica, podría encontrarse a alguien que tuviera el talento y la energía suficientes para enseñar a grupos de adolescentes con habilidades rudimentarias. Y aunque nadie creía que Rodolfo sabía pintar, en general estaban de acuerdo en que era buen dibujante. Como el trabajo no era de tiempo completo, no era necesario tener un título, así que aceptó el trabajo sin dudarlo. Había vivido siempre con tan poco, que el ingreso —combinado con la ayuda de su hermano José— significaba poder llevar una vida más holgada en el aspecto económico.

Así que en septiembre de 1953, y gracias a la recomendación del profesor Payares, "el alumno más responsable" de San Carlos fue incorporado a la escuela preparatoria más prestigiada de la Ciudad de México para impartir la clase de dibujo. Después de cinco años de estar en contra de las clases repetitivas y a menudo aburridas que tenía que tomar en la Academia, Rodolfo se convirtió, no en un pintor de iglesias ni en un artista, sino en un maestro de dibujo en una escuela del estado, que preparaba a los estudiantes de preparatoria para su ingreso a la universidad.

Como parte del sistema universitario, la preparatoria número 5 era una escuela pública abierta a cualquier estudiante citadino. No obstante su excelente reputación, no había requisitos especiales para asistir a ella, a excepción del certificado de secundaria. (Muchos escritores mexicanos de gran influencia, incluido un grupo llamado "Los cinco sabios", obtuvieron sus certificados allí. Frida Kahlo también asistió a esta preparatoria, pero se inscribió en otra cuando la 5 se mudó del edificio en el que estaba en el centro de la ciudad.) Para inscribirse, los alumnos sólo tenían que pagar una cuota simbólica.

El prestigio de la escuela se había incrementado con el paso de los años, reforzado por la competencia surgida entre la creciente población de jóvenes para lograr ser admitidos. Cuando Rodolfo me habló de su carrera de treinta años en ella, su voz se llenaba de orgullo. Al retirarse para regresar a su pueblo en 1985, la preparatoria número 5 era la escuela más grande de la ciudad, con una población aproximada de nueve mil estudiantes. Hoy día hay lista de espera y un sinnúmero de requisitos para ingresar a ella.

Establecida en sus orígenes en un bellísimo edificio colonial del centro de la ciudad, cuando Rodolfo se integró la escuela se había mudado a unos trece kilómetros hacia las afueras. Tenía un auditorio de gran tamaño que habría de llegar a ser el sitio del controvertido segundo mural que el artista pintaría bajo dolorosas circunstancias unos años después.

Desde principios de siglo, la escuela preparatoria número 5 gozaba de un gran respeto debido a la calidad de su profesorado. Rodolfo describe a varios de los maestros de esa época como hombres de la más alta calidad e integridad profesional. Pero para principios de los años 50, cuando inició su trabajo allí, la mayoría de los profesores de la década de los 30 habían muerto o estaban retirados. Gran parte del profesorado de 1953 usó la escuela como trampolín para algo más grande y mejor pagado. Los que se quedaron no le dieron nada.

Pronto advirtió que en el plantel había más burocracia que en San Carlos. Dice que estaba lleno de burócratas que jugaban a ser maestros y vivían de los impuestos que pagaban los demás. (Por ejemplo, una maestra que era suegra de un político se iba a París cada cierto tiempo a arreglarse el cabello.) Era una época diferente de la de los años 30, cuando, por ejemplo, el profesor de literatura más reconocido de la escuela recitó de memoria el texto completo de Cervantes, *Don Quijote*. Estaba completamente dedicado a los estudiantes y les fomentaba el amor a la literatura. Para él, no había viajes exóticos a París.

En muchos aspectos, el mencionado profesor se parece a los personajes excéntricos y coloridos que llenan las historias de Rodolfo. Como la clase era siempre una "verdadera representación", su estilo teatral le gustaba al pintor tanto como la clase en sí. También tenía el hábito de comprar carne para darle de comer a los perros callejeros y siempre llegaba seguido de muchos de ellos.

Aunque los catedráticos tenían más clases que Rodolfo, quien al principio enseñaba sólo dos horas a la semana, la escuela empleaba a todos como maestros de medio tiempo. Muchos tenían otros empleos. Algunos, por ejemplo, Ángeles Cabrera, quien llegaría a ser la mejor amiga de Rodolfo, eran ya artistas.

Esas dos horas a la semana significaron para nuestro pintor una forma de independizarse. Con un salario de setenta pesos al mes se estableció en su nuevo papel, agradecido de haber podido librarse de la Academia y ansioso de involucrarse en algo que le daba gusto hacer.

El número promedio era de sesenta alumnos, pero como su clase se consideraba taller, tenía pocos estudiantes, por lo común no más de treinta. A la muerte de otro de los profesores de arte, él tomó algunos de sus grupos y trabajaba cuatro horas a la semana. Durante diez años enseñó dibujo a adolescentes de ambos sexos, de dieciséis a dieciocho años.

Con el tiempo logró que se le asignaran más grupos, y aunque no era muy alto, su salario le alcanzaba y no le preocupaba mucho el futuro. Le gustaba lo que hacía y aceptaba el reto de empezar cada vez con un nuevo grupo. No pasó mucho tiempo para que se reconociera que era muy trabajador.

En sólo unos años, desarrolló una relación con sus alumnos que muy pocos maestros en la escuela lograban. Los escuchaba y les prestaba atención y adaptó sus técnicas de enseñanza a sus necesidades, habilidades e inseguridades. Había pasado la mayor parte de su vida observando con detalle lo que sucedía a su alrededor y aplicó esa habilidad en sus clases. En ese entonces no tenía idea de que lo que hacía era similar a las técnicas educativas más avanzadas e innovadoras en todo el mundo. Lo que deseaba era mantener el interés de los alumnos, capitalizar su talento e involucrarlos. Aprendió mucho durante este proceso.

> Cuando me hice maestro, me di cuenta de cómo manejaban las cosas el sexo femenino y el masculino. Las muchachas, por ejemplo, eran tranquilas y no hacían muchas preguntas. Eran muy ordenadas, y siempre dejaban todo bien recogido cuando terminaban de trabajar. En cambio, los muchachos eran unos desordenados. Siempre dejaban todo tirado y embarrado. Eran más inseguros; constantemente me hacían preguntas y necesitaban que les dijera que eran buenos en lo que hacían.

Parecía que los varones eran perezosos, pero nuestro artista está seguro de que se trataba de un problema más bien psicológico, resultado de algún tipo de bloqueo que les restaba energía y los hacía verse más flojos que las chicas.

> Yo no creo en la flojera. Mi sobrino, por ejemplo —cuya madre lo malcrió y consintió al punto de que éste empezó a beber cuando era un adolescente—, después de haberse casado y luchado por encontrar algo qué hacer, finalmente se convirtió en un hombre trabajador. La pobreza puede ocasionar este tipo de problemas o sufrimiento, hasta que la gente se recupera y empieza a trabajar de nuevo.

Rodolfo habla de un escritor amigo suyo que "era tan perezoso que casi se ponía a llorar cuando tenía que sentarse en la noche a escribir algún artículo". Pero, una vez que empezaba a escribir, podía quedarse trabajando durante horas y el resultado siempre era muy bueno.

Agrega que en México a los hombres se les considera más holgazanes que a las mujeres, pero él piensa que como la mujer mexicana es casi siempre más educada, tiene mayor seguridad en sí misma. Participar en eventos culturales conlleva un sentido de satisfacción y de que se ha hecho algo.

Era natural que el hombre cuyo día de trabajo empezaba a las nueve de la mañana y terminaba a las nueve o diez de la noche, fuera poco tolerante con la pereza. Terminada la jornada de trabajo, viajaba una hora en el camión urbano de la escuela a su casa y cuando llegaba, se tumbaba en la cama y se quedaba dormido.

Pronto descubrió que sus estudiantes varones se robaban los dibujos uno al otro para obtener las mejores calificaciones. Las muchachas nunca hacían eso. Cuando se dio cuenta de que lo que buscaban era las calificaciones, dejó de calificarlos. Cada maestro era autónomo, y aunque no era una práctica común no dar calificaciones, a los directivos de la escuela "de todos modos no les importó". Como nunca había una evaluación de su trabajo ni del trabajo de ningún otro maestro, Rodolfo dice que daba igual cuál era su método de enseñanza o cómo calificaba.

De esta manera, muy discreta y personal, Rodolfo empezó a rebelarse contra la burocracia. Si notaba que algo no funcionaba bien, cambiaba la forma de hacerlo. "Era siempre un reto, hacer que mi clase fuera interesante y tuviera éxito." Se encontró con mucha falta de madurez y seguridad en algunos de sus estudiantes, que no se daban cuenta de lo buenos que podían llegar a ser "con sus manos y sus ojos".

Eliminadas las calificaciones del sistema de Rodolfo, los estudiantes se relajaron y empezaron realmente a disfrutar lo que hacían. A los que no tenían aptitudes para el dibujo, el pintor les permitió que hicieran lo que pudieran.

> Esto funcionó muy bien. Observar a los alumnos y aprender de ellos me mantuvo joven: no me hice viejo tan rápido porque estuve rodeado de todos estos chicos.

Lo que distingue a un gran maestro, terapeuta, curandero o padre de familia, es saber reconocer lo mucho que puede aprenderse de alguien más joven; sobre todo cuando a esa persona le falta la experiencia que uno pueda tener. La disposición de situarse en el mismo nivel que el estudiante es otra característica de una buena enseñanza. A este respecto, Rodolfo era en verdad un maestro. Desarrolló un estilo de enseñanza y de manejo del material muy distinto de los demás maestros.

Uno de los ejercicios consistía en algo tan sencillo como escoger crayones. Rodolfo se percató de que algunos de sus alumnos elegían colores que no pensaban usar, por lo que decidió distribuir ciertos colores para cada día. Poco a poco fue advirtiendo que necesitaba comprar menos material porque los jóvenes desperdiciaban menos.

Rodolfo hizo también una innovadora propuesta a dos de sus colegas, un profesor de matemáticas y uno de química. Intentó en vano interesarlos en trabajar en conjunto para mostrar a los alumnos que estas materias podían integrarse. Por ejemplo, podrían explorar el aspecto químico de una mezcla de colores o trabajar matemáticamente con la perspectiva. Y aunque haya fallado en su intento por fusionar las clases, éste es otro ejemplo de sus ideas progresistas acerca de la educación. También nos indica cómo trabaja su mente: es capaz de visualizar las cosas como un todo, y no enfocando sólo un aspecto de un proyecto o un problema. Esta habilidad pronto empezó a manifestarse en la forma en la que pintaba en privado. Podía ver la pintura completa antes de dar la primera pincelada.

Un ejercicio muy especial que practicaba con sus alumnos consistía en aprender, experimentando, el significado de la simetría radial. "Aquí es donde el maestro de matemáticas pudo haber ayudado", dice. Con un lápiz, los jóvenes dibujaban un diseño dentro de un cuadro. Rodolfo trabajaba con ellos haciendo su propio dibujo al tiempo que ellos hacían el suyo. A continuación, llenaban los espacios con color. El diseño entero estaba cubierto con pintura de cera negra y se dejaba hasta la siguiente clase.

Cuando los alumnos regresaban, el maestro les daba una uña para raspar un nuevo diseño, usando solamente planos. Lo que se veía a través de la cera negra era una simetría bella e inesperada en los pequeños dibujos. Les gustaba mucho.

Sus alumnos lo querían mucho y no tenía problemas de disciplina. Le gustaba decirles que él no iba a enseñarles nada, sino que sólo los a entretendría. Después de descubrir que la sorpresa era el mejor instrumento de trabajo, disfrutaba dejándolos con la curiosidad de lo que pasaría al día siguiente. Nunca pasó lista porque sabía que todos estarían siempre ahí. Un gran indicador de su popularidad era que sus alumnos iban a su taller cuando alguno de sus maestros faltaba a clase. Pese a su gran éxito como maestro, hasta donde él sabe, ninguno de sus alumnos llegó a hacer nada "importante". El único contacto que ha tenido con ellos ha sido en las exposiciones de pintura. Gusta de hacer hincapié en lo que él aprendió de sus alumnos como maestro de dibujo, un papel que —según él— está destinado para aquellos que no saben pintar.

Continuó creando para sí mismo, tratando de articular los sentimientos que se arremolinaban en su interior y que buscaban una voz propia. Completaba los lienzos sólo cuando se sentía satisfecho de lo que había logrado. En ocasiones volvía a usar el mismo lienzo para pintar otro grupo de imágenes tal como lo había hecho en la Academia, y a menudo con los mismos colores.

Sin saberlo, hacía lo que Carl Jung llamó la "oscuridad de la destrucción creadora". Ya sea en la escritura, la pintura, la escultura, parece ser necesario que el artista esté dispuesto a destruir su creación para poder avanzar a un nivel más profundo.

La disposición al sacrificio, la "ofrenda a los dioses", el dejar ir la creación de uno es parte de la libertad creadora. Si la obra es vista o no por alguien además del artista, no importa. Rodolfo tenía la ventaja de que no deseaba el reconocimiento público. Para él era suficiente lograr expresar lo que estaba sintiendo. Había terminado. No necesitaba de una audiencia.

Capa por capa, refinó también su vocabulario artístico a través de estos actos de destrucción. Muy rara vez le mostró sus trabajos a amigos o colegas. Y las pocas veces que lo hizo, su obra era despreciada como "mala pintura" o calificada de insignificante. Pero su habilidad con el pincel fue perfeccionándose durante esos años sombríos. Igualmente, los elementos que al final llegaron a estar asociados con él como artista tomaron forma. Su pueblo imaginario creció mientras lo llenaba de mujeres que representaban las pasiones que él rara vez le mostraba al mundo.

Entonces, algo sucedió. Diez años después de salir de San Carlos, nuestro pintor fue llamado a la oficina del director de la preparatoria. Se le informó que para continuar trabajando allí, de manera permanente, necesitaba un certificado que comprobara que había completado sus estudios en la Academia. No tenía la menor duda de que quería quedarse, pero esto era lo último que deseaba escuchar. Tener que regresar al lugar en el que había sido humillado tanto por maestros como por estudiantes, fue un golpe terrible. Sin embargo, no tenía opciones. Llamó al director de San Carlos y le preguntó qué necesitaba para que se le otorgara un certificado oficial. Se sintió aliviado al saber que no estaría obligado a tomar ningún curso extra, sino que debería preparar un portafolios con cinco trabajos como muestra. Los requisitos incluían un retrato, un desnudo, una composición general, un paisaje y un tema de su elección. Se designó a un jurado que evaluaría sus trabajos para determinar si se le daba o no el certificado.

Tenían su futuro en sus manos.

Cuando regresó a San Carlos a preparar su portafolios, el artista se sintió muy a gusto porque había avanzado mucho durante la década transcurrida desde su salida. Sus alumnos lo querían. Sus clases tenían mucha demanda. La mayoría de sus colegas lo respetaban por su trabajo. En muchos aspectos, ya no se parecía al "campesino" que se inscribiera en la Academia quince años atrás. Su sofisticación era genuina.

Se puso a trabajar de inmediato.

Aunque su horario de clases requería que estuviera en la preparatoria temprano, a Rodolfo le gustaba ir a la Academia antes de trasladarse a la escuela para trabajar en los cuadros que conformarían su portafolios. Uno de ellos era de una mujer vendiendo fruta. Había trabajado en la pintura varias semanas, cuando un día, el conserje de la escuela lo llamó aparte y le dijo:

> Quiero decirle algo; ayer el maestro Montoya —quien presidía el comité que habría de evaluar el trabajo de Rodolfo— trajo a sus alumnos al estudio en el que está usted pintando a la mujer de la fruta y les enseñó su trabajo.

"¿Y qué dijo?", preguntó Rodolfo.

Lentamente, el conserje repitió las palabras de Montoya.

> Miren el trabajo de Morales, nunca deben pintar como él. Y, sobre todo, no usen el color en la forma en que él lo usa... es horrible.

El artista escuchó al conserje en silencio, e hizo algo muy acertado: fue a ver al director de la Academia y le solicitó un cambio de jueces. Le dijo que un profesor con tales prejuicios hacia su trabajo nunca podría ser un crítico objetivo, especialmente si ya estaba criticando su estilo y diciendo a sus alumnos lo mal que pintaba.

Para su sorpresa, su petición fue aceptada. Se nombró a otro profesor como juez en lugar de Montoya.

Por fin llegó el día en que el portafolios estuvo terminado. Rodolfo apareció en San Carlos ante el jurado, confiado en que era capaz de defenderse a sí mismo y a su trabajo. Debido a que era "tan mal pintor", el jurado lo interrogó ampliamente. "Se debía a que mis pinturas no eran académicamente correctas", dice: un miembro del jurado fue en particular muy crítico con el desnudo que dibujó con un brazo levantado. El jurado subrayó que si lo bajara éste tocaría el suelo y le dio indicaciones de cómo dibujarlo "correctamente".

Al narrarme su última experiencia con la Academia, Rodolfo resaltó que si hubiera escuchado a todo aquel que quiso darle consejos sobre su pintura, nunca habría llegado a donde está. Luego, con su modestia tan característica, me dijo:

> La experiencia fue muy interesante. Me enseñó a expresar lo que creo... porque en un sentido, los jurados tenían razón; estaba rompiendo con las normas de pintura establecidas por la Academia.

Hizo una pausa y su modestia fue reemplazada por la indignación que ya había aprendido a reconocer cada vez que recordaba alguna de las injusticias de que fue objeto.

En unas palabras, resumió todo lo que piensa que estaba mal en San Carlos:

> No te dejan ser tú mismo o pintar como tú quieras. Pero hay pintores que alguna vez fueron famosos y ahora nadie se acuerda de ellos. Hay bodegas llenas de pinturas que nunca salen de ahí. Esto todavía sucede hoy día. Y hay muchos críticos de arte que aún piensan así.
>
> Sólo el tiempo y el que compra la obra dirán lo que es bueno. El comprador es quien paga por el trabajo del artista, así que, de algún modo, es el mejor crítico.

Por suerte para Morales, el jurado tuvo una reacción positiva debido a que sus conocimientos culturales eran muy amplios, sobre todo en historia del arte.

"Fue como defender una tesis", explica. Según Humberto Urban, la mayoría de los miembros del jurado votaron a su favor por amabilidad y, también, porque como él sabía más que todos ellos, no pudieron votar en contra. Le entregaron su diploma y pudo continuar con su trabajo con un título oficial.

Al menos, se había liberado de San Carlos. Se sumergió cada vez más en las riquezas culturales de la gran ciudad, donde había un cúmulo de cosas que hacer y que ver. Ansiaba empaparse en el espíritu intelectual y creativo de su tiempo.

> Tenía que sobreponerme a mi complejo de inferioridad, así que no había forma de dejar de hacer las cosas. En esos años, era como vivir en dos mundos, aunque no me di cuenta de ello. Empecé a pensar en descubrir más acerca de la cultura asistiendo a todos estos eventos, a todo lo que sucedía en la ciudad. Mi primer interés fue en los escritores, los poetas, los dramaturgos de la época. Eran gente verdaderamente extraordinaria. Yo no tenía muchos amigos debido a la actitud cerrada que había hacia los pintores y al predominio de la escuela mexicana.

Entabló una amistad cercana con tres compañeras maestras. A dos prefiere no mencionarlas porque:

> La relación terminó de una forma rara. La relación con una de ellas, que se sentía muy moderna e intentaba ser diferente, fue muy dolorosa para mí. Después de haber sido amigas tan cercanas, ninguna quiso seguir teniendo nada que ver conmigo. Tenían una actitud muy rara hacia mí.

Cuando les enseñó su trabajo fue bastante obvio que no les gustó. Pero a él le parece que fue más que disgusto: piensa que les recordó su pasado, su niñez, de la que ambas luchaban por escapar. Algo negativo salió a la superficie cuando vieron sus pinturas. Puesto que Rodolfo pintaba sin duda el México antiguo desde su inconsciente, el ambiente en esos primeros trabajos debe de haber sido muy intenso. La crudeza de sus emociones era impactante. Los muralistas pintaban historia. Los artistas que se rebelaron estaban creando obras abstractas. Él pintaba otro tipo de escenas e imágenes.

Casi dos décadas después, otra mujer —una crítica de arte— reaccionaría de la misma manera ante el trabajo de Rodolfo. Éste dice que nunca recibió algo similar de sus amigos varones —crítica, burlas, o un llano rechazo, sí, pero no una reacción emocional—. Algo en las mujeres que pinta —su pasividad, tal vez— molestó tanto a sus amigas que ya no quisieron ni verlo.

Su amistad con la tercera maestra de la preparatoria fue una experiencia totalmente diferente. Se llamaba Ángeles Cabrera ("Geles" de cariño) y ya era una escultora reconocida a nivel nacional cuando se conocieron. Quizá porque "ella ya era alguien", lo suficientemente segura de sí misma cuando vio el trabajo de Rodolfo por primera vez, no se sintió amenazada por el pasado representado por las mujeres de esos óleos.

Ella dice que se enamoró "apasionadamente" de esta obra desde la primera pintura que vio, y reconoció de inmediato que él tenía algo muy importante que decir. Que su trabajo fuera tan diferente del de los demás reforzaba su fuerza, según ella. A partir del día en que se conocieron, nunca le dio la espalda ni dejó de ser su amiga en ningún sentido. Esa amistad habría de ser crucial, quizá la más importante en la vida de Rodolfo.

Geles Cabrera era una de las primeras mujeres escultoras en México. "Había hombres que hacían fuentes y monumentos", dice, "pero no mujeres." Para 1947, cuando Rodolfo se mudó de Ocotlán a la Ciudad de México con el propósito de entrar a San Carlos, ella ya había tenido su primera exposición. Los críticos de arte escribieron acerca de la "poderosa sensualidad de su trabajo". Creaba en especial formas femeninas —por lo común en piedra y bronce— y también formas abstractas. Aun sus figuras de alambre de cobre y papel eran siempre voluptuosas y sensuales. En la Ciudad de México se le conocía y respetaba como artista, y como una mujer que se rehusaba a hacerse amante de un político o de cualquier hombre poderoso a cambio de respaldo financiero. Estaba decidida a lograrlo todo por méritos propios.

Su padre, al enterarse de que quería ser escultora, protestó diciéndole que debido a las barreras puestas por los escultores varones en México, se "moriría de hambre". Sin embargo, Geles venía de una familia de artistas: una de sus tías era pintora, la otra cantante. Su abuelo había sido escultor y dueño de una fábrica que hacía cortes arquitectónicos en papel maché. Su padre hacía los moldes de madera para la fábrica y disfrutaba describiendo la antigua arquitectura a su hija. Le mostraba los trabajos y le decía: "Mira qué bellos son". Ángeles creció con el arte, los moldes de madera, la fábrica y el respaldo cultural de su familia.

Cuando conoció a Rodolfo, él había empezado a hacer collages para darse gusto, cortando el papel "así nada más", como aprendió en el taller de su madre. Casi a manera de juego con el nombre de Geles, Rodolfo le dio algunos collages con ángeles adornados con diamantina cuando ella se mudó a su departamento en Coyoacán. Su amiga los pegó en las ventanas y las paredes. "A la gente le gustó mucho", dice. Estos ángeles o mujeres aladas ya habían aparecido en sus pinturas, pero no estaba listo para compartir su trabajo con Geles en caso de que su reacción fuera similar a la de las otras dos amigas. Lo que sí le mostró fueron unos delicados ángeles que hizo con cáscara de huevo.

Aunque sabía muy poco de él como artista, Geles reconoció algo en Rodolfo que nadie había visto y su amistad fue casi inmediata. Por el tiempo en que se conocieron, dice ella: "Él era muy educado, culto y tenía una memoria increíble y gran capacidad de trabajo.Podía citar literatura de todo el mundo". Su habilidad de observación, de estar consciente y preocuparse por lo que sucedía y por los cambios que iban ocurriendo, habían sido siempre características innatas de Rodolfo.

Pero estas características también reforzaban la forma en que la gente lo percibía como alguien "diferente". Geles dice que el pintor nunca estuvo solo después de que llegó a la Ciudad de México porque "tenía buenos compañeros: su cultura, sus amistades, las conferencias, el teatro..."

El afán de Rodolfo de sumergirse en el vértigo cultural de los años 50 y 60 le hizo encontrar nuevos intereses. Asistió a todas las presentaciones de importancia que ofrecían los artistas renombrados de su tiempo. Como la danza mexicana estaba de moda, también pudo presenciar las funciones de los más famosos bailarines, con escenografía ejecutada por los pintores reconocidos del momento. A menudo pudo escuchar a la Orquesta Sinfónica de la UNAM, dirigida por el director de mayor prestigio del país.

> Se pagaba para sentarse arriba, donde estaban los asientos más baratos, y acababa uno sentado abajo, porque casi no había gente en el concierto.

Le pregunté por qué prefería pasar su tiempo libre así en lugar de irse por ahí con los amigos; se encogió de hombros y repuso: "Para darme más seguridad en mí mismo".

Este aspecto de su personalidad fue una de las cosas que atrajo a Humberto Urban y a Geles Cabrera a Rodolfo. Pero lo que debe de haber acercado más a estos dos últimos fue que ambos eran sensibles, gente creativa que seguía sus impulsos internos a pesar de las dificultades que se les presentaran.

Geles coincidía en ciertos detalles con las mujeres poco convencionales que aparecen en las historias del pintor. Desde muy temprana edad hizo cosas que otras mujeres hubieran considerado imposibles. Era escultora en un país de machos en una época en la que los hombres dominaban todas las formas del arte. Y luchó por sus sueños a pesar de la oposición de su padre.

Rodolfo gustaba de animar a sus amigos para que asistieran con él a las presentaciones que consideraba interesantes. Hasta que apareció Geles y ella a su vez lo presentó con su propio grupo de amigos, que lo aceptó de inmediato y lo invitó a participar en sus actividades. Mucha gente que lo conocía pensaba que "se le estaba pasando la mano". Incluso su hermano Javier, que vivía todavía en Ocotlán, no podía entender el intenso romance de Rodolfo con la cultura. Cuando llegaba a la Ciudad de México a visitarlo le pedía que comprara boletos para el fútbol. Él lo complacía y después le decía: "Bueno, pues ya hicimos todo lo que tú querías; ahora, vámonos al ballet", y Javier de poca gana aceptaba hacer algo diferente. "Pensé que me iba a quedar dormido pero, para mi sorpresa, aprendí a disfrutar lo mismo que él."

Geles comenta que había una conexión espiritual entre ella y Rodolfo y al hacerlo no está subestimando el poderoso lazo que los mantuvo unidos. Inconscientemente, pueden haberse servido como apoyo mutuo: hombre y mujer. Rodolfo se apoyaba en ella para algunas cosas y Geles se apoyaba en él para otras. Así describe ella su amistad (que cuando este libro estaba en proceso había durado ya cuarenta años):

> Nos veíamos todos los días. Cuando teníamos unos minutos libres entre clases, nos reuníamos para conversar. Si no nos veíamos, nos llamábamos por teléfono. Siempre me ayudaba cuando tenía algún problema. Era muy bueno para dar consejos sobre los problemas cotidianos. Era una amistad increíble, muy especial, una especie de amor.

Geles se ofrecía a llevarlo a casa en su auto después de clases y lo invitaba a pasar los fines de semana con ella y su familia. "Conoció a todos y casi se convirtió en otro miembro de la familia." Con el tiempo su esposo se convirtió en el médico de nuestro artista. Empezó a contar con el respaldo de la gente que apreciaba el arte y que lo valoraba a él.

Nos dice la escultora:

> Rodolfo nunca habló de su madre, pero era obvio que estaba resentido porque nunca existió como madre. Lo dejó con la tía Petrona. Pero ésta tampoco desempeñó el papel de su madre. No le compraba los zapatos... todo lo tenía que hacer por sí mismo. Él fue quien quiso estudiar y quien decidió venir a la Ciudad de México.

Recordamos que la figura de Rufina siempre está presente en cuanto artículo se ha escrito sobre él en la última década, y su amiga cree que una de las razones habría sido su muerte:

> El fantasma de su madre se fue. Yo no la culpo por no haber sido cariñosa. Eso sucedía con la mayoría de los niños en esa época, así los criaban en los pueblos. Las madres les pegaban a sus hijos. Era la costumbre. No los tomaban en cuenta. Un chiquillo tenía que ganarse la vida y se le mandaba a vivir con otra gente, como Rodolfo que vivió más con su tía. Pero con el tiempo uno se percata de cuán importante es la madre.

Rufina ya había muerto cuando ambos artistas se hicieron amigos, pero sí conoció a su padre, a quien recuerda como "un hombre viejo —nada más ahí— leyendo el periódico y eso fue todo". Ella sabe que aunque nunca recibió su amor, el pintor estuvo ahí para su padre hasta el día de su muerte: sin besos ni abrazos, pero ahí. Luego dijo algo muy parecido a lo que mencionara Rodolfo acerca del valor de ser ignorado a pesar del dolor emocional que te pudiera causar: "Eso te sirve, te vuelves observador".

Debido a que la amistad con Geles era cada vez más profunda, Rodolfo decidió mudarse del departamento de la clase trabajadora en que vivía, a Coyoacán. Su vecindario había sido una zona popular sin pretensiones, donde todos eran ruidosos y divertidos. Él declara haber encajado muy bien durante los diez años que vivió allí y asegura que nunca tuvo los problemas con los que se topó cuando se mudó.

Rió con ganas al recordar lo que sucedía allí: un ambiente muy diferente lo rodeó al instalarse en su nuevo departamento. Coyoacán, que originalmente era un pequeño pueblo aledaño a la Ciudad de México, se había convertido en una popular zona residencial entre las familias de la clase media. Eran vecinos distinguidos Olga y Rufino Tamayo y allí se encuentra la famosa casa azul de Frida Kahlo. Geles vivía a unas cuadras de ésta y tenía con su esposo una pequeña clínica privada en la zona. "Cuando empezaron a aparecer los grandes hospitales, nos hundimos." En un concurrido cafecito conectado con la clínica,se reunían sus amigos, incluyendo a nuestro artista. "No era muy buen negocio, pero funcionaba." El edificio es ahora un museo-galería donde exhibe sus esculturas.

Las noches que Rodolfo no asistía al café iba a un "lugar especial" por el centro, cerca de Bellas Artes, donde los intelectuales pasaban las tardes. También los refugiados españoles de la guerra civil se reunían allí, dice. Había otro café al que asistían los toreros. Es curiosa su opinión de las corridas de toros:

> Las corridas están llenas de color. Son muy interesantes y dramáticas para aquellos a quienes les gustan. Gracias a ellas los españoles pudieron liberar la violencia de su cultura y de su forma de ser. Pienso que una de las razones por las que se utilizó la bomba atómica para matar a millones de personas fue que los estadounidenses y los alemanes no tenían cómo manifestar su violencia.

Y, después de expresar esta opinión, agregó con una leve sonrisa: "Personalmente, yo me identifico con el toro".

Geles cree que cuando Rodolfo se mudó a Coyoacán y se involucró con su familia y amigos hasta cierto punto se acabó su soledad. Lo explica así:

> Nosotros lo hicimos feliz y él nos hizo felices. Le cambiamos la vida. Lo primero que hicimos cuando se mudó fue procurar que se deshiciera de todas sus cosas. Como a todos nos gustaban las antigüedades, sugerimos que comprara algunas, lo que dio inicio a su colección. Llenamos su mundo con todas las cosas que siempre había querido, pero que nadie antes lo había presionado a adquirir o hacer. Lo aceptó de inmediato. Lo absorbió todo.

Cada fin de semana iban a las casas de gente rica en proceso de mudanza para ver qué encontraban. El pintor recuerda que una vez se toparon con una señora cuyos muebles databan de la época de Porfirio Díaz. Estas excursiones les permitieron comprar a precios más bajos que los del mercado de antigüedades del domingo. A los artistas de aquella época les gustaban las antigüedades, explicó Geles, "porque eran cultos y educados. Nos acostumbramos a reparar las cosas y a dejarlas perfectas". Se dividían todo lo que compraban, guiados sólo por sus preferencias. Una cama austriaca enorme que domina la recámara de Rodolfo (llena de antigüedades) en la casa de Ocotlán fue adquirida durante una de estas excursiones.

Cuando la escultora dice: "Nuestras casas parecían museos", podría estar describiendo las que Morales ha renovado desde principios de los 90 en la ciudad de Oaxaca.

A mediados de los años 60 la situación económica en México y su moneda eran estables. Como empleado de la Universidad y del sistema de educación pública, el pintor pudo comprar el departamento en el que vivía con un adelanto de cuarenta mil pesos de entonces y un préstamo a corto plazo.

> En esos días era fácil y seguro pedir dinero prestado, ya fuera al gobierno o al banco. Era como pagar una renta.
>
> Nunca tuve problemas de dinero durante esa época. Hasta podía viajar. Si hubiera comprado una casa en Coyoacán, sería otra historia, creo que nunca habría podido.

Pero tampoco tenía muchos gastos. Un automóvil, por ejemplo, le hubiera costado mucho dinero. Y el transporte público era barato. Comer fuera también era barato y muy pocas veces cocinaba en su casa. Había un restaurante pequeño con menú económico en cada cuadra.

Con la devaluación de la moneda en México en 1970, todo cambió. Hubo grandes problemas. La crisis económica siguió al periodo de inflación que se originó en Estados Unidos, reforzando el dicho popular: "Cuando a Estados Unidos le da gripe, a México le da pulmonía". Pero por ese tiempo Rodolfo ya había pagado el préstamo del departamento y comprado la casa de Ocotlán, en la que vivían su hermano Javier, su familia y su padre.

El departamento de Coyoacán era muy sencillo, pero Rodolfo fue transformándolo poco a poco con los tesoros que después llevó a la casa de Ocotlán cuando se retiró de la docencia en 1985. Humberto Urban recuerda bien esos objetos. Dice:

> Si pintara el retrato de Rodolfo, lo situaría en un interior, con luz entrando por una ventana, pero encerrado en sus propios problemas, sus propios placeres, lejos del mundo corrupto que lo rodea. Lo pintaría con las cosas que desea y que ama; sus juguetes, sus cosas. Pienso que los juguetes y las muñecas antiguas son sustitutos emocionales de todo lo que le faltó en sus primeros años. El Rodolfo adulto compró símbolos de una niñez feliz y juguetona.

Conforme más cosas compraba, comenta, "más se molestaban los vecinos (todavía son así, la mayoría ha vivido ahí veinte años). Geles dice:

> Eran terribles, demasiado clase media, nunca entendieron nada; gente que no era nadie y que se creía muy importante.

Como era un condominio, creían tener la autoridad para decidir cómo debía vivir la gente, aun en lo respectivo a la decoración. Dijeron que Rodolfo no podía usar "tales cortinas", por ejemplo, y que no podía hacer esto o lo otro.

Él no prestaba atención a lo que decían, a pesar de que a menudo se reunían para quejarse o inventaban pretextos para tocar a su puerta y ver lo que estaba haciendo.

¿Y qué es lo que tenía su casa que provocaba tales críticas? El suyo era uno de veintidós departamentos en un edificio de dos pisos. (La amenaza de los temblores impedía que se construyeran inmuebles más altos.) Cada departamento tenía dos niveles y todos eran iguales, con la distribución convencional: sala, comedor, cocina, baño, dos recámaras y cuarto de servicio.

Pero, una vez adentro, era totalmente diferente. Estela Shapiro lo describe así:

> Fue una de las experiencias estéticas más fuertes que haya tenido. Estaba en un lugar muy sencillo y por fuera no era nada sofisticado. Había que subir dos pisos. Y se abría la puerta a un mundo mágico. Era como entrar caminando a una de sus pinturas pero, más que nada, uno sentía que estaba adentro de una pieza de arte. En el departamento cabían sólo unas cuantas personas. Estaba lleno de cositas: focos de colores en las lámparas; pedazos de tela colgados sobre lámparas y fotografías; platos de cristal llenos de flores secas; juguetes y muñecas en el piano y mantillas sobre éste; una mesita con un servicio de café en miniatura; un trenecito; antigüedades; su cama vienesa; tantas cosas europeas. Como Marcel Proust: nada contemporáneo.

Cuando Rodolfo organizaba sus reuniones, sus vecinos se quejaban. Les disgustaban sus amigos, a quienes tachaban de ser una pila de "drogadictos o alcohólicos". Los escandalizaba que algunos se vistieran a la moda de los *hippies* americanos de los 60. Una vez llegó un amigo cubano con sus tambores y criticaron también la clase de música que le gustaba. Pero Geles dice que sus fiestas no eran escandalosas:

Cada quien hacía lo que quería; la gente traía comida, discos, y era buena música por cierto, pero su lugar era demasiado pequeño para poder bailar. Y los invitados eran siempre gente bien educada, que solía comprar algo de la obra de Rodolfo. Él era generoso y creativo: siempre dando algo.

Geles quería comprar tantas piezas de su amigo como pudiera. La primera vez que vio sus pinturas, escogió una que le gustó mucho y le ofreció una escultura a cambio. (Rodolfo dice que fue la primera pintura que había terminado por completo: "Me era difícil acabarla, me llevó mucho tiempo." En parte, la dificultad estribaba en que estaba acostumbrado a pintar como descarga emocional. Además, no había una razón práctica para completar una pintura puesto que nadie quería tenerla.)

Cuando le entregó la escultura notó a su amigo muy sorprendido. "¿Cómo puede ser?, esto vale demasiado. No puedo darte sólo una pintura a cambio." Geles dice que el suyo era un trabajo bastante importante pero que insistió en que la pintura que quería valía para ella tanto como su escultura. Nadie antes había mostrado esta clase de aprecio por su trabajo y a él le costaba aceptarlo.

Al crecer su círculo de amigos, Rodolfo pudo usar su habilidad creadora en un sinnúmero de ocasiones. Geles describe una fiesta navideña que ayudó a organizar en su casa. Él era el director.

Había flores, papel de China... él era quien tenía todas las ideas acerca de la decoración y los adornos. Era precioso. ¡Qué ojo! Decoraba botellas, hacía nacimientos, altares del Día de Muertos. Todo era creatividad suya. Y realmente lo disfrutaba.

Aunque decía que no era religioso, sus decoraciones siempre incluían objetos de ese tipo "porque se relacionaban con la Virgen", me aclaró. Decoró con ellos el altar de su departamento y aquel a la entrada de su casa en Ocotlán.

Es una expresión popular que me acerca a la gente; esta mezcla religiosa los atrae a mis pinturas también. Lamento que muchos pintores jóvenes mexicanos no noten este aspecto de la cultura popular mexicana. Se están perdiendo de algo muy importante de su gente. Hay una falta de sensibilidad, de conciencia, de percepción; una verdadera falta de visión.

Durante sus años como maestro, su don para "ver" se afinó por su inmersión en el ámbito artístico que de alguna manera era un tanto esquizofrénico en la Ciudad de México. Poco a poco se familiarizó con las galerías de arte de la urbe, muy escasas en esos años.

> El entorno artístico era "bastante frío" debido a la anterior embestida de los muralistas, y a que la escuela mexicana dominó en ese mundo durante largo tiempo. La experimentación con cada forma de arte posible se convirtió en lo que "había que hacer". Ya no había formas correctas de crear arte en México. Hubo un lapso en el que cualquier cosa era aceptable, y los críticos se dieron gusto opinando. La gente común, las masas, la expresión popular, todo se había descartado (en reacción contra los muralistas).

En muchos aspectos, dado que no había una corriente establecida o una expresión común en el escenario del arte mexicano, le era más fácil avanzar por su cuenta. Paso a paso fue refinando los perímetros del pueblo imaginario que creó sobre tela mientras la percepción del mundo del arte de su país experimentaba una sacudida que aún intenta rectificar.

7. Abriendo la cortina de cactus

En 1959, a la mitad del cuarto año de Rodolfo Morales como maestro de la escuela preparatoria, el escritor, crítico y pintor José Luis Cuevas publicó un manifiesto que cambiaría la historia del arte en México. Sacando provecho de la entonces popular frase política "La cortina de hierro", Cuevas llamó a su publicación *La cortina de cactus*. Citando su profunda desilusión por el arte mexicano establecido y el respaldo del gobierno a las artes, convocó a una presencia fresca y nueva para reemplazar a la "mexicanidad cansada en las artes visuales". En esencia, atacó los criterios de la escuela mexicana, que excluía cualquier otra forma de abordar el arte.

Rodolfo no era parte en absoluto de esta forma establecida de arte, pero no se unió a los artistas que afanosos seguían a Cuevas, hambrientos de un cambio. Sabía que la rebelión en contra del arte popular inspirado en lo político que había prevalecido desde los años 20, era compartida por cada vez más artistas y literatos en el ámbito internacional. Por ejemplo, una caricatura de 1946 de Ad Reinhardt titulada *Cómo contemplar el arte moderno en Latinoamérica*, retrataba un árbol con su rama realista quebrada por el peso muerto del arte mexicano y otros elementos negativos como el regionalismo, las naturalezas muertas y los paisajes.

La partidaria más notable de Cuevas era la crítica argentina Martha Traba, fundadora y primera directora del Museo de Arte Moderno de Bogotá. Con gran poder en el entorno artístico en toda Latinoamérica, el desagrado de Traba por el muralismo mexicano no tenía límites. En una ocasión lo describió como "un absceso enorme que ha infectado a todos nuestros países". Su argumento era que al valerse de las artes visuales para fines políticos, los arquitectos de la Revolución mexicana no eran mejores que los políticos reaccionarios.

El respaldo de Traba provocó el enojo de aquellos que vivían convencidos de que el reconocimiento artístico y financiero se le negaba a todos, excepto a los muralistas. El resentimiento se expandió y no se limitó a algunos artistas que se consideraban de vanguardia. Al darle voz al descontento artístico en todo el país, Cuevas proveyó el punto focal para un rompimiento dramático con el pasado en términos de cómo se definía y valoraba la pintura mexicana.

Como Rodolfo nunca se había desviado de la forma en que escogió pintar, el hecho de que el modernismo pudiera finalmente dar un paso no le afectó en lo personal. Conocido como "la ruptura", el movimiento rechazaba cualquier cosa que oliera a folklore o fuera distintivamente mexicana. Este rompimiento radical duró mucho tiempo. Algunos escritores dicen que se prolongó hasta los años 70, aunque el periodo que suele citarse es de 1952 a 1965.

En este lanzamiento de una nueva era, el artista se encontró en medio de un cocido estético sazonado con una rara mezcla de pintorescas especias, de una época de "intensa experimentación y fragmentación en términos de estilo y compromiso con cualquier punto de vista ideológico". El pintor que intentara hacerse de un nombre tenía que evitar cualquier reminiscencia del "arte típicamente mexicano" desarrollado después de la Revolución y durante los días de gloria del muralismo. Los artistas más jóvenes, en especial, procuraron superarse distanciándose de la escuela muralista mexicana. Como Morales no soñaba con hacerse de un nombre, nunca lo atrajo la disputa. Se acercó a los escritores y otros intelectuales, y no a los pintores que luchaban por alcanzar un lugar en el escenario del arte.

Un día, caminando por las calles de la Ciudad de México, vio un anuncio de una conferencia de Manuel Toussaint sobre las catedrales de la religión. Como a Rodolfo le fascinaban las iglesias de Oaxaca, decidió asistir. A partir de entonces se describe como un "estudiante fiel" del Colegio Nacional, donde escuchó conferencias de los más famosos escritores y pensadores de la época, entre ellos José Vasconcelos, Carlos Chávez, Samuel Ramos y Carlos Fuentes. Rodolfo asegura que la "verdadera educación" del Colegio Nacional pagó con creces las deficiencias culturales de San Carlos. Aunque el debate, el conflicto y los insultos caracterizaban el tumultuoso mundo del arte a su alrededor, él encontró un lugar en el que se sentía cómodo. Por encima de cualquier galería, prefería pasar su tiempo libre en el Colegio. Su amor por la arquitectura lo atrajo a él. Durante el tiempo en que su pasión por el barroco fue nutrida por Toussaint, la revuelta contra el "arte del pueblo" era encabezada por artistas que imitaban lo que llegó a conocerse como expresionismo abstracto americano, en especial los trabajos de John Pollock, Mark Rothko y Franz Kline. El abandono de la escuela de Nueva York de los intereses políticos de los años 30 y su devoción por liberar la expresión artística, se ensamblaron bien con las metas de la ruptura en México. La ciudad de Nueva York reemplazó a París como el nuevo centro de arte del mundo y todos los artistas mexicanos que pudieron hacerlo, viajaron al norte a ver de qué se trataba el alboroto.

Al examinar la evolución del arte en México, descubrimos que, irónicamente, el muralista David Alfaro Siqueiros dirigió un taller para pintores jóvenes en Nueva York de 1934 a 1936. Su alumno más famoso fue John Pollock, quien, según muchos mexicanos —incluyendo a Rodolfo— fue muy influenciado por Siqueiros, en particular en el uso del *spray.*

Éste es un curioso ejemplo de cómo los artistas mexicanos han influido en las tendencias internacionales, moviéndose en diferentes círculos del arte, lejos de su tierra natal. (Que este hecho no se reconozca siempre puede deberse a la posición de segunda que a menudo se le ha asignado al arte mexicano en el resto del mundo.)

Rodolfo trató de entender el trabajo que provenía de la ciudad de Nueva York, no porque le gustara algún pintor en especial sino porque tenía curiosidad acerca de lo que sucedía con la nueva forma de expresar el arte. Nunca superó el innato interés que lo hizo ser siempre el primer niño en llegar a la escena cuando ocurría algún suceso fuera de lo común en Ocotlán. Encontró "estimulantes" algunas de las obras de sus compatriotas.

Su desdén hacia el arte con pretensiones intelectuales —muy difundido en ese momento en el país— ya estaba bien desarrollado cuando dejó la Academia y no tenía paciencia con los intentos de la mayoría de los artistas mexicanos de emular la escuela de Nueva York.

> Se supone que el arte no debe ser intelectual; a mí el trabajo intelectual no me conmueve. En su deseo de ser modernos, muchos detestaban la figura humana y al intentar meterse al abstracto, perdieron. En mi opinión, la mayor contribución al expresionismo abstracto, a fin de cuentas, no era crear buen arte en México, sino ayudar a existir el orden existente.

Ese orden existente estaba definitivamente de cabeza. Durante los primeros años de Morales como maestro, a fines de los 50, la apertura permitió a toda una nueva generación de artistas hacer a un lado a los muralistas y centrar la atención en su propio trabajo. Los más notables fueron Carlos Mérida, Rufino Tamayo, Pedro Coronel, González Camarena, Juan Soriano y Gunther Gerzo. Muchos de ellos, sobre todo Tamayo, pertenecían a un reducido grupo que se negaba a abandonar el trabajo figurativo e incluía elementos de surrealismo en sus pinturas.

Otros abordaban temas de responsabilidad social y de protesta, aunque Rodolfo dice que en su trabajo había un elemento notoriamente conservador. Un ejemplo es un grupo autonombrado "Nueva presencia".

Su obra representaba una reducción de las ambiciones muralistas más que su total abandono. Los pintores ya no se dirigían a las masas como lo hicieran los tres grandes; miraron a la nueva clase de profesionales con poder adquisitivo. La pintura de caballete se hizo popular. Según nuestro artista, el resultado fue un tipo de pintura introvertida, más bien deprimente. No es de sorprender, entonces, que la ruptura también marcara el final del romance entre los corredores de arte y los museos estadounidenses, cuyo auge ocurrió entre 1930 y 1940. La "invasión" de arte mexicano al país vecino terminó.

Si bien aquellos que querían estar al día consideraban que el arte mexicano había pasado de moda, esta forma de pensar no afectó a Rodolfo; él continuó por su propio camino, impávido ante la discordia que bullía a su alrededor. Al margen del conflicto de identidad de la pintura mexicana, él no ambicionaba formar parte del escenario artístico o de las luchas políticas. Estaba contento enseñando, haciendo pequeños collages para sus amigos, y trabajando en sus telas en privado.

De cierta manera, el hecho de que no hubiera una identidad mexicana reconocida en las artes visuales hasta bien entrada la década de los 70, funcionó a favor de Morales. Como continuaba pintando para sí mismo, no pertenecía a ninguna escuela, grupo o movimiento surgido durante la ruptura. Fue hasta 1965 que enseñó en serio su obra a alguien, y ese alguien era su grupo de amigos más cercanos. Cuando se le "descubrió" en 1975, su pintura fue calificada de "fresca y nueva". La ironía es que su trabajo era —y sigue siendo— profundamente mexicano.

Aunque se inició con enorme energía y entusiasmo, la ruptura no era un esfuerzo unificado y pronto perdió fuerza. Según Rodolfo, sin una dirección definida, el escenario del arte mexicano se caracterizó por su falta de imaginación y por un trabajo bastante mediocre. En un periodo de diez a quince años, los primeros esfuerzos de innovación de la ruptura se diluyeron.

Para cuando se publicó *La cortina de cactus*, la escuela mexicana estaba en franca retirada. Rivera, sus esposas, sus amantes y su arte dejaron de ser el tópico de conversación más importante. Esto no detuvo a Cuevas, quien declaró que el arte mexicano no sería validado por el resto del mundo hasta que superara la herencia de los tres grandes muralistas. Rodolfo entendió este punto de vista. Diez años antes él se había burlado de los requerimientos de la Academia, que los forzaban a copiar la obra de los muralistas.

Le ofendía tener que copiar la técnica de alguien.

No obstante que algunas de las figuras que pintó en el mural del municipio en Ocotlán tenían parecido con las sólidas imágenes de Rivera, nunca sintió ser requerido para copiar el trabajo de Diego o el de cualquier otro. Pero, irónicamente, acepta que sentía un afecto por este artista que no se basaba en su destreza como pintor. Fue Rivera, dice, quien atrajo su atención al valor de coleccionar arte precolombino, así como las artes populares y artesanía que él y Frida amasaron. Las figuras de Judas —imágenes enormes que se quemaban antes de la Semana Santa en México— eran un ejemplo del tipo de arte que les gustaba. Dos de estas figuras se encuentran de pie a la entrada de la casa de Frida en Coyoacán, en la Ciudad de México. Rodolfo también se refiere a su amor por el arte popular cuando habla de Tamayo:

> Las mismas figuras de Judas influenciaron muchas de las formas en las pinturas de Tamayo. La gente las usaba, pero no las consideraban un arte. Fue Rivera quien lo entendió. Fue él quien mostró al mundo este lado de México. Debido a él, todo el mundo empezó a venir a nuestro país.

Grandes creadores como el director de cine soviético, Serguei Eisenstein, que visitó México en 1930 y filmó zonas de Oaxaca, "vinieron por Rivera". Como Rodolfo siempre estuvo interesado en el cine, se sentía intrigado por Eisenstein y su deseo (al igual que el de Rivera) de crear arte para las masas. Su película épica *¡Que viva México!* nunca fue proyectada al público pero su visión y ciertas técnicas como "perspectiva en movimiento" o "montaje" han influenciado a muchos directores mexicanos.

Antes de la muerte de Rivera, Rodolfo lo escuchó dar una conferencia en el Colegio Nacional. Del muralista dice que "era amigo de los poderosos, de aquellos de quienes le gustaba burlarse, pero nunca le hicieron nada por eso". Y, si bien él nunca tuvo la confianza para burlarse de nadie que tuviera poder, no olvidó el desprecio con que algunos de estos hombres lo trataron. En muchos aspectos, su venganza ha sido el extraordinario éxito que se cruzó en su camino a fines de los 70, y no la burla verbal que Rivera usaba con tanta facilidad.

Pese a que Frida Kahlo había muerto varios años antes, continuaba siendo un tema de interés mientras Rodolfo enseñaba en la Ciudad de México.

> La gente ha inventado muchas historias acerca de Frida. Ella era mucho más moralista de lo que la gente cree y le pedía a sus amigos que no la confundieran con otras mujeres de su tiempo, quienes eran mucho más *wild*. Una de las cosas que sí hizo, fue manipular lo que le pasó… las imágenes de su vida... para su beneficio. Tal manipulación siempre ha sido un anatema para mí: si un artista es espontáneo y no trata de manipular sus imágenes, muestra toda clase de cosas en sus pinturas. No tienes que ser bueno o malo, sólo ser tú mismo.

En muchos aspectos, Diego Rivera manipuló la historia mientras ponía a México en el mapa en el ámbito artístico. Por lo regular, el realismo histórico de los muralistas retrataba a los mundos indígena y español como separados, y muchas veces en guerra. Al mezclar las dos culturas de su país en el mundo que ha creado sobre el lienzo, Rodolfo Morales logró, sin proponérselo, lo que los grandes muralistas se propusieron hacer. Si el patriotismo o nacionalismo ha encontrado un espacio en sus pinturas, no es porque desee emular a los muralistas ni necesite apoyarse en técnicas propagandísticas para transmitir lo que significa "ser mexicano".

Es interesante comparar la pintura de nuestro artista con la de Diego Rivera. En ambos casos, el ojo neófito ve a "México", pero un análisis más detallado muestra la enorme diferencia entre ambos trabajos, en especial en cuanto a las mujeres que han pintado. Las de Rodolfo son estereotipos y no intentan parecerse a personas específicas (al contrario de Rivera), por lo que su retrato resulta intemporal. Sin importar que unas tengan la piel más oscura que las otras, no queda duda de quiénes son:

mujeres mexicanas mestizas, cuyo atractivo misterioso perdurará mucho después de que los temas históricos de Rivera se borren de la memoria.

Al final de su vida, Diego, muerto en 1957, era blanco fácil de burlas, debidas en parte a su sobrepeso y en parte a que había caído de su alta posición en el mundo del arte. Un grupo de intelectuales que se hacía llamar "Los contemporáneos" y se oponía al nacionalismo representado por los muralistas, era el que más disfrutaba al burlarse de él.

Una vez libre de la Academia, el estilo y los elementos del trabajo de Rodolfo nunca cambiaron. Psicológicamente, se sentía en libertad para seguir sus propios impulsos y ser dueño absoluto de su forma de expresión. No tenía que impresionar a nadie ni nada que probar.

Por esta razón su trabajo retuvo una cualidad casi pura que no se vio afectada por todos los experimentos que observaba a su alrededor. Las toscas características de sus composiciones, su audaz uso del color, su admiración por la pintora y libre pensadora María Izquierdo, nunca titubearon. El resultado: pinturas intemporales, contrarias a la obra de los muralistas, que parece congelado para siempre en el periodo que precedió a la ruptura.

La nueva generación que ocupaba posiciones importantes en el gobierno también contribuyó a que el espíritu creativo de México no se viera asfixiado por los muralistas. Este esfuerzo fue respaldado por Jaime Torres Bodet, secretario de Educación de 1943 a 1946 y de 1958 a 1964, y secretario general de la UNESCO. Su visión —más internacional— armonizaba con los intereses del gobierno, que ya no eran acordes con el arte nacionalista.

No obstante haber creado una identidad mexicana en el país, el muralismo y la escuela mexicana no tuvieron más remedio que hacerse a un lado ante el nuevo espíritu representado por Cuevas y Martha Traba.

Pero no por ello las artes perdieron su valor en México o su papel se tornó menos importante. Traba ha dicho que la característica más conspicua del arte latinoamericano es su "invariable objetivo de comunicarse con el público a través de imágenes visuales". Los latinoamericanos, y los mexicanos en particular, esperan que la literatura y las artes visuales les digan algo sobre sí mismos. Esto se debe a que sus políticos no han logrado sostener un sentido de identidad nacional y a la confusión innata de lo que en realidad significa "ser mexicano". La enorme popularidad alcanzada por los muralistas se debió a que alentaron a sus compatriotas a mirarse ante un espejo y valorar lo que vieran reflejado, en lugar de mirar hacia Europa.

Las casas de los ricos, llenas de arte europeo, se cimbraron cuando aparecieron los muralistas.

Sólo el tiempo dirá si la pintura de Rodolfo Morales hará lo mismo. Si logra ayudar a despertar en sus compatriotas el inconsciente colectivo, puede llegar a ser el pintor mexicano más importante del siglo xx.

Veinte años antes de que Bodet llegara a ser secretario de Educación, José Vasconcelos —un hombre extraordinario y polémico— ya había puesto los cimientos para un clima nuevo y propicio para la cultura. Rodolfo es tan generoso en su elogio a Vasconcelos como lo es con Rivera: "A Vasconcelos le debemos el gran movimiento de las artes plásticas".

Dotado de un sexto sentido para ver el talento, Vasconcelos consideraba las tradiciones indígenas como "folklore" y les daba valor sólo cuando estaban combinadas con otras tradiciones. Pero su apetito por el arte y la cultura era tan grande que cuando fue secretario de Educación mandó imprimir los clásicos de la literatura de todo el mundo en una edición económica para que todos pudieran leerlos. Fue idea suya proveer los espacios públicos a los muralistas para que pintaran la historia narrativa de México.

Filósofo, escritor y católico devoto, no parecía "tener prejuicios"; según Rodolfo, "aun si la persona en quien se interesaba era homosexual o de tendencias comunistas". Vasconcelos, quien también tenía fama de ser un amante especial de las mujeres, parece haber escrito un libro que, si se publicara, comprometería a mucha gente conocida que aún vive. (Una de las mujeres más famosas cercanas a él fue Lupe Marín, la primera esposa de Diego Rivera, "una mujer muy hermosa con una boca terrible".)

Al igual que muchos intelectuales de su época, Vasconcelos también fue maestro en San Carlos antes de que el presidente Álvaro Obregón lo llamara en 1920 a dar un nuevo enfoque a las artes. Él creía que el arte debía diseñarse en términos realistas que la gente común pudiera entender. "Cuanto más grande, mejor", se convirtió en su lema. El formato obvio para exhibirse al público fue el mural.

Se dice que 1925 —año en que nació Rodolfo— fue la línea divisoria entre lo nuevo y lo viejo en el arte. Esto significó que con la pintura muralista llegó un cambio, más allá de la conciencia social representada por la Revolución, al que se refirió años después Octavio Paz: "un cambio en la percepción estética que constituyó la revolución artística europea del siglo XX".

Mientras pasaba de alumno de la Academia a maestro de la escuela preparatoria, Morales se percataba de que en el mundo del arte mexicano se gestaba otro tipo de cambio, cerca de treinta años después de que Vasconcelos promoviera a los muralistas. No se caracterizó por el estruendo de una transformación genuina durante los últimos años de los 40 y principios de los 50, sino como una etapa en la que hubo de cuestionarse el orden tradicional. Fue también cuando se abrió paso a los años 60 y a los eventos dramáticos de esa década, tanto para el país, como para Rodolfo en el terreno personal.

Los muralistas se aseguraron de que México se cerrara a cualquier intento de influencia de la vanguardia europea, a excepción del surrealismo (con el que Rivera coqueteó un breve tiempo). Este estancamiento propició el manifiesto de Cuevas y la controversia que le siguió y explica por qué algunos escritores han dado tanto crédito al movimiento surrealista en México. Hay algo de romántico en asignar al surrealismo el papel de David contra el gigante Goliat del muralismo, políticamente inspirado en la época.

Nada podía estar más lejos del neorrealismo de los muralistas que aquel tipo de trabajo que buscaba extender la conciencia espiritual e intelectual más allá del pensamiento racional y del *status quo*. Con todo, es discutible si la vanguardia organizada en México que llevó a la ruptura estaba realmente formada por los surrealistas, como se dijo. Aunque muchos de los principales surrealistas europeos estaban en el exilio en este país a fines de la década de los 40 y principios de los 50, en la opinión de Rodolfo el surrealismo pudo haber sido una manera de adoptar el modernismo, sin arriesgar mucho. Los surrealistas en México dieron mucho más de sí mismos de lo que se les ha reconocido.

El artista al que más se le asoció con la idea de que el arte latinoamericano del siglo XX era en esencia surrealista fue Roberto Matta (quien en 1941 hizo un viaje a México acompañado de Roberto Motherwell). Matta, de nacionalidad chilena, era un hombre de mundo, muy preparado debido a sus viajes y a sus relaciones con artistas europeos, estadounidenses y latinoamericanos. Admirado por igual por surrealistas y no surrealistas, declaraba sentirse apasionadamente identificado con los volcanes mexicanos como símbolo de sus propias sublevaciones intelectuales. En México, donde la erupción de un volcán —como tantos otros fenómenos naturales— posee una cualidad mágica, la abierta confesión de Matta de su identificación con los volcanes llegó a oídos receptivos.

La otra pintora surrealista a quien Rodolfo mencionó es Leonora Carrington, la inglesa que permaneció en México después de que casi todos sus compañeros del surrealismo regresaron a Europa. Que seleccionara a una mujer con una habilidad extraordinaria para establecer su propia identidad a través del arte no es ninguna novedad. Una vez más, escogió a una mujer de voluntad férrea, independiente, y a la que admiraba profundamente.

México resultaba ser un hogar natural para el movimiento surrealista, quizá debido a su aceptación de una realidad no vista y a sus características mágicas, ya de por sí existentes. André Breton, fundador del surrealismo europeo, lo visitó en 1938 y lo calificó como un país "naturalmente surrealista". (Breton tuvo éxito al seducir a un gran número de personas con sus ideas. Frida Kahlo, por ejemplo, dijo: "No sabía que yo era surrealista hasta que Breton me lo dijo". Sin embargo, los surrealistas no tuvieron éxito en sus intentos de atraer hacia su corriente ni a Frida ni a María Izquierdo.)

De hecho, en 1949, Kahlo participó en una exposición surrealista muy celebrada en la *Galería Inés Amor* de la Ciudad de México. Otros notables que participaron en ella fueron Diego Rivera y Manuel Rodríguez Lozano, los únicos artistas (aparte de María Izquierdo) a quienes Rodolfo les da el crédito de haber influido en su trabajo. A pesar de que Rivera, Kahlo y Lozano renunciaron después a cualquier vínculo con el surrealismo, se ha dicho de la exposición de 1940 que "fue un momento de unión de las tendencias principales en el arte latinoamericano del siglo XX, el surrealismo europeo... y el muralismo indígena..."

Durante los 50 y los 60, inmerso en su autoformación cultural, Rodolfo descubrió a Lozano, cuya obra se está redescubriendo, de alguna manera, al cierre del siglo. Nuestro artista cree que Lozano es muy poco conocido fuera de México, y que no era apreciado por otros pintores y algunos críticos de arte debido a su vida privada. (Después de varios años de matrimonio con una mujer de una familia prominente, dramáticamente se proclamó homosexual y se fue a vivir a Europa con su amante. Como Rodolfo experimentaba la misma falta de aprecio por críticos y pintores a la par, es comprensible que sintiera alguna identificación con Lozano.)

Nadie discute que Lozano hiciera las cosas a su modo, pintando imágenes personales, sin importarle que el tema fuera o no popular. Siempre se opuso a ser categorizado y no sólo se separó por completo de los muralistas y los surrealistas, sino que también fue un crítico severo de la experimentación de sus compatriotas en el terreno del expresionismo abstracto. Los llamó "bola de eunucos" y los acusó de "copiar de otros y de perder todas sus cualidades, buenas o malas, sometiéndose al poder del dinero". Nuestro artista no hubiera podido decirlo mejor.

Las figuras profundas y alargadas de Lozano en ambientes más bien surrealistas tuvieron un efecto impactante en él, aunque lo que más le impresionaba era la vieja preocupación del pintor por la soledad, el abandono y la muerte. Al calificar las figuras de Lozano como "profundamente humanas... y silenciosas al tiempo que transfieren el entendimiento compasivo de las emociones del espíritu humano frente a la muerte", un escritor de la época pudo haberse referido por anticipado a la obra de Rodolfo.

Algunas de las mujeres de éste también se parecen a las figuras de Lozano, como el caso específico de *Perfiles*, una pintura de éste de fines de los 20.

La obra de ambos pintores es un estudio de contrastes: en muchas de sus pinturas, las mujeres indígenas y las de piel clara con facciones europeas parecen mirarse unas a otras desapasionadamente. Hay una singularidad en el estado de ánimo que se identifica con el aislamiento y la soledad que le son tan familiares a Rodolfo. No importa que las escenas de Lozano y los colores sean diferentes; lo impenetrable de las figuras en el arte de ambos hombres es igual.

Es significativo que Lozano —quien nació unos treinta años antes— sea uno de los pocos pintores cuyo trabajo posea Rodolfo. Un sencillo dibujo de él cuelga en la recámara de una de las casas coloniales adquiridas por la Fundación Morales en la ciudad de Oaxaca. Fue un regalo de Manola Saavedra, en cuya galería se exhibió por primera vez el trabajo de nuestro pintor, y en él se retrata una figura quieta, cuya postura y expresión introvertida imparten una sensación de aislamiento total y preocupación.

Las emociones expresadas por Rodolfo en sus pocas pinturas de hombres también parecen hacer eco al famoso mural de Lozano titulado *La piedra del desierto*, realizado en Lecumberri, la vieja cárcel de la Ciudad de México. En él se representa a una mujer con la cabeza cubierta por un chal, acariciando a un hombre joven muerto o moribundo, cuyos brazos desnudos se extienden como si colgara de una cruz. Esta imagen poderosa comparte el mismo estado de ánimo que la pequeña pintura de Rodolfo que vi semioculta en su estudio en 1998.

Aunque el rango de emociones de Rodolfo es mucho más amplio que el de Lozano, su identificación con el viejo pintor es a todas luces el reconocimiento de una parte de sí mismo. Pero, a diferencia de Lozano, que parecía identificarse con la oscuridad, el final, el deterioro y la muerte, la obra de Morales no nos provoca soledad o tristeza. Más bien, nos hace evocar un sentimiento de misterio y de lo inexplicable, nos lleva de vuelta al surrealismo.

La producción del cineasta italiano Federico Fellini dejó una honda huella en Rodolfo, pues sus películas en muchos aspectos representan su propia vida.

Dado que nunca se le había mencionado en los artículos escritos sobre nuestro artista, me sorprendió que haya sido tan importante para él. "Nunca se lo había dicho a nadie", dijo.

La primera vez que vio una película de Fellini fue por 1960, cuando absorbía todo lo que podía, así se tratara de teatro o de cine. Una fábula llena de las imágenes propias del afamado director, similares en varios aspectos al vocabulario pictórico que evolucionaba con cada trazo del pincel de Rodolfo. Al verla se dio cuenta de que observaba algo familiar, aunque de momento no relacionó conscientemente lo que vio en la pantalla y lo que pintaba en privado. Como lo hizo con Lozano y con María Izquierdo, reconoció que aquí había un artista que hablaba un lenguaje que él entendía. Fellini era capaz de fundir lo literal con lo simbólico y lo natural con lo supernatural; por ello piensa que ambos contemplan sus primeros años de manera similar.

Desde esta amplia perspectiva, puede entenderse por qué le disgusta que se le compare con Chagall. Decir que sus temas son similares a los de Lozano y Fellini lo coloca en una categoría bastante diferente de la de un hombre "que pinta pueblos". Ante la insistencia de que sus pequeños pueblos y sus mujeres voladoras y los de Chagall se parecen, Rodolfo aclara:

> Yo puedo identificarme mucho más con el mundo de Fellini que con el de Chagall por las cosas que tenemos en común.

Rodolfo vio todas las películas del realizador. Le impresionaron la sensación de aislamiento de sus personajes, debido a que el aislamiento y la soledad fueron sus más cercanos compañeros de niño. Mucho se ha insistido en los colores, las fiestas, las tradiciones y la música, que son obvios en las pinturas de Rodolfo, pero su lado oscuro no puede ignorarse.

La habilidad de Fellini para montar sus escenas, yuxtaponiendo imágenes conflictivas, es la forma en la que trabaja Morales. El italiano introduce episodios múltiples de tiempo y espacio que son imposibles en el mundo real. Hay mujeres con sombrillas, perros y tomas a larga distancia de paisajes desolados: escenas dentro de una escena. Así es como el pintor mexicano construye sus propios mundos en miniatura, dentro de un marco más amplio, más universal.

El cineasta ha sido descrito como "un pintor con pocos temas favoritos", estilo que retrabajó —al igual que Rodolfo— durante toda su carrera. Los recuerdos que éste evocó con las imágenes de Fellini fueron vívidos: un niño metiéndose el dedo a la nariz, un bebé a quien están bañando, gente que se mueve en mundos separados sin conexión. Las imágenes del director son el circo, la orilla del mar, desfiles, vagabundos y mujeres abiertamente sensuales. El último es un tópico que intriga a Rodolfo, ya que las "locas" mujeres de su infancia gozaban de una libertad sexual escandalosa en ese tiempo.

La similitud entre algunas de dichas escenas y las pinturas de aeroplanos, de trenes y de imágenes arquitectónicas de Rodolfo, reales o imaginarios, es extraña. Es como si un hermano descubriera a su gemelo después de haber sido separados al nacer.

Hablando de Fellini, de pronto el pintor empezó a contarme una historia de un hombre ya mayor que estaba medio loco y a quien su madre visitaba cuando él era niño. Rufina López era su comadre, porque había bautizado al hijo de este señor, lo cual implicaba una relación especial. En pueblos como Ocotlán, eso hacía que se ayudaran como si pertenecieran a la misma familia. El compadre de Rufina era un hombre educado que cuando enfermó fue a vivir a casa de su madre, donde gradualmente se hundió en la locura.

Un día Rufina lo visitó para ver en qué podía ayudarlo. Pero cuando llegó acompañada de sus hijos, el hombre gritó como si estuvieran torturándolo, describiendo lo que veía. Las imágenes eran obscenas, "imágenes pornográficas", dice Rodolfo. Ella no quiso que sus hijos entraran a la casa y los hizo esperar afuera. Pero de cualquier manera oían lo que el hombre gritaba. (Y, claro, ellos querían escuchar todo lo "malo" que su madre les prohibiera.)

Intentaron que el sacerdote del pueblo lo calmara, ya que siendo hombre de Dios podría sacarle las imágenes obscenas de la mente. Pero todo fue en vano y, en breve, el hombre murió. Cuando le pregunté a Rodolfo si su madre les explicó lo que sucedía, me respondió: "No, eso no se hacía entonces; nadie explicaba nada".

Hizo una pausa y me miró con una media sonrisa. "Pero ésa fue una experiencia fellinesca", musitó. Después capté a dónde quería llegar con su historia.

La realidad en México está llena de distorsiones que transportan a los individuos a un mundo en el que lo implausible se convierte en plausible. El arte y la ilusión ayudan a balancear las paradojas e improbabilidades de la vida. El viejo compadre de la niñez de Rodolfo perdió su senda en ese mundo y se ahogó en un caos de imágenes obscenas y pornografía.

Llamar fellinesca esta experiencia revela el alto sentido de ironía, del absurdo y de lo dramático que tiene Rodolfo. En la locura de ese hombre hubo algo que lo impresionó y que guardó en su memoria.

Otra experiencia involucra a una compañía de titiriteros con marionetas muy grandes, como de medio metro, que se presentaban al ir de paso por su pueblo cuando era chico. "Creo que ése fue el mejor espectáculo que vi de niño", me dijo. La compañía, famosa en todo México, viajaba a zonas rurales como Ocotlán bajo los auspicios del gobierno, para llevar cultura y entretenimiento a la gente que, de otro modo, nunca hubiera tenido esa oportunidad.

> Los títeres tenían el mismo ambiente que Fellini. Lo que más me impresionó fueron los trajes ricamente decorados que vestían. Recuerdo una escena en la que una vieja estaba barriendo, cuando llegó un perro y le arrancó la falda de un mordisco. El público rió a carcajadas.

Este cúmulo de experiencias reforzaron en él la idea de que la vida es un teatro. Los disfraces, los trajes de etiqueta, los sueños y, en muchos sentidos, un mundo introvertido de ilusión, de "hacer creer" —en el que él era el único observador— conformó su realidad en la Ciudad de México de la misma manera que en Ocotlán.

El teatro, en sus múltiples formas, jugó un papel muy importante en su desarrollo.

El mito que identifica a todo México es lo que Martha Traba llama "una línea de irrealidad", otro nombre para el "realismo mágico". Al igual que muchos otros oaxaqueños, Rodolfo comparte un lazo de sangre con el pueblo indígena cuya celebración de la irrealidad de la vida y la muerte es la médula de su cultura. Aunque su autoeducación en la Ciudad de México lo transformó en un hombre sofisticado, mundano y de gustos refinados, nunca pretendió ser otra cosa que un pintor mestizo. Continuó apegado por entero al mundo indígena y puso su corazón en sus raíces. Esto, por sí mismo, es casi surreal.

En *Arte de Latinoamérica*, Traba dice que el surrealismo mexicano "se deriva de la vida de la gente, con su colorido, alegría, fantasía, humor negro y la conciencia continua de la muerte". Y como el trabajo de Morales puede describirse con muchos de los mismos términos, ¿cuál es la diferencia entre el surrealismo que le disgusta y el término realismo mágico que le gusta?

Teniendo en cuenta que el arte mexicano deriva en parte de los elementos mágicos y los mitos que permean la cultura del país, según Rodolfo, el surrealismo nunca lo transformó realmente. Estos elementos en sus pinturas hacen que la etiqueta de surrealista sea inevitable cuando la gente intenta entender su obra.

La crítica e historiadora Martica Sawin, en su libro *Surrealismo en el exilio*, expone que el objetivo del surrealismo fue una "revolución consciente como prerrequisito de la revolución social". Pero en México, donde la conciencia ha sido moldeada históricamente por los símbolos que se derivan de la religión, el mito y la superstición, no es necesario imponer una nueva forma de mirar al mundo. La gran población mestiza entiende el significado subyacente en ciertas imágenes, se presenten en forma explícita o no.

En lugar del surrealismo, los artistas mexicanos prefieren una expresión más latina: "realismo fantástico". Como lo explica Rodolfo, detrás de ciertas imágenes hay mucho más de mágico que de cambios en tiempo y espacio.

Recuerda una ocasión en que, caminando por la Ciudad de México, se sorprendió con el arreglo del aparador de una tienda. Detrás del vidrio estaba "la pierna del general Santana", en exhibición para que la viera quien pasara por ahí; y la intención era seria. (Santana mismo, con un dramático toque de realismo mágico, organizó un funeral militar para su pierna después de haberla perdido en batalla.)

Sin embargo, debido a que siempre hay un toque de lo surrealista en cada misterio, en cada experiencia inexplicable de la vida, esta tendencia no puede negarse por completo en el trabajo de Rodolfo. Podemos decir que está en los límites por su gran habilidad para trascender en tiempo y espacio. Un crítico de arte observó una vez que sus pinturas "abrían una rendija a una realidad más universal que México". Dice Rodolfo:

> Esto me agradó mucho, sobre todo porque yo no me propongo hacer un trabajo que sea mágico o fantástico; sólo sigo los pensamientos que me vienen a la mente. Así es como pinto.

No falta quien considere esto como una pose. Es mucho más fácil entender la renuencia de muchos pintores mexicanos a ser colocados en el campo del surrealismo cuando se tiene la certidumbre de que las raíces de éste son europeas y no mexicanas.

En su introducción al *Arte de lo fantástico*, Holliday T. Day y Hollister Sturges explican que el surrealismo y lo que ellos llaman lo fantástico comparten el énfasis en imaginación e intuición, al tiempo que proceden históricamente de fuentes diferentes.

El término realismo mágico fue inventado por un escritor latinoamericano para describir el estilo de novelistas como el cubano Alejo Carpentier. El realismo mágico continúa siendo usado por muchos pintores, poetas y novelistas para describir el trabajo que rompe con las reglas de la naturaleza.

El crítico Alberto Blanco, al escribir acerca del arte contemporáneo en Oaxaca, dice que todos los artistas oaxaqueños tienden a describir un tema: "La aparición en nuestra historia de otro tiempo y otro lugar; un espacio dentro de otro espacio, un tiempo dentro de otro tiempo". Esto, por supuesto, es lo que Rodolfo hace en su pintura. Usa su pincel para que lo invisible se vuelva visible. Lo que es real se convierte entonces en un asunto de interpretación. De ahí que los términos realismo mágico, realismo fantástico o arte de lo fantástico se confundan algunas veces con el surrealismo en México. El arte es un alimento para los sueños y los mitos, así como los sueños y los mitos sirven de inspiración a los artistas. Y debido a estos elementos mágicos en la cultura de pintores como Rodolfo, aun cuando *La cortina de cactus* se abrió para dar al público otra visión del arte distinta del muralismo, el más profundo arte mexicano nunca perdió contacto con sus raíces.

Para Rodolfo, esto nunca fue problema. Cuando llegó la década de los 60, estaba listo para confrontar otras realidades y otras revelaciones.

8. Las revelaciones de la década de los 60

Durante los 50, la nueva clase media mexicana en expansión había empezado a comprar arte, aun si era en su mayoría pintura de caballete, a la que Rodolfo consideraba mediocre. Al menos estos nuevos patrocinadores de las artes empezaron a retirarse de la obra de los pintores europeos y a ponderar el mérito de algunos artistas mexicanos contemporáneos que exponían en unas cuantas galerías que luchaban por sobrevivir. A pesar del moralismo instaurado por la Iglesia católica, fue surgiendo un genuino respaldo a las artes, particularmente entre la gente de mayor poder adquisitivo de la Ciudad de México. Como el arte moderno se consideraba lúdico, irrestricto e incomprensible a la vez, la mayoría de los coleccionistas de la clase media tuvieron mucho cuidado de no aventurarse demasiado. Los paisajes siempre eran seguros.

A pesar de las oportunidades culturales disponibles para un hombre joven como nuestro pintor, en muchos aspectos, el final de la década de los 50 fue represivo y difícil. Los intelectuales eran tachados de comunistas y, aunque el *macartismo* estadounidense no penetró hasta el sur de la frontera, uno tenía que saber discriminar entre lo que decía y lo que hacía.

Rodolfo y sus amigos se consideraban intelectuales y menospreciaban los puntos de vista conservadores de sus vecinos de Coyoacán, pero parecían pertenecer a la clase media como cualquier otro. Apoyado en su posición de maestro de una escuela prestigiada, con un salario regular y un departamento lleno de antigüedades, él también formaba parte de esa clase. La pobreza de su niñez había quedado muy atrás. Y, aunque frente a él se abría todo un mundo de cultura e ideas por explorar, lo abordó con discreción.

A fines de los 50 y principios de los 60, los riesgos que estaba dispuesto a tomar los guardaba para sí.

Con todo, así como los sucesos de los años 60 pusieron a México en la primera página de la prensa internacional, las cosas gradualmente empezaron a cambiar.

Los primeros años de esa década tumultuosa dieron a Rodolfo una experiencia que significó a la vez una dosis extra de dolor y un crecimiento artístico que no lograría apreciar sino hasta treinta años después. En 1962 fue invitado a pintar un mural en la escuela preparatoria donde enseñaba. Su amiga Geles Cabrera sugirió al director del plantel que Rodolfo lo hiciera. Ella tenía una de las primeras pinturas que él terminó —una tela enorme cuya imagen central era un jardín con un grupo de novias y árboles, dominado por ángeles— y estaba convencida de que lo que Rodolfo hacía era algo que la gente tenía que ver.

Su reputación como escultora le daba la suficiente autoridad cómo para que sus recomendaciones garantizaran que se trataba de algo que valía la pena. "A mí me encantaba lo que Rodolfo hacía con el color y la forma", me dijo. Elogió el mural que pintó en el municipio de Ocotlán cuando aún era alumno de San Carlos aunque, en la opinión de Rodolfo, éste se parecía mucho al trabajo de Diego Rivera. Debido en gran parte a la influencia de Geles, el director estuvo de acuerdo con lo del mural, aunque sabía muy poco del estilo de pintura de Rodolfo y de la manera en la que aplicaba el color por todas partes.

En algunos periódicos se ha dicho que pintó su segundo mural por haber ganado un concurso; pero, más bien, al principio de su carrera una mujer poco convencional reconoció sus dones insólitos y usó sus poderes de persuasión para empujarlo hacia el público. Y, si bien Geles no era llamativa ni escandalosa como algunas de las mujeres en las historias de la infancia de Rodolfo, que bebían demasiado, ostentaban sus medias de colores y su cabello corto y se enorgullecían de sus aventuras sexuales, sí tenía una fuerte personalidad.

Era también un ejemplo vivo de que una mujer podía hacerse de una reputación como artista creadora en un campo dominado por los hombres, sin recurrir a conductas que la pusieran en las columnas de chismes de los diarios. Amiga de Rodolfo, era casi la única persona que respondía emocionalmente a su idiosincrasia. Desde que se conocieron, ella reconoció su creatividad extraordinaria.

La escuela preparatoria en la que ambos enseñaban se enorgullecía de haber promovido a muchos de los jóvenes talentos del teatro y la pintura en México, pero prácticamente nadie le prestaba gran atención al maestro oaxaqueño de dibujo, quien en silencio se ocupaba de lo suyo. Y, de pronto, ¡iba a pintar un mural! Rodolfo dice que, aunque nunca esperó que sus compañeros maestros lo felicitaran o se deshicieran en elogios por ello, le fue difícil olvidar el desprecio que recibió de la gente a la que conocía y con la que trabajara durante tantos años.

> No hubo nadie que me diera confianza en mí mismo. Hasta mis amigos dijeron que la gente tenía razón de despreciarme; me sentí muy solo.

El mural no tenía ninguna de las ideas muralistas que le enseñaran en la Academia. El tema en sí era más bien general y casi inocuo: *El retrato del arte y la ciencia*. Pintado en dos paredes opuestas, pudo haber copiado a salvo algunas de las imágenes de Rivera y nadie se hubiera quejado. Pero prefirió hacerlo a su manera, utilizando el estilo personal que desarrolló mientras pintaba para sí mismo. Resulta significativo que, aun habiendo pintado el mural en Ocotlán y estudiado murales durante años en San Carlos, nuestro artista sostiene que todavía no sabía lo que era un mural durante el proyecto entero, y de todas maneras estuvo dispuesto a hacerlo.

Mucho después me dijo:

> Ya sabiendo cómo tomar en consideración el ambiente, además de la arquitectura del lugar, entonces se puede "ver" cómo las imágenes se van presentando.

Sin embargo, eso no es lo que sucedió con el mural de la escuela. Claramente, seguía buscando su camino. Es sorprendente que alguien con una personalidad tan introvertida, que no se había ganado ningún aclamo público ni privado, accediera a exponerse de tal forma a la crítica que siguió.

Sus compañeros maestros y los alumnos no pudieron ocultar su curiosidad y llegaban a menudo a ver el progreso del mural. La crítica empezó pronto. A nadie parecía gustarle. "Está horrendo", dijeron algunos.

> A todos les parecía muy normal hacer y decir cosas crueles, rencorosas. Hasta el director de la escuela "estaba avergonzado por la forma en que el trabajo iba avanzando y se dio por ofendido por el raro estilo de Morales y su uso excéntrico del color". Algunos amigos, que pintaban paisajes en la

manera convencional, también cuestionaron mi uso del amarillo en particular. Sí, el mural estaba lleno de errores, pero el director era un burócrata, entonces, ¿qué podía esperarse?

Aun así, la crítica le dolió. Quizá Geles había estado equivocada al alentarlo a salir a la luz pública como artista. O quizá subestimó la estrechez que permeaba el mundo del arte en México a principios de los 60. Años después pude percibir en él un dejo de amargura. Lo calificó como otro encuentro con "gente que le sacaba dinero al gobierno como parásitos sin hacer nada... y que se sentían con la libertad de criticar lo que yo hacía en este espacio".

Como no tenía un plan, ni un diseño, ni noción de lo que se suponía que debía ser un mural, el simple acto de crear una pieza a gran escala lo ayudó a formular cómo quería pintar. Aun en la neblina del rencor evocado, reconoce:

> Fue interesante darme cuenta de lo que realmente me importaba. Conforme fui madurando, me sentí cada vez más confiado de mi propio estilo.

Haber salido a la luz pública con ese mural pudo haber reforzado su estilo distinto de pintar, pero se requirió otra década para que otra gente que no fuera Geles apreciara lo que hacía.

Le recordé que Orozco, el gran muralista, una vez se describió como un hombre humilde y modesto para quien "cada hoja de papel, cada tubo de pintura, significan sacrificio y tristeza". Orozco se había quejado: "Es injusto que me sujeten al desdén y la hostilidad... y que me insulten públicamente". Pensé que Rodolfo podría encontrar consuelo en esas palabras, pero su apasionada respuesta fue:

> Yo considero que lo dicho por el muralista no era ni humorístico ni irónico, pues Orozco sabía que él era genial aunque los críticos lo atacaran. Por otro lado, yo nunca he pensado que soy genial así que no veía ninguna razón para confrontar a mis críticos o diferir con ellos.

En aquellos días, todo parecía ser doloroso para él, aun cuando aprendiera algo importante.

A Geles no le sorprendió que Rodolfo no hiciera nada para defenderse de sus críticos. En sus años de amistad nunca lo escuchó gritar ni exaltarse, aunque hubo quien comentó que sí podía llegar a perder los estribos. "Podía manifestar su enojo sin levantar la voz." Si ella hablaba de alguien que le disgustaba a él, su reacción le indicaba cómo se sentía, pero nunca decía nada en forma directa acerca de esa persona ni revelaba abiertamente su enojo.

Sin embargo, ella sabía que en ocasiones era capaz de guardar su disgusto durante tanto tiempo, que llegaba al encono. Después no quería ver nunca más a quien lo hubiera herido. Geles me dijo:

> Se hicieron muchos comentarios respecto al mural, aunque yo no oí a nadie gritar insultos como describiera Rodolfo. La gente no lo entendía y no les interesaba para nada, ni siquiera a sus amigos, quienes compraban obras de otros artistas, pero no suyas.

Uno de los críticos más sarcásticos fue Carlos Alvarado Lam, entonces director de San Carlos, quien decidió ver si era cierto que uno de los menos prometedores ex alumnos de la Academia estaba pintando un mural en la escuela preparatoria. Después de observarlo durante un rato, y asegurándose de tener auditorio, dijo en voz alta: "¿Por qué está verde este mural? ¿Qué, tan verde está el pintor? ¿Por qué se le dio este espacio para hacer el mural?"

Pero ésta no fue la única indignidad que tuvo que tolerar. Hubo otros críticos que se tomaron la libertad de insultarlo.

Uno de los más vociferantes fue el maestro Montoya, al que cambiaron en el jurado de San Carlos y que tan renuentemente le entregó su diploma, aquel que dijera a todo el mundo que Rodolfo merecía que lo reprobaran por ser tan mal pintor. Ahora, delante de los espectadores que rodeaban el mural, le gritó: "Aparte de ser mal pintor, ¡eres homosexual!"

Su respuesta a mi pregunta sobre este incidente fue una explicación un tanto confusa de una situación relacionada con un amigo suyo que sostenía un romance con cierta mujer casada y la manera en que él, involuntariamente, había sido involucrado en el asunto. El romance no era ningún secreto; el esposo de la mujer parecía haber estado tácitamente de acuerdo y en varias ocasiones el amigo llevó a la amante de visita al departamento de Rodolfo.

El amigo, que era más joven que la mujer, decidió después de un tiempo que quería terminar la relación y, bien fuera porque era joven e inexperto, o simplemente porque no quería enfrentar la ira de la mujer rechazada, le pidió a Rodolfo que le ayudara. Según éste, cuando la mujer se dio cuenta de que su joven amante intentaba deshacerse de ella, se quejó de que Rodolfo se lo había robado. La persona que "la consoló", dice el artista, fue el maestro que lo llamó homosexual cuando estaba pintando el mural.

La historia es interesante, pero quizá haya más de lo que Rodolfo decidió contarme.

Y, puesto que ni el maestro Montoya ni el amigo están disponibles para contar su versión del incidente, se aumenta otra capa apócrifa a la personalidad de Rodolfo Morales según estaba moldeada por los años 60 en la Ciudad de México.

Es instructivo contemplar al artista y sus historias a través de los ojos de sus amigos más cercanos, Geles y Humberto. Ninguno deja duda de la importancia de su amistad de más de cuarenta años. La primera lo forzó a hacerse valer empujándolo a la luz pública y el segundo parece haber sido el amigo constante con quien Rodolfo siempre contaba para que lo respaldara incondicionalmente. Era él quien siempre estaba disponible; quien siempre sería su amigo aun si todos los demás cambiaban. Entonces, es natural que haya sido a Humberto y no a Geles a quien Rodolfo revelara un secreto que él mismo no había querido admitir.

El que un hombre mantenga una amistad de toda la vida con alguien como Humberto Urban es poco común, especialmente para Rodolfo, cuyas amistades con otros hombres terminaron mal. La personalidad estable de Humberto puede haber sido un factor fundamental. Aunque es un pintor reconocido por derecho propio, no ostenta el temperamento artístico estereotipado que grita: "¡Mírenme... mírenme!" Es tranquilo, calmado y discreto en su respaldo a Rodolfo. Es también un hombre felizmente casado y con familia.

Dice Humberto:

> Rodolfo me confió que era homosexual transcurrido mucho tiempo de ser amigos. No había podido decírmelo aun después de compartir un departamento. Cuando por fin lo hizo, me explicó que temía que se terminara nuestra amistad. Me dijo que "tenía problemas homosexuales".

Si bien Humberto cree que esta revelación fue lo más difícil que haya hecho Rodolfo, contribuyó a afianzar su amistad. Deshizo todas las barreras entre ellos.

"Ya no había el temor de las diferencias", añade.

Pero el valor asume muchas formas. Desde el punto de vista de Rodolfo, arriesgaba algo que buscó toda su vida: compañía y respeto mutuo. Para un hombre con tan pocos amigos durante tantos años, perder la amistad de alguien como Humberto podría significar quedarse solo de nuevo. Según Humberto:

> Para Rodolfo era muy difícil aceptar esta parte de sí mismo, porque pensaba que nadie entendería. Y, sí, en los 50 y principios de los 60 en México, si se hablaba siquiera de homosexualidad, eras prácticamente un leproso. Los tiempos han cambiado, así como ha evolucionado la mentalidad del país. Y él lo ha hecho también.

Rodolfo se sorprendió con la reacción de su amigo. Esperaba ser rechazado; que diera por terminada su relación. Incluso le dijo que ya no debían verse. Estaba seguro de que sería terrible "ser visto con un homosexual", de que la situación sería embarazosa para Humberto. Éste me dijo:

> Yo fui quien siguió buscando la amistad, llamándolo muchas veces antes de que él se diera cuenta de que en realidad quería verlo. Si hubiera hecho caso a su insistencia, de hecho, ése hubiera sido el fin de la amistad. Tiene que haber sido una carga terrible para él ocultar un secreto así durante tantos años.

Por su falta de confianza en sí mismo, Rodolfo pensaba que después de "confesar", Humberto —lo mismo que sus demás amistades—desaparecería de su vista y nunca volvería a verlo.

Él era el amigo a quien había confiado los más íntimos detalles sobre su infancia y su familia. Era él quien entendía cómo sus hermanos lo protegieron cuando era niño, y por qué a fin de cuentas dejó de intentar que lo entendieran. Era sensible a lo que Rodolfo necesitaba de una amistad, y entendía que Ocotlán representaba su familia, particularmente, "la necesidad de la calidez de su madre".

En lugar de un rechazo, lo que nuestro artista recibió de Humberto fue la insistencia en que nada había cambiado en su relación amistosa. ¿Cómo podría reemplazarlo?, si compartían tantos intereses y tenían tantas cosas en común, si seguía siendo la misma persona, excepto que ahora se comportaba de manera casi infantil. Una amistad tan larga como la suya no tenía por qué acabar. Fue una de las pocas veces en que Rodolfo intentó terminar con una relación amistosa y la otra persona prevaleció. Es también el testimonio de la fuerza de carácter de Humberto.

Geles cree que desde los primeros años de su amistad Humberto procuró resolver los problemas de Rodolfo antes de que se sintiera abrumado por ellos. Y éste ciertamente intentó hacer de su sexualidad un problema gigantesco. Por fortuna falló.

Unos treinta años después, un reportero de *El Universal,* uno de los periódicos más importantes de México, le preguntaría a Morales de manera directa acerca de esta parte tan privada de su vida: "¿Se asume usted abiertamente como homosexual?" Es el único artículo que descubrí en el que se aborda el tema y la pregunta se le hace tan abruptamente. (A diferencia de Estados Unidos, donde ahora las preferencias sexuales son causa de noticia, en México no se menciona a un artista como "el pintor homosexual" o "el escritor homosexual".) En un estilo ya típico que excede con mucho un "sí" o un "no", el pintor contestó:

> No tengo ni que negarlo, ni que admitirlo. Tengo el suficiente valor para hacer cualquiera de las dos cosas. No me importa porque creo que la gente que me ataca tiene el mismo problema, pero trata de ocultarlo. En la cultura universal algunos de los logros más importantes de la humanidad han venido de los homosexuales. Yo me descubrí a los cuarenta años. Posiblemente desde entonces ha sido la parte más importante de mi vida... el interior es sólo un recuerdo, una historia.

En ciertos aspectos, la sexualidad de Rodolfo no tiene que ver con su habilidad como artista. Su trabajo se sostiene por mérito propio: la expresión de la capacidad extraordinaria de un hombre de retratar el corazón de su país, escuchando al propio. Hay muchos artistas varones que, sin ser homosexuales, reconocen su lado femenino. Novelistas, críticos y psicólogos concuerdan en que cuanto más en contacto esté un hombre con su lado femenino, más creativo, pleno y completo será su trabajo, sin importar el campo en que lo desarrolle.

Cuando Rodolfo logró hacer acopio de valor para hablarle a Humberto de su "problema de homosexualidad" —en sus propias palabras—, aún no formaba parte del mundo del arte como pintor reconocido. Pudo haber sido más fácil compartir este secreto si ya hubiera sido reconocido como artista, puesto que muchos de los más importantes pintores de todo el mundo han sido —y son— homosexuales. Su declaración al periodista lo coloca fuera de toda crítica, porque significa que entendió lo que arriesgaba aun al responder a la pregunta.

Aunque algunos de sus amigos —como Humberto, la persona que lo conoce mejor— piensan que "su homosexualidad se ve en sus pinturas", yo creo que lo que es visible en su obra es algo mucho más grande y, en consecuencia, mucho más importante. Ciertamente sus pinturas contienen el porcentaje de tristeza, dolor y soledad que un hombre con sus antecedentes sentiría si se esforzara por ser honesto consigo mismo y a la vez ocultara un secreto doloroso. Guardar secretos requiere una gran energía y fuerza de voluntad, incluso para alguien tan introvertido y reservado como Rodolfo. Es comprensible que le pareciera prudente no exponerse a la censura pública.

Lo que transporta a su obra más allá de la conciencia personal de un individuo es el hecho de que la rica sensualidad contenida en sus pinturas celebra la vida en todo su esplendor. Dado que el dolor y la felicidad van de la mano, ambas emociones son visibles en el trabajo de un artista cuya visión del mundo es lo suficientemente amplia para reconocer su verdad. Los personajes que llenan sus telas han experimentado un amplio rango de emociones. Sólo una persona asexuada, con temor a la vida, se escondería de tales temas y sentimientos.

Podemos decir, entonces, que la sexualidad en el trabajo de Morales es una expresión de la fuerza vital que permite que el mundo siga girando. Y como es lo femenino lo que engendra una nueva vida, sería mucho más acertado atribuir su constante retrato de mujeres en su obra artística a este hecho, que a su homosexualidad.

En una cultura de machismo, poder y violencia, Rodolfo no le tuvo miedo a la belleza. Aun en los albores del siglo XXI, no es sencillo para los hombres de ciertas sociedades reconocer que aman más la belleza que la guerra; que la preservación de la cultura es más importante que la destrucción del enemigo.

Las pinturas de Morales, realizadas en privado durante tanto tiempo, fueron valientes y honestas. Sin importar si los demás las comprendieron o no, representaron lo que él era en verdad. Si a los cuarenta años pudo decir que se había "descubierto" a sí mismo, el efecto positivo de ello ha sido lograr que su pintura se hiciera más libre y también más genuina.

Geles nunca pensó en la sexualidad de Rodolfo:

> En el mundo del arte mexicano no se habla de la homosexualidad. Ciertos artistas viven situaciones homosexuales y luego se casan, tal vez porque necesitan el poder de la pareja para impulsar sus carreras. Pero Rodolfo era muy discreto, nunca hubo manifestación alguna de su homosexualidad. Hablábamos de los problemas que yo tenía, me daba consejos y compartía sus opiniones conmigo; pero no hablaba de ser homosexual. Simplemente, siempre estaba ahí cuando yo lo necesitaba.
>
> Siempre se llevó bien con mi hijo mayor y con mi esposo. Salíamos juntos de viaje y mi esposo nunca se ponía celoso si asistíamos juntos a algún evento como una exposición de arte, por ejemplo. Considerando el clima de machismo que imperaba en México en esa época, eso es más de lo que podía esperarse. Pero como Rodolfo era uno más de la familia, mi esposo no se preocupaba. De hecho, durante el periodo en el que impartió la clase de anatomía en la misma escuela preparatoria donde enseñábamos Rodolfo y yo, siempre estaba pendiente de que nadie se pusiera agresivo con nuestro mutuo amigo.

Le pregunté: "¿Tuvo novia?" "Nunca le conocí a ninguna; amigas, sí", contestó.

"¿Por qué alguien con tantos amigos profesa no creer en el amor?", insistí. Geles especuló:

> Tal vez se enamoró de alguien que no le correspondió y esto le causó frustración. Todos los amigos, hombres y mujeres, que eran parte del grupo en aquellos días lo querían mucho. Creo que ahora es cuando lo aprecia; la relación que él y yo tuvimos, fue ciertamente de amor.

La escultora admite que Rodolfo era poco común: "Hay muchas cosas que no le revela a nadie, lo rodea un misterio". Insiste en que todos los años en que fueron amigos, ella nunca le preguntó si era homosexual y él nunca se lo dijo.

Y aunque cree sin lugar a dudas que un hombre tiene que estar en contacto con su lado femenino para ser creativo, dice:

Rodolfo se ve como hombre, actúa como hombre... sus respuestas a las preguntas que se le hacen son de hombre. Nunca tuvo modales de homosexual en la Ciudad de México.

En nuestro grupo nadie hacía nada para llamar la atención. Nadie se dejó el cabello largo ni se ponía aretes o adornos, nada de eso. Es importante no juzgar; yo tuve otro amigo pintor del que estaba segura que era homosexual. Le encantaban los encajes y era muy delicado. Salimos juntos de viaje varias veces y era muy divertido. Luego se casó y tuvo hijos. Así que prefiero no sacar conclusiones.

Había otros artistas mexicanos que no dudaban en llamar la atención con su comportamiento sexual. Un ejemplo famoso era el que influyó en la pintura de Rodolfo: Manuel Rodríguez Lozano. Cuando Lozano salió del closet, declaró dramáticamente: "Quitémonos las máscaras", se deshizo de sus amigos varones y se fue a vivir con el que era su amante. Años después, el amante se casó y más adelante heredaría todas las pinturas de Lozano.

Según Humberto, así como las actitudes sexuales, la masacre estudiantil de 1968 tuvo mucho que ver con los cambios que se suscitaban en México en los 60.

Los jóvenes mexicanos de entonces querían que la sociedad admitiera que eran "gente pensante", capaces de participar políticamente en la solución de los problemas de la época. Dice Rodolfo:

Los problemas sociales de México le concernían a todos, no sólo a los estudiantes. La gente quería saber por qué no se respetaban los programas escritos o los derechos constitucionales.

Pero a los estudiantes se les había dicho toda la vida que tenían que obedecer. Cuestionar, demandar que se les tomara en cuenta, era algo nuevo en México. Nadie buscaba derrocar al gobierno; lo único que querían era tener un diálogo con sus representantes; pero el gobierno permaneció inamovible, como una dictadura. La gente en el poder necesitaba creer que tenía todo el control. Aunque la situación alcanzó el punto en el que el gobierno ya no podía usar la bandera o el himno nacional para manipular a la gente o para despertar el fervor nacional, ningún estudiante esperaba que los líderes del país respondieran con la fuerza.

Entonces, la misma clase de gente que ganara tanto durante el auge económico en México, se encontró de pronto ante la terrible decisión de escoger entre la libertad y el temor, la democracia y la opresión. En *El otro México*, Octavio Paz escribió que la economía había tenido avances gigantescos desde la Revolución. Pero que, al mismo tiempo que el gobierno mexicano recibía reconocimiento internacional por cuarenta años de estabilidad política y progreso económico, un baño de sangre desarmó el optimismo oficial y tuvo como resultado que la ciudadanía dudara del significado del progreso.

Este baño de sangre al que se refiere fue la matanza en 1968 de más de trescientos estudiantes que se manifestaban en Tlatelolco, en la Ciudad de México. Rodolfo enseñaba entonces en la escuela preparatoria y recuerda perfectamente lo que pasó. Ese día no fue a la manifestación porque vio soldados y tanques; sin embargo, como aparentemente todo mundo estaba protestando, no nada más los estudiantes, nunca se le ocurrió que el ejercito usaría la violencia o la fuerza física.

Rodolfo asistió en meses anteriores a varios mítines estudiantiles porque quería enterarse de lo que sucedía, no porque tuviera críticas contra el gobierno o un punto de vista político particular, sino porque quería entender los aires nuevos que se sentían en el ambiente. Me dijo:

> El problema era que los alumnos rebasaban a los maestros en talento. Muchos de ellos sabían usar el lenguaje para expresarse en una forma que sus maestros no estaban acostumbrados a escuchar. Yo lo relaciono con la época de la Revolución, en la que hubo líderes y visionarios que resultaron ser magníficos oradores. Cuando hablaban los maestros de los años 60, lo que decían ya no tenía ninguna validez.
>
> Los estudiantes que organizaban o presidían los mítines no tenían interés en que éstos fueran secretos. Algunos se llevaron a cabo en aulas de la Universidad, donde la gente era libre de congregarse, y la mayoría se organizaron en el zócalo de la ciudad, rodeados por la catedral y los edificios gubernamentales, con la asistencia de miles de personas.
>
> Y, pese a que la masacre fue algo verdaderamente terrible, pienso que el movimiento estudiantil demostró una gran imaginación por parte de la gente joven de la época.

Ésta es una constante en todas sus historias y recuerdos: lo malo y lo negativo nunca deben tomarse como la única visión de lo que ocurre. Una de las cosas más imaginativas que hicieron los estudiantes fue agarrar perros callejeros y pintarles en el cuerpo propaganda antigubernamental. Cuando los soltaron, los perros corrieron por toda la ciudad cubiertos de frases que establecían los objetivos del movimiento de apertura al diálogo y democracia.

Quise saber si éste fue en realidad un movimiento, o algo menos organizado. Rodolfo dijo:

> Sí, fue un movimiento estudiantil pero diferente de lo que sucedió en Estados Unidos. En México el movimiento contaba con la simpatía de todos, no sólo de los estudiantes. Además, las marchas y las demandas no tenían nada que ver con la guerra porque el gobierno no estaba involucrado en Vietnam. Pero cuando los políticos hablaban de "valores nacionales", la gente se burlaba de ellos. Nadie les creía: eran palabras vacías como las de (William) Faulkner, "lleno de ruido y furia que no significan nada".

Parece ser que el movimiento empezó en el día de San Juan, en el cual la gente se divierte mojándose entre sí. Fue algo relativamente inocente. Los estudiantes de varias escuelas y universidades andaban por la calle mojando a todo aquel que podían. A partir de ahí, empezaron a surgir cada vez más grupos de estudiantes por la ciudad, que pedían cosas de las que nunca se había hablado. El gobierno se puso nervioso y las cosas empezaron a salirse de control. La policía llegó a detenerlos.

Pero, ¿por qué enviar al ejército? Sería erróneo pensar que un grupo de estudiantes influenciados por los hippies de Estados Unidos, y que le cantaban alabanzas al Che Guevara, iban realmente a tomar el control de los edificios gubernamentales o a dirigir una revolución.

> Es que el gobierno era débil y, al igual que muchos otros gobiernos débiles que sienten que pierden control, los líderes mexicanos recurrieron al ejército para que los apoyara.

Sin embargo, un líder de gran fuerza como Charles de Gaulle en Francia se las arregló para controlar a los manifestantes de su país sin que hubiera derramamiento de sangre. En Estados Unidos, las facultades de Berkeley y Harvard negociaron con los manifestantes de los campus.

Tal vez el gobierno mexicano haya tenido un presidente particularmente ineficaz en la persona de Gustavo Díaz Ordaz, quien no supo responder a las demandas nunca antes planteadas por los jóvenes. Es difícil saber si hubiera habido resultados positivos si el gobierno hubiese escuchado o entablado el diálogo con ellos. Octavio Paz dice acerca de la masacre que la crítica al gobierno era real y las acciones, irreales. Califica al detonante del movimiento como una pelea callejera entre grupos rivales de adolescentes, y coincide con Rodolfo en que éstos no proponían cambios sociales violentos ni revolucionarios. Era un movimiento democrático y reformista. Sus pliegos petitorios demandaban la democratización del país y el fin de los privilegios de la clase gobernante instaurados por el partido político en el poder: el PRI.

El 2 de octubre puso fin al movimiento estudiantil y —en las palabras de Octavio Paz— "fue el fin de una época en la historia de México". Murieron trescientas veinticinco personas. Hubo miles de heridos y arrestados. La prensa mundial estaba escandalizada. Puede decirse que esta masacre abrió la puerta al movimiento zapatista en Chiapas que se pronunciara ya en los 90: intelectuales desilusionados que vieron que la Revolución sólo dio bienestar y poder a unos cuantos hicieron que el mundo entero prestara atención a las necesidades de los pueblos indígenas del sur de México. Al ser asesinados varios grupos de indígenas, todos recordaron la masacre de 1968.

Octavio Paz dijo también en sus escritos que la matanza del 68 dio fin, eficientemente, a cualquier cosa que se pareciera al "nacionalismo" y al "arte popular". Sentí curiosidad por saber qué quería decir con esto. En su libro *Los cuatro monstruos cardinales*, publicado en la Ciudad de México en 1965, Martha Traba ya había declarado que la vieja forma de hacer el arte estaba terminada. Para ella, "los monstruos" de José Luis Cuevas, Willem de Kooning, Francis Bacon y Dubuffet pertenecían a una nueva moral y a otra realidad más verdadera. Como conferencista en un simposio de intelectuales latinoamericanos celebrado en Chichén Itzá ese mismo año, Traba reconoció que, si bien el movimiento muralista reflejaba una nueva actitud hacia el arte, ya era tiempo de que el arte y el gobierno estuvieran por completo separados. No podía esperarse que artistas cuya obra estuviera financiada por políticos expresasen la verdad.

Tanto en Estados Unidos como en México, no se podía confiar que los políticos actuaran a favor del interés público. En la ciudad de Nueva York, los expresionistas abstractos, encabezados por pintores como Kooning, Robert Motherwell, Jackson Pollock y otros, pugnaban por encontrar su propia realidad. (Sugerir que estaban estableciendo un "nuevo orden moral" puede ser una exageración.) Y así las cosas, ni siquiera alguien tan intuitivo y de tanta influencia como Traba pudo haber predicho la identidad de una de las “nuevas voces” en el entorno del arte mexicano. Cierto maestro de dibujo de cincuenta años había seguido su propia realidad desde la primera vez que puso un pincel sobre la tela. Lo que pronto se consideraría “nuevo y fresco” en su pintura era tan antiguo como el propio México. Tres años después, la matanza de Tlatelolco ayudó a acentuar la demanda de expresión creativa y el nacimiento de nuevas ideas en gran parte del mundo. Para explicar lo que Paz y Traba querían decir, Rodolfo comentó:

> El gobierno respalda a cualquiera que parezca tener un futuro prometedor como líder; o sea, alguien que pueda cambiar las cosas a la larga. A la persona con potencial se le ofrece trabajo y se le dan muchas oportunidades por adelantado. En años recientes comenzó a dar becas a todos los intelectuales y hasta a los artistas, necesitaran el dinero o no. Es de risa, con tanto paternalismo mantienen a todos como niños.

Él mismo era un hombre de los años 60 que protestó contra el paternalismo en todos los aspectos de su vida, en especial en su forma de hacer arte. Propugnó con gran entusiasmo, aunque en su propia forma, reservada y personal, la aceptación de las nuevas formas de pensar, el cambio de viejas ideas. Y fue en las nuevas ideas que arrasaban el país donde encontró la libertad, no en su lucha como artista. Con la apertura de esos años, tomó también muchas decisiones personales que no darían fruto durante algunas décadas, pero que cambiaron la dirección de su vida. Se quitó la corbata, se puso pantalones de mezclilla y una camisa de trabajo, y nunca miró hacia atrás.

Y se compró una casa.

Era la casa más grande del pueblo en el que nació y pasó su infancia. Aunque ya tenía el departamento de Coyoacán, se enteró por una amiga de su madre que la casa de Ocotlán estaba en venta. Por medio de la unión de crédito del sindicato de maestros, el gobierno le dio un préstamo para comprarla, como lo hiciera cuando adquirió el departamento. La casa costó sesenta mil pesos, equivalentes a veinte mil dólares americanos.

“Siempre quise tener mi propia casa”, dijo, refiriéndose de nuevo al hecho de que cuando era joven su familia vivió en lugares que pertenecían a otra gente. Tras su comentario: “Era muy difícil para mi madre pagar la renta”, se percibe el resentimiento que le causó el hecho de que su familia siempre estuvo sujeta a alguien más rico o más poderoso.

En su visita a Ocotlán como posible comprador de la casa, se sintió orgulloso de mostrar a la gente que era capaz de adquirirla. Todos sabían que Rodolfo era maestro y que pintó el mural del municipio y llegó a tener una buena reputación.

Pero la gente también recelaba de sus razones para hacer esa operación: vivía en la Ciudad de México y no renunciaría a su trabajo para ir a residir a Ocotlán donde no tendría nada que hacer. Hubo rumores y especulación. El pueblo no había cambiado mucho desde su niñez y aún en la década de los 70, a todos les gustaba meterse en la vida de los demás. Me dijo que ciertos habitantes pensaban que pintaría la casa con figuras enormes. Hasta el cura dijo que era mala idea que un hombre que se había ido a la Ciudad de México a educarse regresara al pueblo a comprar la casa. "A lo mejor piensa hacer reuniones para hablar de comunismo", se murmuraba.

Rodolfo meneó la cabeza, frunció el ceño y me dijo:

> Una persona tranquila como yo, ¿dando pláticas sobre comunismo? Ni siquiera sabían qué era eso. La gente de Ocotlán nunca ha entendido la cultura en ninguna de sus formas.

Si no hubiera sabido lo que ha hecho por su pueblo durante la última década del siglo xx, pensaría que ésa era una muestra de desprecio a su gente y a su pueblo.

La casa ya no se usaba como residencia; había sido dividida en tres partes. (La madre de Rodolfo, que aún vivía, no sólo pensaba que éste no podría pagarla, sino que insistía en que era demasiado grande.) Una parte funcionaba como fábrica.

En la parte de atrás, que Rodolfo finalmente convirtió en un teatro al aire libre, había un tanque para almacenar agua para la fábrica. La parte del frente, en la que ahora se ubica una gran biblioteca pública llena de libros adquiridos por él, estaba destinada a oficinas de la Secretaría de Salud Pública.

La casa del siglo XVII ocupaba casi toda la cuadra, pero Rodolfo no compró la sección que llegaba hasta la esquina porque consideró que tenía menos importancia estética. Las dos partes que pasaron a ser de su propiedad se convirtieron en la espaciosa casa que hoy muestra dos bellos corredores que dan a un amplio patio lleno de árboles, flores, plantas y lugares sombreados para sentarse.

Antes de que la inflación derrumbara al peso mexicano, la economía era tan firme que el pintor pudo realizar otro de sus sueños: viajar a los lugares de los que le hablara su tía Petrona. En ocasiones iba con alguna persona (a quien llegaba a pagarle el viaje, según Geles). Otras veces viajaba solo, pues la soledad no le era extraña.

En los primeros años de su amistad en los 50, Humberto y él hicieron fugaces incursiones al campo mexicano para ver tanta arquitectura colonial como fuera posible. Según el primero, como el mundo de Rodolfo no era el que un niño hubiera tenido normalmente, descubrió fotografías de arquitectura colonial en revistas que ya habían encontrado un lugar en su casa. Y, desde luego, las iglesias de su infancia y la forma en que se decoraron ciertas secciones de los edificios de las iglesias ya le habían impresionado. Cuando llegó a la gran ciudad, retuvo todos los detalles arquitectónicos que gozara en las revistas traídas por sus tías de Oaxaca.

En la década de los 60, Rodolfo estaba listo para conocer el resto del mundo. Ya había viajado a Europa con unos amigos cubanos también pintores. (Su primer viaje al extranjero fue a Honduras varios años antes, para visitar a su amigo Dante, con quien tuviera una estrecha amistad cuando ambos estudiaban en San Carlos.) En 1968, durante los tres meses que tenía de vacaciones de la escuela, y poco después de la masacre estudiantil, en la Ciudad de México, él y Humberto se dirigieron a Europa.

El viaje se organizó con cuidado: sería una aventura artística de cuatro amigos que amaban el arte: dos pintores, un escritor y un arquitecto. En muchos aspectos, era bueno salir de México y del horror que flotaba en el aire por la masacre estudiantil. Durante los diez años anteriores consideraron a la Ciudad de México como un lugar donde imperaban la libertad cultural e intelectual y ahora ya no estaban tan seguros de ello.

Decidieron ir juntos porque pensaron que sería interesante ver la arquitectura de otros países desde sus diferentes puntos vista artísticos: pictórico, literario y arquitectónico. Y les saldría más barato: entre los cuatro compraron un auto en París y lo revendieron a la agencia al terminar su viaje.

En San Carlos tuvieron la oportunidad de conocer historia del arte, pero Rodolfo parecía haber adquirido más conocimiento sobre el tema que el que se le ofrecía en los cursos. Sabía diferenciar, por ejemplo, entre una columna jónica y una corintia y podía explicar por qué le gustaba más una que la otra. Humberto dice que Rodolfo siempre hacía comentarios sobre la decoración, si le parecía sobrecargada o no. También le gustaba el arte romano y estaba bien versado en el medieval. Él y Humberto comentaban que los niños ricos podían darse el lujo de estudiar arquitectura en San Carlos y, sin embargo, eran ellos los que realmente la amaban. Dice Humberto:

> Los estudiantes de arquitectura eran los grandes intelectuales, los eruditos, y nosotros los que teníamos el verdadero gusto por ella. Pero las cosas no siempre salen como uno quiere. A fin de cuentas terminamos los dos pintores apartados. Éramos más tranquilos y no nos comunicábamos bien con ellos.
>
> Rodolfo no bebía mucho en esos días, pero cuando lo hacía algunas veces se soltaba llorando sin decir el motivo de sus lágrimas. Cuando uno bebe hace cosas que no haría sin la ayuda del alcohol. Posiblemente haya tenido conflictos internos o nostalgia... nunca me dijo. Pero ya no se entristece. Se acabaron las lágrimas.

De los viajes que hicieron juntos, uno de los lugares en los que Rodolfo lo pasó mejor fue en Brasil. Humberto piensa que el carácter abierto y sin inhibiciones de los brasileños le facilitó abrir un poco su personalidad reprimida y se sintió liberado al estar con gente que era exactamente opuesta a él. Hasta se animó a bailar en casi todos los sitios que visitaron. Dice Rodolfo:

> Me sorprendió lo cómodo que me sentí allí. De hecho, me gustó todo Sudamérica; encontré mucha más vida que en Europa o en Estados Unidos. Fue el único lugar donde no me sentí como extranjero.

En esa década de los 60 viajó a Inglaterra, Holanda, Bélgica, Francia, España, Portugal, Estados Unidos y América del Sur.

> Recuerdo en especial la Alhambra en España, con su arte romántico y todas las construcciones: sus plazas, arcos, corredores, columnas e iglesias.
>
> Tiempo después fui a Canadá. El contraste con América del Sur fue impactante. En Canadá la gente no tenía ningún sentido de gusto por la vida. Eran como máquinas; todos en completo orden.
>
> En Rusia no sólo me impresionó la arquitectura, sino ver, por dondequiera que fuera, a la gente comprando libros como si estuvieran en el

supermercado. Con ese frío que hace, se encierran a leer. Como la lectura ha sido tan importante para mí, pienso que eso me hace diferente de la mayoría de los mexicanos, quienes prefieren irse de fiesta que leer. Claro que aquí el clima es tan cálido que no le dan a uno ganas de quedarse encerrado.

En Estados Unidos, naturalmente, las ciudades que le gustaron fueron aquellas en las que hay una vida cultural activa, donde se ve a la gente reunida en cafés, teatros y galerías. Comentó que San Francisco y Nueva Orleáns están llenos de vida. En la ciudad de Nueva York, le gustaron especialmente los claustros en el Museo Metropolitano. También subrayó: "Ahí se nota la prosperidad de la gente". Años después, cuando sus corredores de arte hicieron arreglos para que expusiera en Estados Unidos, logró penetrar la mentalidad de sus coleccionistas.

Pero en los 60, cuando hizo casi todos sus viajes por el mundo, estaba simplemente absorbiendo la atmósfera y explorando las diferencias de los lugares en los que no había estado. A excepción de América del Sur, habló mucho más del paisaje y la arquitectura de los sitios que visitó, que de la gente. Estaba consciente de la falta de comprensión en lo que respecta a México, especialmente en Estados Unidos.

> Los estadounidenses no entienden la intelectualidad en México, lo único que ven es la pobreza. Pero en este país hay una cierta dignidad en la pobreza. Aquí nadie se suicidaría por ser pobre. Cuando hay pobreza, la gente siente la necesidad de hacer algo; de usar sus manos en algo creativo y no desperdiciar nada. En otras culturas, la pobreza es el final de todo. En México, nos dan placer las cosas simples. Por un lado, hay un complejo de inferioridad y por el otro, hay creatividad y gusto por la vida. Los mexicanos sabemos cómo divertirnos y al mismo tiempo, hay un gran respeto por los intelectuales.

Pudo haber estado hablando de sí mismo. Aunque ya no era pobre, encarnaba su descripción del mexicano con el complejo de inferioridad por un lado y la creatividad y el gusto por la vida por el otro. Claramente, calificaba como intelectual.

Era casi como si hubiera tenido que vivir la liberación de los 60, comprar la casa de Ocotlán y visitar los sitios descritos por su tía, antes de estar listo para enfrentar al mundo como artista.

Al empezar la década de los 70, una mujer, su querida amiga Geles Cabrera, le abriría las puertas del mundo del arte mexicano. Desde que lo visitara por primera vez en su departamento de Coyoacán y le cambiara una pintura por una de sus esculturas, le dijo que deberían tener una exposición juntos. Había llegado el momento para que esa idea se hiciera realidad.

9. Sin perros ladrándole a la luna

En 1975, a Geles se le presentó la oportunidad de exhibir sus esculturas más recientes en una prestigiosa galería de arte, *La Casa de las Campanas* en Cuernavaca, propiedad de Manola Saavedra. Esta exposición cambiaría la vida de Rodolfo para siempre. Debido a que era una de las pocas mujeres escultoras en México, Geles estaba segura de que atraería a un buen número de asistentes. Alabada por la crítica como una artista con profundas raíces en las culturas prehispánicas del oeste de México..., ya había despertado atención en todo el país. Un escritor la describió como generadora del "renacimiento de la figura", comentario particularmente interesante en vista del rechazo al trabajo figurativo de tantos artistas que estuvieron asociados con el movimiento de la ruptura con la escuela mexicana.

Aunque las esculturas de Geles se colocarían en el centro de la galería como exposición principal, para Manola era importante que el espacio luciera especialmente bien para todos los invitados que vendrían de la Ciudad de México a la inauguración. A estos eventos solían asistir muchos mexicanos adinerados que durante varias generaciones habían frecuentado Cuernavaca, la "ciudad de la eterna primavera". Las limosinas y autos conducidos por choferes los llevaban ahí a comer o a cenar en lugares de lujo como *Las Mañanitas*, en cuyos jardines los acompañaban los pavorreales y aves africanas. Una exposición como la de Geles Cabrera, llena de sensuales figuras femeninas, estaría en el primer lugar de la lista de eventos sociales de la temporada.

Y uno siempre debe optimizar la posibilidad de las ventas, pensó Manola. Como buena mujer de negocios, no quería desperdiciar espacio en la galería ni perder oportunidad de exhibir a sus artistas favoritos. La obra de Geles consistía en su mayor parte en figuras femeninas pequeñas hechas de piedra y bronce que iban colocadas en estantes o pedestales. Cuando Manola le dijo que planeaba exponer un grupo de pinturas en las paredes para complementar su trabajo y llenar el espacio, la escultora tuvo una idea.

"No reúnas obra", le dijo, "yo te voy a traer a alguien." El "alguien" que tenía en mente era su querido amigo, el hombre a quien conociera más de diez años atrás en la escuela preparatoria donde ambos enseñaban, con quien compartía sus problemas y a quien pedía consejos: Rodolfo Morales.

A pocos días de haber regresado de un viaje a Estados Unidos y algunos lugares de Latinoamérica, pensó que éste estaría más dispuesto que de costumbre a permitir que alguien viera su obra. "Se va a ver muy bien con mi trabajo", le dijo, "por favor, hazlo por mí." Lo que en realidad quería era tener la oportunidad de empujarlo al frente del público, entre quienes —estaba segura— habría otras personas, además de ella, que reconocerían su genio.

Otra ironía relacionada con el éxito es que, poco tiempo después de esa exposición, ella dejó de esculpir y se dedicó a su esposo y a su familia. Yo le pregunté a Rodolfo si tener una familia hubiera sido para él una distracción y me dijo: "No, no, ni siquiera se me ha ocurrido pensarlo". Insistí: "¿No hubo alguna mujer que quisiera casarse contigo?" Sonrió enigmáticamente y dijo: "Hasta ahora, no".

Geles llevó a Manola al departamento de Rodolfo para que viera su obra, y ésta quedó impresionada aunque tenía muy pocas piezas que mostrarle, pues no creaba un catálogo para algún corredor de arte, sino para desahogar sus emociones.

"¡Magnífico!", dijo Manola después de observar todo con cuidado, "esto es exactamente lo que necesitamos."

A Geles no le sorprendió su reacción, pues siempre supo que su amigo tenía algo muy especial qué decir acerca de México y los mexicanos, y confiaba en que Manola también vería ese "algo".

Como un favor, Rodolfo aceptó participar en la exposición. Fue una decisión de la que nunca se arrepintió, aunque el éxito que obtendría después estaba por completo fuera de sus expectativas en ese momento.

Luego de que Manola se fuera, Geles lo tomó de las manos y le dijo: "Ahora, ponte a trabajar". Él protestó: "Es que no puedo". Ella se dio cuenta de que tenía miedo, pero no cedió. "Tú nada más trabaja, yo llevo la obra a la galería." Sabía que su capacidad de concentración y su autodisciplina no le fallarían y que no tendría problema para producir el número necesario de óleos para presentar una buena exposición. También sabía del gran paso que significaba para él darse a conocer.

Las expresiones personales de Rodolfo en cuanto a lo que sentía y quería con tanta fuerza y pasión, podrían no entenderse. Estaría mostrando al mundo todas aquellas emociones que había mantenido ocultas y ni él ni Geles podían predecir si habría alguien a quien le importaran los sentimientos de un hombre sensible que pintaba sus recuerdos de la infancia. Su autoestima se pondría a prueba como nunca antes.

Así y todo, se puso a trabajar. Para cuando se inauguró la exposición, tenía treinta y cinco pinturas nuevas que nadie había visto, excepto dos grandes telas que eran propiedad de Geles y que prestó para esa ocasión, las cuales se vendieron con su permiso, junto con todo lo que se exhibió. Rodolfo tuvo que pintarle dos cuadros para reponerle los que vendió. Todos los temas que desarrollara en privado se revelaron en su nuevo trabajo: los trenes, las mujeres voladoras, la arquitectura, las montañas, el zócalo del pueblo, las manos.

Me confió que ya estaba consciente de cuáles eran sus temas a principios de los 70, antes de esa memorable exposición. Aunque Geles opina que sus temas son más amplios que los que pinta con frecuencia, él afirma que sus primeros motivos incluían el zócalo, procesiones religiosas, la levantada de cruz de la novena de un difunto que observó con su tía Petrona. Pero también incluye la violencia entre la gente como un elemento siempre presente en su obra.

Debido a que ha trabajado con gran consistencia en la expresión de sus más profundos recuerdos y emociones de la infancia, la muerte y la soledad nunca están lejos; ni aun en la obra que presentó en su primera exposición. Estela Shapiro dice: "El misterio que es Rodolfo Morales lo proyecta en su pintura, lo cual es maravilloso". La propia explicación de éste de que él no "pinta la violencia de una manera oficial sino con líneas o colores en contraste", aumenta este misterio. "Para obtener un efecto dramático en mi pintura", dice, "no tengo que pintar la figura de alguien que sufre. Hasta la felicidad puede representarse a través del color."

Lo que llegaría a ser su uso "distintivo" de pintura con textura, era evidente en cada cuadro. La intención era producir una superficie áspera como de piedra o adobe, que alguna gente piensa —equivocadamente—

que se logra mezclando arena u otros materiales con pintura. Morales continúa usando pintura texturizada con una variedad de granos que van de los muy finos a los más ásperos, técnica que utilizan muchos otros artistas oaxaqueños.

Desde el principio usó pinceles baratos, comprados en cualquier tlapalería, no en una tienda de material artístico. Puesto que no tenía pretensiones de ser un gran pintor, ni siquiera de exhibir su obra en una galería, no tenía razón para comprar pinceles caros. Y como no estaba acostumbrado a usarlos, no vio razón para hacerlo ahora que tenía que preparar el trabajo para la exposición. Tampoco aplicó una capa protectora sobre la pintura terminada. Al acabar, se limitaba a firmar con un pincel fino. La superficie deliberadamente semicruda en esos primeros óleos sigue siendo una constante en su trabajo.

Sin decírselo a Rodolfo, Geles envió una invitación al internacionalmente conocido pintor Rufino Tamayo, que había residido en la Ciudad de México durante varios años en la misma zona de Coyoacán. A Tamayo le dio gusto saber que la exposición se llevaría a cabo en la galería de Manola, porque también eran amigos. Rufino y su esposa, Olga, pasaban los fines de semana en Cuernavaca e iniciaron una amistad con Manola durante los periodos en los que se retiraban del calor y las exigencias de la capital.

Pocos artistas en el mundo han sido llamados "hijo de la tierra y el sol" o han sido aclamados por poetas y críticos por igual, sobre todo en vida. Tamayo generó esta clase de alabanzas, reconocimiento y honores durante su casi un siglo de vida. Llamado "el líder de los abstraccionistas de México y un pintor que demostró la intensa visión de la esencia mexicana", era contemporáneo de los grandes muralistas: Rivera, Orozco y Siqueiros. Frente a la enorme popularidad de éstos y su dominio del escenario artístico del país, él poseía la fuerza o la testarudez para hacer las cosas a su manera.

Nacido en 1899, Tamayo estudió en la Academia de San Carlos, enseñó un breve periodo en ella cuando Diego Rivera fue director, y durante algún tiempo fue de los que lo respaldaban. Ahí conoció a la alumna María Izquierdo, quien fuera su amante durante cuatro años. Aunque algunos escritores lo identifican como cabecilla de la revuelta contra el dominio de los muralistas, parece haber tenido al principio una actitud ambivalente hacia ellos: él mismo pintó algunos murales en la Ciudad de México y en

Estados Unidos y, al asociarse con la Academia como maestro, estaba con su corriente educativa, que perpetuaba el estilo y la técnica de la escuela mexicana. Sin embargo, cuando se desató la revuelta del mundo del arte en México con la ruptura, y todo se puso de cabeza, se las arregló para salir incólume.

Se distanció de México y de los muralistas yéndose a vivir a Nueva York y a París, donde perfeccionó el estilo que habría de darle reconocimiento internacional y premios en todo el mundo. No obstante, según su biógrafa Emily Genauer, cuanto más tiempo pasaba fuera del país, más "mexicanas" se volvían sus pinturas (aunque de ninguna manera se parecían al trabajo histórico y político de los tres grandes). Tamayo criticó a los muralistas por caer en lo pintoresco, en su afán de producir arte que fuera mexicano. Lo que él a su vez produjo, contenía ciertos motivos populares y figuras que sugerían sus orígenes prehispánicos.

Si Tamayo permaneció en Estados Unidos durante casi dos décadas debido a su gran éxito o a que no quería estar en el mismo país con los muralistas, continúa invitando a la especulación. Como quiera que sea, cuando regresó en 1952, no cabía duda de que era el más grande artista mexicano en vida, y uno de los más reconocidos pintores en el mundo.

Con el uso de sus jugosos colores, en trabajos como *Rebanadas de sandía,* que muestra cinco trozos de sandía rosados sobre una mesa de color rojo profundo cubierta con mosaicos rosa contra una impactante pared magenta, Tamayo mostraba que se sentía verdaderamente mexicano. Alguna vez dijo:

> No somos una raza alegre, sino trágica... los colores de los artistas mexicanos son un reflejo que viene de observar las condiciones económicas de un país pobre en el que la gente generalmente usa colores baratos, mezclados con tierra y cal, para pintar sus casas y objetos.

Identificado por el poeta Octavio Paz —otro de los verdaderos genios creadores latinoamericanos— como "arraigado en un pueblo, en un presente que es a su vez un pasado intemporal", Tamayo prefería decir que sus raíces estaban en los principios del realismo poético. Aunque el término comparte ciertas características con el de realismo mágico, usado a menudo en un intento de explicar el trabajo de los artistas oaxaqueños contemporáneos, el realismo poético es la clase de juego de palabras latino que proveyó a Tamayo de la licencia creadora para definir la realidad como mejor le pareciera.

El realismo poético posee una cualidad lírica e intemporal, como la de una imagen grabada en piedra o la de una deidad ancestral. Lo mágico, por otro lado, tiene una deuda parcial con el surrealismo e implica un estado de ensoñación a menudo habitado por criaturas con características en parte humanas y en parte animales. (La definición de Rodolfo del realismo mágico, que ha sido discutida ya en este libro, expande el término y lo pone en un contexto social más amplio para explicar el carácter del mexicano.)

Tamayo dio forma a la historia del arte mexicano de manera extraordinaria; el magnífico Museo de Arte Contemporáneo que lleva su nombre y que se construyó de acuerdo con sus especificaciones en el Bosque de Chapultepec en la Ciudad de México, es un monumento a su trabajo y al poder de su voluntad. Pero lo que nos interesa aquí es su papel en la vida de Rodolfo Morales. Que su nombre siga ligándose con el de éste, aunque se hayan separado poco después de que lo presentara al mundo del arte, es una de las ironías que plagan la vida de nuestro pintor.

Tamayo pintaba temas mexicanos de una forma diferente a cualquier otro cuando asistió a la exposición. Y no era sólo a sus temas o imágenes en sí a los que podía llamárseles mexicanos. Él creó un estado de ánimo y un ambiente distintos —aun en sus primeros trabajos— que muy pocos de sus contemporáneos pudieron lograr. Al mismo tiempo, la poesía que brotaba de su uso del color atrajo a una audiencia lo suficientemente amplia para que no se le considerara de ninguna manera limitado.

Cuando entró a la galería y vio la obra de Rodolfo, Tamayo reconoció de inmediato al artista que estaba creando un estado de ánimo y un ambiente que también expresaban lo que quiere decir ser mexicano. Si bien su pintura se había vuelto más abstracta después de los años 50, Tamayo continuaba con el trabajo figurativo (algo que otros artistas abandonaron durante la ruptura), así que también le impactaron las figuras que llenaban los óleos de Rodolfo.

A menudo descrito como "sintetista", Rufino Tamayo estaba influenciado por los impresionistas franceses, por los cubistas estadounidenses, por Stuart Davis y por el español Joan Miró. Lo que rara vez se ha registrado es la influencia en su pintura de la obra de su amante María Izquierdo, quien poseía una personalidad tan fuerte como la de él. Algunas de sus pinturas tienen un extraño parecido. Como a menudo trabajaban juntos, no es raro que ambos pintaran el mismo tema: una mesa, por ejemplo, en una de sus naturalezas muertas, y una modelo que evidentemente posó para Tamayo en *Venus fotogénica*, 1934, y para Izquierdo en *Desnudos*, 1935.

Izquierdo habrá de recordarse como la única pintora mexicana a quien Rodolfo cita como influencia en su propio estilo y en la forma de aplicar el óleo a la tela, de modo que podríamos decir que, indirectamente, también Tamayo influenció su trabajo. Dice que el choque entre dos personas creativas como ella y Tamayo era inevitable y que esta lucha de personalidades fue lo que acabó con su relación. Aun así, el mutuo enriquecimiento de sus espíritus creadores fue duradero. Como un indicador de la intensidad de su relación, se cuenta que Olga, la esposa de Tamayo, prohibió que se mencionara el nombre de Izquierdo en la casa que compartían.

Cuando en 1975 Tamayo entró a la galería de Manola, nadie tenía la menor duda del alcance de su influencia o el peso dado a cualquiera de los comentarios que hiciera sobre algún artista mexicano. Lo rodeaba una especie de mística. Tenía el poder para hacer o deshacer la carrera o la reputación de cualquier artista en México, incluyendo al tímido maestro de un pueblito de Oaxaca, su propio estado natal, y que estaba haciendo cosas extraordinarias con el realismo mágico-poético.

Rodolfo, sin saber quién estaría entre los invitados a la exposición, se sentía muy nervioso. Los asistentes a la inauguración en una de las galerías más prestigiadas cercanas a la Ciudad de México serían sofisticados, bien educados, coleccionistas de arte y críticos. ¿Qué tal si trataban su trabajo con displicencia como los maestros de la Academia? Su pintura no gustaba ni siquiera a muchos de sus amigos. ¿Y si lo rechazaban?

Geles no le dijo que Tamayo y su franca esposa, Olga, podrían llegar. En la sección de sociales de un periódico de la Ciudad de México, aparece un reportaje del acontecimiento y algunas fotografías. Una de ellas muestra a la escultora con Tamayo, cuyo bien parecido rostro se ve muy bien balanceado con la atractiva cara de ella.

Hay también una fotografía de Rodolfo de pie junto a la indomable Olga, quien le subrayara a Manola Saavedra que "siempre presentaba basura" y se preguntaba qué pasaría esta vez. Aunque aún tenía el cabello oscuro a los cincuenta años, las líneas empezaban a mostrarse en la cara de Morales. Su boca se hace curva en los extremos del espeso bigote que usó desde los tiempos de la Academia. Tiene los brazos a los lados y se ve un poco mortificado.

"En realidad", dice, "estaba en estado de *shock*." No esperaba ver a un artista del tamaño del maestro Tamayo, ni anticipaba lo que pasaría cuando el pintor de cabello plateado observara con detenimiento su trabajo. Recuerda una ocasión en que, siendo estudiante en San Carlos, tembló de emoción al ver la firma del gran artista en pinturas exhibidas en una importante exposición de Bellas Artes. Era una dura prueba para su habitual timidez el reunir sus obras y acceder a mostrarlas al sofisticado grupo de gente que abarrotaba la galería. Tamayo ya no era el maestro a quien se admiraba a distancia; estaba de pie a su lado, observando su trabajo.

Rodolfo había pintado muchas de las mismas imágenes durante años y tenía confianza en que hacía cuadros que lo complacían y expresaban sus sentimientos más profundos. Pero ahora se arriesgaba a la mirada del público a gran escala. Se exponía a hacer el ridículo frente a los coleccionistas y los aficionados al arte de una manera que podría sobrepasar cualquier otra humillación que hubiera sufrido.

La única ocasión en que tuvo que defenderse de las figuras de autoridad fue ante el jurado de profesores en la Academia para poder recibir su diploma. Pero ni siquiera ese triunfo se basó en la aceptación de su trabajo, sino en sus conocimientos de historia del arte y otros temas culturales. No obstante, tenía un éxito rotundo como maestro, contaba con un grupo de amigos cercanos que lo incluían en todo lo que hacían, era autodidacta en términos de lo que la sofisticada capital de su país le ofrecía, había viajado mucho y leído mucho más que la mayoría de sus conocidos. Una nueva seguridad en sí mismo empezaba a afianzarse en él.

En cierto sentido, la exposición no pudo haberse llevado a cabo en mejor momento.

Manola Saavedra le hizo algunas preguntas acerca de su obra; las respuestas se publicaron en un artículo que atrajo algo de atención en septiembre de 1975. "¿No estás interesado en la inmortalidad?", preguntó ella. "No", contestó Rodolfo, "a mí me preocupa vivir."

Le dijo que fue influenciado por María Izquierdo y Rodríguez Lozano y que le gustaban Barque y Monet. Adelantándose, sin saberlo, a la restauración de iglesias que realizaría veinte años después y que bien puede hacerlo inmortal, habló de lo mucho que le gustaban el arte religioso y la arquitectura de iglesias.

Tamayo confundió a Rodolfo con otra persona hasta que Manola los presentó formalmente. Nuestro artista recuerda que la actitud altanera de Olga se derritió cuando los presentaron y él le dijo que conocía a su tío Hermilo. Dice que hasta lloró. (Geles piensa que Olga quería mucho a Rodolfo, quizá más que Rufino.)

En la opinión de Morales, Tamayo se casó con una mujer como Olga —quien dedicó su vida entera a promover la reputación y el éxito de su marido— para que ella cargara con todo su negativismo. Ella era a quien se percibía como la difícil mientras él hacía el lánguido papel de benévolo.

Geles también cree que la pareja nutrió conjuntamente la reputación de Olga como "la mala" para que su marido pudiera trabajar con mayor facilidad. "Mantenía a la gente alejada de él." No tenían hijos y, al igual que muchas mujeres de su época, ella dedicó su energía a manejar el negocio y los asuntos sociales como su corredora de arte.

Cuenta Rodolfo:

> Cuando descubrí que Tamayo estaba en la exposición, me dio miedo conocerlo y saber lo que opinaría de mi trabajo. Su aceptación era muy importante, sobre todo en la Ciudad de México, donde los críticos eran abiertamente hostiles hacia mi obra. Aun después del muy mencionado elogio que salió de sus labios: "Morales no tiene que gritar para que lo oigan", el sentir general era: "¿Qué le puede ver Tamayo a un pintor de un pueblo palurdo (como Ocotlán)?"

Acaso Tamayo recordaba a Rivera cuando dijo esto. En su deseo de llamar la atención, éste habría sido el lado totalmente opuesto del pintor que evita "todo sonido estridente".

Morales habla de Tamayo:

> Creo que captura los magníficos silencios, las noches claras de Oaxaca. Cuando yo era niño, algunas noches el silencio era maravilloso, aunque había diferentes sonidos, como el de los perros ladrándole a la luna. Las pinturas de Tamayo de perros ladrándole a la luna son el retrato perfecto de mis propios recuerdos.

Y aunque haya perros en su pintura y sean casi tan frecuentes como las mujeres que pinta, nunca ha plasmado esta imagen familiar de los perros ladrándole a la luna; tal vez porque Tamayo capturó tan bien ese ambiente que consideró innecesario o presuntuoso hacer lo mismo. Me impresionó el respeto y la admiración con que se refirió al gran pintor y su destreza para capturar el ambiente de la oscuridad en Oaxaca. Su objetividad respecto del trabajo de un artista siempre se ha reflejado en su sentido de la justicia. La conducta personal es tema aparte para él.

La actitud de Tamayo para con Rodolfo —de quien siempre dijo que él lo "descubrió" en Cuernavaca— pasó rápidamente de un extremo al otro. Parecería que el gran maestro hubiera hecho un gesto displicente después de pronunciar las conocidas palabras de alabanza hacia la obra de Rodolfo. Cualquiera que fuera la razón, hubo una desavenencia en su relación casi antes de que llegara a ser una verdadera amistad.

Sin embargo, Rufino hizo algo de gran importancia práctica para la carrera de nuestro pintor: introdujo en su vida a una mujer que habría de ser su guía durante una de las décadas más importantes y productivas para él.

Su nombre era Estela Shapiro, una estilizada y atractiva mujer judía cuyo abuelo polaco emigró a México vía Perú. Su galería era considerada de vanguardia y la mejor en la Ciudad de México. Basándose en la recepción que tuvo la obra en Cuernavaca y en la recomendación de Tamayo, ella accedió a dar a Rodolfo una exposición individual para el año siguiente.

Estela Shapiro nunca consideró convertirse en corredora de arte. Divorciada luego de veinticinco años de matrimonio, se interesó en el arte como tal después de asistir a clases de filosofía y "otras cosas culturales". Siempre en contacto con el mundo creativo, empezó a hacer amistad con artistas, hasta que gradualmente se abrió frente a ella todo un mundo nuevo. "No fue la vida la que me hizo apreciar el arte", dice, "sino el arte lo que me hizo apreciar la vida."

La implicación formal de Estela en el arte se debió a su interés en un taller de litografía que su entonces esposo instaló en la Ciudad de México. Llamado *Galería El Círculo*, se localizaba en la popular Zona Rosa. "Estaba muy de moda", dice ella. Durante dos años produjeron sólo arte gráfico de artistas reconocidos como Rodolfo Nieto, uno de los primeros nombres famosos a quienes se identificó con Oaxaca.

Estela fungió tres años como directora de la galería cuando los dueños aún eran su esposo y el socio de éste. Después abrió su propio espacio, con su nombre, cerca del hotel Camino Real en la capital de la República.

Tamayo había recomendado a Rodolfo con su propia galería después de la exposición, pero tuvo un altercado con los directores y, aunque no tenía nada que ver con su nuevo protegido, no quiso que expusiera en ese espacio.

Estela recuerda:

> Tamayo tomó a Rodolfo en sus manos para promoverlo y quería cumplir su promesa. Me dijo: "Estela, tengo un pintor muy bueno que quiero que tú manejes".

Tamayo tenía el poder y la fuerza suficientes para presumir de ser dueño de la carrera de un artista desconocido y ella tenía curiosidad por saber qué clase de obra encontraba tan interesante el gran Tamayo.

Le llevaron muchas de las pinturas de Rodolfo procedentes de la otra galería. Le gustaron de inmediato, pero también la sorprendieron.

> Eran muy diferentes de cualquier otro trabajo que hubiera visto en esa época. Sentí que era un artista mexicano muy especial. Me pareció que su obra provenía del arte popular, pero tenía una forma diferente y poco común de hacerlo. Me emocioné mucho.

Estela aceptó exhibir la obra de Rodolfo. Tamayo se encargó de ver que entregaran toda a su galería y ella realizó la exposición.

> El lugar estaba a reventar; además, se vendió toda la obra porque Rufino invitó a sus amigos y les dijo que compraran el trabajo de Rodolfo; y lo hicieron. Era raro vender tanto.

Respecto a la reacción de sus allegados en cuanto al éxito de Rodolfo y las alabanzas públicas de Tamayo, Geles recuerda:

> Se les fue la oportunidad. Cuando se dieron cuenta de que las pinturas podían ser buenas, ya no eran baratas. Yo compré todo lo que pude de su obra.

Tamayo y Olga hicieron una regia aparición en la exposición en 1976, en la galería de Estela, y estaban muy entusiasmados con el "nuevo pintor" del Oaxaca natal de Tamayo. Rodolfo seguía agobiado por los acontecimientos. Estela publicó un catálogo con el texto escrito por Tamayo; otro golpe, dice, porque su reputación y su opinión eran impecables.

Los halagos en una crítica de la prensa decían que el artista había logrado un "espléndido resultado al ejecutar sus impulsos creativos. Morales tiene una brillante capacidad para la espontaneidad y al mismo tiempo logra precisión en la expresión". Quizá el comentario más interesante del artículo es: "La muerte se presenta en una elegante ceremonia". Así, en los inicios de su carrera como pintor, alguien logró ver lo que a muchos espectadores pasa inadvertido, es decir, el lado oscuro de su trabajo que suele considerarse celebratorio.

Estela opina:

> Lo único que puede hacerte sentir que la pintura de Rodolfo es celebratoria son los colores. Pero éstos son la superficie. Las pinturas no son un capricho. Uno siente que hay algo más bajo el color aunque no lo entendamos.

Aun así, poca gente reconoce el trato que da el pintor a la muerte o a la soledad, o aprecia esta dimensión de sombras en su trabajo. Lo que la gente comenta más son sus mujeres voladoras, sus trenes y aviones.

Y, pese a no entender todos los elementos de misterio en su trabajo, Estela quedó cautivada por la pintura y por Rodolfo. Reconoció que Tamayo le había hecho un gran regalo al poner en sus manos al tímido artista. Y como ella no sólo organizaba exposiciones, sino "realmente trabajaba con el corazón", le pidió a Morales que se uniera al grupo de artistas que manejaba, prometiéndole promoverlo de todas las maneras posibles. Él aceptó y éste sería el principio de una relación de más de diez años. Otro ejemplo de cómo una mujer influenció y cambió su vida.

Con todo este éxito y emoción, algo parece haber pasado en su relación con Tamayo:

> No me retiró su respaldo, sino que reveló su otra cara. Dejó de apreciar mi obra. Se sintió amenazado. No era muy estable en su forma de ser; cambiaba mucho según su humor. Pienso que no tenía un carácter fuerte.

Todas las relaciones de amistad tienen dos aspectos y ésta no fue la excepción. Rodolfo dice que él se alejó de Rufino porque quería tener más libertad para pintar como él quisiera. Si no lo hubiera hecho, está seguro de que el gran artista habría intentado imponerle que hiciera las cosas a su manera. También tuvo problemas con sus amistades; algunos eran aún maestros de San Carlos y pensaban que sabían mejor lo que otros deberían hacer.

> Ya había tenido suficientes experiencias con ellos. Más aún, pienso que si estuviera vivo, no hubiera podido hacer mi fundación (Tamayo murió en 1991; Rodolfo inició su proyecto en 1992).

Parece decir que la personalidad dominante de Tamayo se habría interpuesto en su camino para evitar que restaurara las iglesias barrocas del valle de Oaxaca.

Estela cree que la separación entre los dos artistas se debió a que el famoso pintor estaba celoso de Rodolfo. En su opinión, Tamayo nunca esperó que su protegido llegara a donde llegó; más bien, parecía gozar el papel del gran hombre que presenta a un artista que era su paisano, ante la gran ciudad. Cuando ella empezó a vender el trabajo de Morales en subastas internacionales, la actitud de Tamayo cambió. Rodolfo había empezado a ser apreciado en ámbitos muy lejanos a su influencia; empezaba a tener éxito por sus propios méritos.

Al principio hubo algunos problemas. Sin el apoyo de Tamayo, la segunda exposición de Morales que Estela lanzó un año y medio después, fue un fracaso comercial. No se vendió nada. Pregunté a Rodolfo si creyó que la fama y el éxito le llegarían sin el apoyo y el reconocimiento público de Tamayo; él respondió que pensó que algún día le llegaría porque vivimos tiempos diferentes.

A Rufino le gustaba controlar a la gente; una vez un grupo de coleccionistas fue a verlo para pedirle su opinión acerca de adquirir algunas obras de Morales. Desdeñoso, les dijo: “Usen su dinero en algo más popular”. Y ellos no compraron las piezas porque el maestro dijo “No”.

No obstante, Rodolfo se siente bien hablando del asunto, y le causa satisfacción que ahora nadie tenga que pedirle opinión a otra persona cuando quiere comprar su obra.

Encogiendo los hombros, dice: “¿Y qué, si no querían comprar mi trabajo? Yo de todas formas ya estaba pensando en mudarme a Ocotlán”... a la casa grande que compró a fines de los años 60, al pueblo que era fuente de tantos recuerdos. Este famoso gesto de desdén implicaba que seguiría haciendo lo que había hecho para complacerse a sí mismo durante

Fotografía: Pedro Hiriart

La novia
Óleo sobre lino, 110 × 210 cm, 1997.

Fotografía: Pedro Hiriart

Mujeres con perritos
Óleo sobre tela, 74 × 99 cm, 1995.

Fotografía: David Maawad

Muros del recuerdo
Óleo sobre tela, 118 × 148 cm, 1995.

Fotografía: Pedro Hiriart

Sin título
Óleo sobre tela, 79 × 99 cm.

Fotografía: David Maawad

Fotografía: Pedro Hiriart

Sin título
Óleo sobre pergamino, 50 cm de diámetro, 2000.

Fotografía: David Maawad

Sin título
Óleo sobre tela, 114 × 56 cm, 1996.

Fotografía: David Maawad

Fotografía: Pedro Hiriart

Sin título

Óleo sobre lino, 80 × 100 cm, 1996.

Fotografía: Pedro Hiriart

Sin título

Óleo sobre lino, 100 × 80 cm, 1997.

Fotografía: Pedro Hiriart

Sin título
Óleo sobre pergamino, 50 cm de diámetro, 2000.

Fotografía: Pedro Hiriart

Sin título

Óleo sobre tela, 98 × 78 cm, 1999.

Fotografía: Pedro Hiriart

Sin título
Óleo sobre lino, 80 × 150 cm, 2000.

Fotografía: Pedro Hiriart

Sin título
Óleo sobre lino, 2000.

Fotografía: Pedro Hiriart

Sin título
Óleo sobre tela, 74 × 97 cm, 1994.

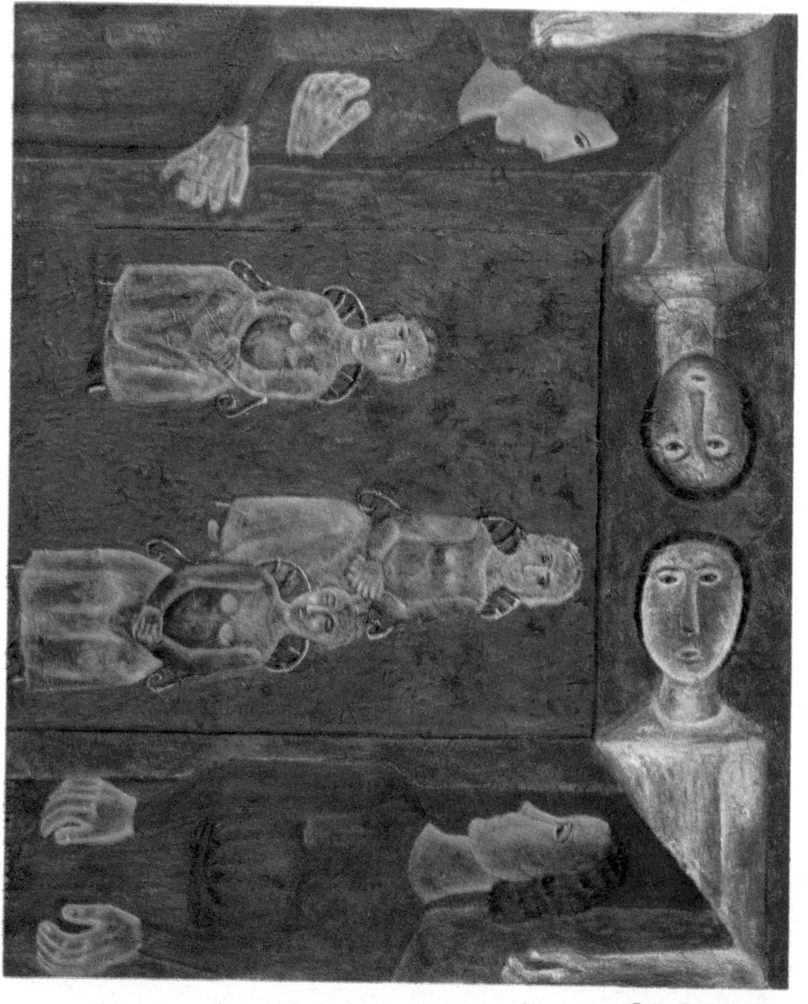

Fotografía: Pedro Hiriart

tantos años. Me dio la impresión de que la desavenencia con Tamayo todavía le causaba encono.

Rufino compró personalmente varias pinturas de Morales a Estela y las instaló en el Museo Tamayo. Después de un breve tiempo, las descolgó. Al preguntarle la razón, adujo que se debía a que no tenía exposiciones internacionales. Sentido aún por el rechazo después de veinte años, Rodolfo comenta que su obra fue reemplazada por la de artistas "que ahora no son nadie".

Otras voces se alzaron para alabar el trabajo de Rodolfo. El mismo año en que Tamayo vio sus pinturas por primera vez, un cronista de pintores que radicaba en la Ciudad de México fue el primero en llamar la atención por escrito hacia su obra. En una prestigiada publicación sobre las artes, parafraseó la recomendación pública que hiciera Tamayo, identificando a Rodolfo como "una nueva presencia en la plástica mexicana".

Con una habilidad casi misteriosa para describir con exactitud lo que Morales hacía en su pintura, el escritor usó frases que veinte años después no han podido ser superadas. Diciendo que el trabajo reflejaba una "visión singular... nacida de las experiencias personales del pintor", el escritor describió los árboles con pájaros, ángeles y flores, parques, zócalos, montañas y aeroplanos con tanta precisión como lo hizo con los fuertes elementos arquitectónicos y casas de Ocotlán. Aunque no calificó la obra como realismo mágico o realismo poético, dijo que el pintor visualizaba una realidad única, carente de símbolos y alegorías.

Rodolfo se negó a comentar acerca del autor, diciendo sólo que "no era sino una persona que siempre traía problemas", que no debía mencionar su nombre pues era un genio creador con muchos problemas psicológicos. Presionándolo a que comentara sobre su perspicacia o la exactitud de sus observaciones, casi a regañadientes dijo: "Sí, es verdad. Pero ya no lo he vuelto a ver".

Fin de la discusión.

Estela comentó sobre esta cara del artista: "Es muy fuerte y obstinado. No perdona. Cuando dice que algo se acabó, se acabó".

Sabía que no debía insistir con las historias que involucraban a personajes específicos en su vida, si él sentía que se había cerrado ese capítulo en esa relación. Sin embargo, no pude dejar de pensar en lo que pensaría Tamayo del artículo de 1995 en el *New York Times,* firmado por Edward Sullivan, director del Departamento de Bellas Artes de la Universidad de

Nueva York. Sullivan identificó a Morales como "uno de los artistas más inventivos del México contemporáneo que trabaja en forma figurativa". Lo llamó "el heredero de Rufino Tamayo".

¿El heredero de Rufino Tamayo?

Al principio no lo parecía, aunque Estela procuró de muchas maneras promover su obra después de que el gran pintor le retiró su respaldo público. Fue difícil.

"Muchas de las personas que compraron inicialmente sus pinturas lo hicieron", explica Estela, "porque Tamayo se los dijo; pero aún no entendían al autor."

Gradualmente, la corredora comenzó a vender la obra por sus propios méritos. La gente empezó a comprender de qué se trataba, asistiendo a las exposiciones y "viendo". La única forma, dice, de entender en realidad el trabajo de un artista, es teniendo el ojo educado. Las personas regresaban a ver las pinturas una y otra vez y encontraban detalles interesantes en ellas. Aquellos con una visión amplia pudieron reconocer que Morales tenía una imaginación extraordinaria y un lenguaje pictórico poco común, casi único.

En su esfuerzo por vender la pintura de Rodolfo, Estela decidió lanzarse al mercado internacional. Me contó con deleite cómo se las arregló para meterlo a la casa de subastas *Sotheby's* en Nueva York, con "un truco": un representante de *Sotheby's* la llamó para pedirle algunas obras del pintor oaxaqueño Rodolfo Nieto y ella tuvo una idea: envió el trabajo de Rodolfo diciendo: "Por cierto, éste es Rodolfo Morales, otro pintor de Oaxaca. Tal vez quieran probarlo; si no les resulta, me lo devuelven".

Pero Sotheby's le vendió la obra al dueño de *Volpa*, otra galería en Nueva York y el director de ésta se interesó tanto que viajó a México a visitar la galería de Estela para ver qué más tenía. Compró un gran número de piezas y lanzó su propia exposición del pintor mexicano en Nueva York.

En 1987, una crítica en *Artspeak,* escrita por Dennis Wepman sobre aquella primera exposición en Nueva York, describe la obra de Morales como:

> Sin duda, muy mexicana, con un estilo primitivo que evoca a Doumier Rousseau... y llena de simbolismo. Morales es considerado el heredero apa-

rente de Rufino Tamayo, una de las voces más poderosas que han salido de su país desde los muralistas de los años 30.

Es cierto que la influencia de Tamayo se ha sentido directa e indirectamente en Oaxaca, el lugar donde ambos nacieran. En 1975 —cuando Rufino viera por primera vez la obra de Rodolfo—, Oaxaca era de nuevo el escenario de una de esas raras coincidencias constantes en esa región de México. Roberto Donís, un próspero pintor abstracto residente de la Ciudad de México, se percató de la extraordinaria creatividad que bullía en Oaxaca y persuadió a los gobiernos federal y estatal para que le dieran recursos para instalar un taller de pintura en el centro de la capital. Aunque el hijo más importante de la ciudad no tenía nada que ver con el proyecto, pareció apropiado llamarlo *Taller Rufino Tamayo*. Así nació la que se ha reconocido como la escuela oaxaqueña de pintura.

Roberto Donís parece haber tenido la rara cualidad de amar el arte en todas sus formas y de poseer una extraordinaria capacidad para identificar a quién tenía y no tenía talento. Como director del taller, seleccionaba personalmente a los estudiantes que serían aceptados. El único requisito era que presentaran trabajos originales y de verdadera calidad.

Seleccionó a quince jóvenes artistas de la capital y los pueblos cercanos a Oaxaca. A algunos les daba de comer y un lugar para dormir, pues eran demasiado pobres para pagar el autobús que los llevara y trajera de sus pueblos. Filemón Santiago, ahora un artista reconocido, recuerda aquellos años como "una época extraordinaria. Era como un monasterio: comíamos juntos, dormíamos todos en un cuarto muy grande y pintábamos juntos".

Donís contrató a varios artistas sobresalientes para que dieran clases en el taller. Y como la musa creadora no tiene horario, los alumnos podían trabajar todo el día o toda la noche, dependiendo del espíritu que los moviera.

Estos estudiantes desconocidos entonces producían, casi sin excepción, trabajos de la más alta calidad y formaron la base para un acercamiento distintivo de Oaxaca a las artes pictóricas. Roberto Donís ayudó también a dar forma a su reputación organizando exposiciones en la Ciudad de México, en Washington, D. C. y en el Museo de Arte Moderno de Nueva York.

Los estudiantes —algunos de apenas dieciséis años— estaban atónitos con su éxito, y a quienes veían el trabajo que presentaban les sorprendían su calidad, su textura, sus estilos y los temas que manejaban. El estado de Oaxaca ya se había dado a conocer como un centro de artes. Los tejidos, los textiles, la loza negra y verde y la espectacular ropa indígena, lo identificaban como un lugar único en México.

Era una nueva forma de contemplar el arte en México: sofisticada, contemporánea, fresca, sin entrar en la categoría de artesanía. El taller producía arte fino y valioso para coleccionarlo y admirarlo. La gente adinerada empezó a llegar a Oaxaca a conocer y comprar la obra de sus pintores, tejedores y grabadores y contribuía a correr la voz de que "algo" estaba sucediendo en esa región.

Sin embargo, como ocurre a menudo en las comunidades artísticas de todo el mundo, hubo problemas y desavenencias entre Donís y varios artistas entrenados en el taller. Por fin, el fundador lo dejó, con una amargura evidente aún ahora. Aunque hace mucho que se fue, el taller todavía existe como un lugar importante para el entrenamiento de los artistas jóvenes en la capital del estado.

Diez años después de que el taller empezara a hacer historia, Rodolfo decidió regresar a Oaxaca. Era 1985, una década después de su "descubrimiento" en Cuernavaca por Tamayo. En esa época se asocia a ambos con el arte que se producía en Oaxaca, aunque ninguno tenía relación directa con el taller de Donís. Éste puso la primera piedra para la legítima afirmación de que en Oaxaca se realizaba el mejor arte de todo el país, la cual se fortalece año con año.

Respecto al taller de Donís Rodolfo opina:

> No hay ninguna fórmula. Degas no pintaba como otros artistas franceses. Los pintores españoles se distinguen por sí mismos. Cuando uno ve un cuadro de un artista estadounidense, sabe que es estadounidense. Lo más importante es el ambiente, la forma en que creces y te desarrollas. Lo que distingue a México, y a Oaxaca en especial, es que éste es un país primitivo y delicado al mismo tiempo.

La gentileza de la que habla se relaciona con dos culturas: la occidental y la indígena:

> Produjo un choque que ha generado una tensión creativa, un balance de lo opuesto. Por ejemplo, en mi primera visita a España alguien me ofreció un dulce con un gesto que en México se hubiera considerado de mala educación, aun grosero. En nuestro país se habría ofrecido con gracia, casi formalmente. Los estadounidenses, por su parte, nada más te dicen que te sirvas o ¡que aprietes un botón!

Esa noche estaba terminando dos cuadros llenos de flores. Al verlo trabajar tuve la extraña sensación de que el aroma del tapete de flores rojas del óleo más grande era más fuerte que el de flores rosas. Comenté la diferencia y él dijo:

> Sí, eso es porque no quiero repetirme. No se supone que deban ser realistas. No es cosa de copiarlas; el impacto reside en ver y sentir las flores, no en que sean verdaderamente rosas o buganvillas.

Y, sorpresivamente, con una leve sonrisa, habló de Tamayo:

> Mi objetivo es lograr que cuando pinte flores, se pueda oler su perfume; como Tamayo, que cuando pintaba fruta, uno podía probarla. Los poetas usan palabras de tal manera que cuando describen la comida, se le hace a uno agua la boca.

Recordé lo que Tamayo dijera de sí mismo: que su trabajo estaba arraigado en el realismo poético, y decidí que por fin Rodolfo me había dado una buena definición de lo que el gran pintor quiso decir.

Pero no había acabado. Refiriéndose de nuevo a la fruta tan jugosa que casi puede probarse y a las flores tan fragantes que casi pueden olerse, dijo: “Cuando puedas hacer eso con la pintura, eso, es corazón”.

El 2 de febrero de 1999, en la celebración de los cien años del nacimiento de Tamayo, se escribió una irónica nota sobre la relación entre éste y Rodolfo Morales en *El Imparcial,* uno de los más importantes periódicos de Oaxaca. Se le pidió a éste describir sus recuerdos más significativos del gran pintor. Habló de la primera vez que vio su obra en una exposición organizada por el maestro Gamboa en la Ciudad de México, y de su propia exposición en Cuernavaca en 1975, cuando Tamayo conoció la suya.

Rodolfo no hizo intento alguno por declararse en desacuerdo con el nombramiento de heredero de Tamayo. Aunque nunca buscó nunca tal honor ni dio pie para que se pensara que se creía digno de él, le pareció natural que se le pusiera en esta categoría. Porque la mayor parte de su vida, él ha sorprendido a quienes pensaron que estaban en la posición de juzgarlo a él y a su trabajo. Sin duda alguna continuará sorprendiéndolos.

10. El regreso a Oaxaca

Veinte años antes de que la prensa de Oaxaca llamara a Rodolfo Morales el heredero de Tamayo, otra publicación, *Diorama de la cultura*, publicó una caricatura de él, sentado en una banca, paleta y pincel en mano, con expresión de dolor en el rostro. La imagen acentuaba su bigote caído y el cabello negro que cae sobre su frente. Arriba, dos ángeles flotaban con bandas tricolores cruzándoles el pecho, con los colores de la bandera nacional. Evidentemente son indicadores de los ángeles y las mujeres voladoras que se encuentran en los óleos del artista y están tan cerca de él que parecen protegerlo.

Y sí, lo sucedido después de que Tamayo le retiró su apoyo, puede sugerir que alguien lo cuidaba. Rodolfo y Estela pudieron haber decidido que el entusiasmo inicial por su pintura fue tan sólo una moda impulsada por la influencia de Rufino. Pero la corredora creyó en el pintor desde el principio y, en algunos aspectos, el ángel que lo cuidaba era ella; sabía que cuando el gran artista oaxaqueño dijo que su paisano estaba haciendo algo nuevo tenía razón y no estaba dispuesta a ignorarlo.

Al descubrir ambos que no necesitaban de la opinión de Tamayo para tener éxito, su relación se afianzó. Estela nunca ocupó el lugar de Geles Cabrera en la vida de Rodolfo, pero retomó el hilo donde aquélla lo dejó en cuanto al impulso que le dio a su amigo, y lo hizo avanzar más que nunca ante el público.

> Nos acercamos mucho [cada vez que se hacía una exposición fuera de la Ciudad de México] y siempre estábamos juntos. Me sentía muy a gusto cuando él estaba contento y llegué a encariñarme mucho con él.

Esto se repetiría diez años después cuando Rodolfo regresó a Oaxaca y reemplazó a Estela con otra mujer como su nueva corredora de arte.

Estela describe:

> Mi afecto por Rodolfo era de naturaleza protectora. Cuando nos registrábamos en un hotel lo acompañaba a su cuarto y le decía a qué hora nos reuniríamos. Era como su mamá. Si íbamos a algún restaurante, le preguntaba: "Rodolfo, qué quieres comer?" y él me decía: "No sé, ordena tú". Me contó que él estaba acostumbrado a sentarse a la mesa en su casa y comer lo que le sirvieran. Esa parte tan dócil de su personalidad es genuina —en verdad no quiere ser exigente o difícil— y siempre está dispuesto a dejar que otros decidan sobre los asuntos no relacionados con su estilo de pintar. Sin embargo, éste es sólo un aspecto de su personalidad.
>
> Tiene miedo a ser rechazado como cuando era niño, así que yo siempre era tierna aunque él siempre fuera esquivo. Cuando trataba de darle un beso, Rodolfo hacía a un lado la mejilla y terminaba besando al aire. Pero lo entiendo. No siento que me rechace personalmente, sino que es algo en su interior, algo impenetrable, que mantiene a todos a cierta distancia.

Hace una interesante comparación entre él y Andy Warhol. Dice:

> Warhol era un artista pop; Rodolfo es un artista "popular", en el sentido de que se nutrió del arte popular mexicano: los juguetes, las iglesias, los mercados. Era inseguro y tímido al igual que Warhol, quien siempre se impresionaba con la "gente importante" y con los del mundo de la farándula. Aun la forma en que empezaron es similar. Warhol se inició dibujando y diseñando zapatos. Un publicista reconoció su talento y mostró sus diseños a un fabricante de zapatos, quien lo empleó después de darse cuenta de que tenía cientos de ideas originales.
>
> Como Andy, Rodolfo empezó haciendo las cosas a cambio de nada, como los pequeños collages que nunca imaginó que pudieran interesarle a alguien. Pero una vez que vio que su trabajo, y él mismo, eran aceptados, creo que su ego creció y empezó a decirse: "Ahora sí van a ver quién soy yo".
>
> Otra similitud es que ambos son impenetrables. Morales responde con honestidad, pero nunca de manera completa cuando se hacen preguntas personales, en tanto que Warhol lo hacía ampliamente, pero nunca con honestidad. Rodolfo siempre procura mantener el balance entre el dolor, las lágrimas, el amor y el sexo. Cuando siente amenazada su identidad, se vuelve fuerte e inamovible, lo que explica por qué le trastorna ver que se cometa una injusticia con alguien. Es una proyección del dolor que él mismo sintiera a causa de las injusticias que ha sufrido personalmente.

> Rodolfo es inocente como un niño, una atractiva cualidad que lo distingue de otros artistas. Esta característica suele asociarse a la creatividad: las personas creativas parecen maravillarse constantemente del mundo que la rodea; para ellas, la naturaleza siempre es fresca y llena de sorpresas. Mantienen un áurea de juventud, sin importar lo que la vida les exija.

Cuando poetas y místicos hablan de ver el mundo a través de los ojos de un niño, no se refieren a ser infantil, inmaduro o falto de experiencia. Lo que quieren decir es tener la disposición de dejarse encantar, maravillados, excitados o emocionados con cada nuevo día, como si la vida fuera una novedad constante. Esto es lo contrario a aquel que es tan sofisticado que ya está hastiado y lo ha visto todo.

No es de sorprender que los recuerdos posean un aire de ingenuidad que disfraza la falta de inocencia en sus referencias a la muerte y la violencia. Aun sus alusiones a las películas de Federico Fellini incluyen episodios de carnaval que le gustarían a los niños.

En su niñez, la llegada del circo con los payasos y los animales, la música y los artistas, le permitían transportarse verdaderamente a otro mundo. Durante varias horas, su fértil imaginación podía volar hasta donde quisiera. Y si había un periodo de soledad y pérdida cuando se iba el circo o se acababa el entretenimiento, esto le confirmaba que el mundo cotidiano no era lo que él deseaba.

Esa cualidad que Estela Shapiro reconoció en su obra es una de las cosas que más le atrajo. En su pintura el tiempo parece moverse en circuitos, como las pistas de un circo en las que suceden muchas cosas simultáneamente. Hay personajes vestidos de colores brillantes, cada uno con su papel asignado, justo como los que había en el circo, el teatro o el cine. Los cuadros de los pintores que Rodolfo admira también parecen reflejar el tiempo sin ataduras. Rodríguez Lozano, María Izquierdo y Edward Hopper retratan marcados sentimientos de soledad y silencio que podrían existir en cualquier parte y para siempre. (Una obra reconocida de Izquierdo llamada *Las cirqueras Lolita y Juanita* muestra a dos niñas montadas en caballos adornados, en el centro de una pista de circo.)

Como nunca perdió la curiosidad infantil que le ha caracterizado, pudo crear en su mente el mundo que quisiera inventar y de paso aliviar el dolor que le causaba el real. Estela percibió que las escenas de mujeres realizando cosas imposibles y hasta mágicas, hacían que su pintura trascendiera el tiempo y el espacio. Y, puesto que sus historias de la infancia existen en una porción de tiempo suspendido en el espacio, una parte del artista sigue siendo niño para siempre. Así puede retomarlas y volver a ser niño, continuamente fascinado con una función de títeres, un domador de leones o una producción teatral seguida por un viaje a casa en la noche oscura con sólo las estrellas como guía.

Estela no sólo vio esta suspensión mágica del tiempo en la obra de Rodolfo: en verdad tenía la intención de apoyarlo cuando le dijo que haría todo lo que estuviera a su alcance para respaldarlo. En su esfuerzo por promoverlo, abrió puertas que posiblemente él no habría podido abrir solo, por ejemplo, el mercado del arte en Monterrey. "Estela tuvo mucho que ver con el éxito en Monterrey", dice Rodolfo. Y hasta ahí llegan sus elogios a lo que ella hizo por él.

La corredora me comentó que quien la ayudó a entrar a Monterrey fue el arquitecto Ricardo Legorreta, quien quería mucho a Rodolfo por ser su arte tan mexicano, como lo es la arquitectura de él. Llevó a la galería de Estela a un coleccionista de arte, que compró varias piezas de Rodolfo. Después empezaron a comprar otros, como Mauricio Fernández, cuya madre era ya una de las principales coleccionistas de arte en Monterrey. La galería regiomontana de arte de Guillermo Sepúlveda empezó a manejar la obra de Morales a través de la de Estela. Ahí se organizaron varias exposiciones durante los diez años en que artista y corredora trabajaron juntos.

Ella también le hacía encargos importantes de obra al pintor oaxaqueño; los dos grandes óleos que dominan el bar del vestíbulo del hotel Camino Real en la Ciudad de México constituyen un proyecto particularmente significativo. En un inicio los óleos fueron encargados a Estela por Legorreta para un restaurante de una zona elegante de la ciudad. Cuando el negocio en cuestión cerró sus puertas, el arquitecto compró las pinturas y se las vendió al hotel. Ahí se volvieron parte de una importante colección de arte contemporáneo que en 1999 incluía un mural del universo de Rufino Tamayo y una enorme escultura de Calder.

Dice Estela:

> Legorreta era amante del arte, pero más importantes aún eran su afecto y admiración por Rodolfo. No sé cómo pudo éste pintar esos enormes cuadros en su departamento, porque era del tamaño de las pinturas y estaba

lleno de cosas que fue coleccionando. Debe de haberle sido extremadamente difícil pintar allí, pero como no tenía espacio en ninguna otra parte, convirtió una de las recámaras en su estudio.

En una ocasión Rodolfo usó un cilindro forrado con tela de algodón. Pintaba un rato y luego enrollaba el óleo y mantenía las imágenes en la mente para seguir pintando con parte de la tela enrollada.

Al respecto el artista me dijo:

> Tardaba mucho trabajando de ese modo pero no lo hacía por falta de espacio, sino por probar una nueva forma de pintar. En realidad quería experimentar pintando una escena que nunca terminaba.
>
> De hecho, realicé muchos óleos así y los vendí todos. Es una experiencia muy interesante, muy diferente a pintar en plano, porque no hay un punto de referencia de principio o de fin. Lo mismo le ocurre al que ve el cuadro, cuando contempla una escena con esa forma; se siente forzado a moverse. Por dondequiera que entre al espacio, siempre tendrá una visión nueva pues no es posible apreciarlo si se le ve sólo de frente.

Rodolfo tiene sus propias anécdotas de sus años con Estela. Una es sobre una crítica de arte que lo entrevistó durante su primera exposición en la galería en 1976. "Era amable conmigo", dijo, "y escribió un artículo muy bueno." Hasta lo visitó en su departamento, pero le pareció extraño que viviera rodeado de antigüedades. Le indicó que los artistas deben ser más modernos o contemporáneos y no quedarse atrapados en el pasado. Después de algunas visitas regulares, su relación se volvió forzada. No se vieron durante un año y luego se encontraron casualmente en la inauguración de la exposición de otro pintor.

Pero después de su reencuentro, la crítica no volvió a escribir nada acerca de su obra. Escribía sobre "la nueva pintura en México", dice, pero nunca lo mencionó ni a él ni a su trabajo aunque inicialmente lo elogiara tanto. Tiempo después, Rodolfo conoció a un amigo de la infancia de la crítica de arte y le dijo que ésta venía de una familia muy conservadora y fue educada por monjas que les daban de golpes con una vara si no se sabían el catecismo. En su adolescencia, se le prohibió terminantemente continuar la amistad con otra joven cuyo padre era "comunista".

Parece ser que su niñez represiva la hacía sentirse incómoda con la pintura de Rodolfo, porque le recordaba su pasado. Lo mismo sucedió con otras mujeres de las que me habló, una en particular que luchaba por hacerse de una reputación como pintora de vanguardia.

A pesar del rechazo de algunas personas, a principios de 1980 Rodolfo experimentaba tal éxito como artista, que su confianza en sí mismo creció sobremanera. Cuando en 1983 su posición como maestro se vio amenazada abruptamente, ya había reunido el valor que necesitaba para pelear por ella, en parte por personas como Ana Soler, hija de Francisco Gabilondo Soler, Cri-Cri, que lo apoyaba totalmente (otra mujer de importancia que reconoció la calidad única de su obra).

Aunque había enseñado en la preparatoria número 5 durante más de veinte años, el director de la escuela, Moisés Torres Martínez, decidió quitarle dos de sus clases de dibujo y dárselas a un amigo. Bien sea porque tenía más confianza en sí mismo o porque le molestó lo injusto de esta acción, el artista decidió que ya estaba harto de aguantar abusos. Se pondría en huelga de hambre para protestar porque le "robaban" sus clases. Y además, lo haría públicamente.

Al describirme la decisión dramática que tomó, me dijo:

> Fue el momento más importante de mi vida. Los periódicos la llamaron la "huelga de los pinceles caídos" y era algo que tuve que hacer. Estaba harto de que me humillaran. Esa mañana llegué como a las 6:00 a. m. y saqué unos carteles que hice con recortes de periódicos y revistas que hablaban de mi carrera como artista. Los pegué en la ventana de una oficina, pero estaba tan nervioso que no pude sacarlos todos. Empezaron a llegar los empleados y los maestros que me abrazaron y me felicitaron por haber tomado esa decisión.

Un artículo en *Revista de revistas* del 12 de enero de 1983 describe a la escuela como un nido de alborotadores, conocida por su administración estricta y por los abusos y decisiones arrogantes de su director, que manejaba las cosas como si fuera un dictador. El periodista decía que, aunque la mayoría de los maestros "estaban resentidos" con la cúpula de la escuela, ninguno se había atrevido a protestar de forma oficial antes de la huelga de Rodolfo.

Sus compañeros maestros se sintieron tan animados por su ejemplo que convocaron a una junta para enfrentar el problema y decidir en qué términos quedarían todos con la administración. En ella pidieron que se diera solución a los problemas que repetidamente violaban sus derechos. Citaron el extraordinario valor del profesor Morales y demandaron que la administración diera absoluto respeto a los derechos de maestros, empleados y alumnos.

Rodolfo se describe durante la huelga sentado tranquilamente en una silla mientras a su alrededor se desataba un alboroto. (En una fotografía de un periódico se le ve con un suéter a rayas, sosteniendo impasible una pancarta con sus protestas escritas de su puño y letra). La voz se corrió rápidamente. Los alumnos que se enteraron de lo que pasaba empezaron a gritar consignas contra el director.

No pasó mucho tiempo antes de que se presentaran tres miembros de la administración. El director argumentaba que era un malentendido, que él nunca le quitó las clases a Rodolfo. "Yo me levanté", dice éste, "y le dije que era un mentiroso."

Después de reunirse con sus asistentes, Torres regresó a donde el pintor esperaba nervioso y le dijo:

> Profesor, su asunto se ha arreglado. Aquí están las tarjetas de sus clases donde se establece que va a continuar enseñando a esos dos grupos. Baje los carteles y dé por terminada su huelga.

En un gesto raro, sus acompañantes pusieron a Rodolfo de pie para felicitarlo pero, bromeando, algunos de los maestros que estuvieron en la junta lo sentaron de nuevo, corrieron al director y volvieron a ponerle los carteles en la mano.

Le dijeron que no se levantara hasta que la administración le diera un contrato por escrito y aceptara los ocho puntos presentados en el escrito elaborado en la junta, que los protegía de que algo similar volviera a suceder. (En esos días, nadie tenía contrato como maestro y podían ser reemplazados a capricho del director.)

La huelga terminó oficialmente por la tarde del mismo día en que empezó. Además de acordar con los maestros los derechos que tendrían en el futuro, el director prometió a Rodolfo que las dos clases de dibujo estarían permanentemente a su cargo "de acuerdo con los derechos que le corresponden a los maestros y empleados de la escuela".

Rodolfo Morales ganó.

Se defendió del trato injusto y encontró el apoyo de sus compañeros de trabajo y alumnos. Asombrosamente, no hubo represalias contra nadie. Fue un enorme logro para él pues lo ayudó a preparar el escenario para las protestas que haría unos quince años después, a su regreso a Oaxaca. Cuando decidió retirarse de la enseñanza dos años después de la huelga de hambre, lo hizo como héroe. Rodolfo Morales, llamado por sus colegas "el rebelde pasivo", consiguió lo que nadie tuvo el valor de hacer. Y los que tenían la autoridad, habían retrocedido.

En general, nuestro artista considera que los más de treinta años que vivió en la capital de la República constituyeron una de las mejores épocas de su vida. Estuvo en el momento preciso para aprovechar todo lo que la capital podía ofrecerle: el estable clima económico le permitió comprar la casa en Ocotlán y el departamento de Coyoacán; con su sueldo de maestro pudo hacer muchos viajes; intelectuales de todo el mundo vivían y trabajaban en la Ciudad de México y se hacían accesibles al público. "La pasé muy bien los años que viví allí", me dice. "La experiencia me hizo pintor."

En 1985 tenía casi sesenta años y disfrutaba de una creciente reputación como artista. Lo representaba una de las corredoras de arte más importantes de la ciudad, quien lo promovía con vigor y entusiasmo. Su obra la coleccionaban mexicanos y estadounidenses. Empezó a pensar en el retiro y en volver a su pueblo.

> No fue la sobrepoblación, ni la contaminación ni el peligro de la ciudad lo que me hizo salir de ahí. Tenía que irme simplemente porque ya había tantas cosas en mi departamento que no había lugar para mí. Decidí regresar a Ocotlán, donde tenía una casa tan grande que cabría todo. Mis amigos me decían que estaba cometiendo un error, pero estaban equivocados.

Si pareciera irónico que Rodolfo regresara al pueblo donde lo menospreciaron tanto, él bromea diciendo que su decisión se debe a que tiene elefantitis: los elefantes siempre regresan a su lugar de nacimiento. Dice también que ya era tiempo de retirarse y, aunque disfrutaba estando con sus alumnos, sabía que cuando volviera a Ocotlán estaría libre para dedicarse a pintar.

La naturaleza decidió marcar su determinación de decir adiós a la capital con un suceso memorable: un día antes de que saliera, la Ciudad de México fue sacudida por un fuerte terremoto. Rodolfo ya tenía todo empacado cuando se sintió la sacudida:

> Fue muy dramático, pero se dio la inesperada solidaridad de la gente y todos trabajaron juntos para ayudar. Sorprendentemente, no hubo robos ni saqueos, turbas ni violencia. Fueron unos días impactantes. Las carreteras no estaban bloqueadas, pero los camiones de mudanza sí andaban muy ocupados y no llegaron a recoger mi mudanza hasta varios días después de lo acordado. Estoy seguro de que, de no haber tenido todas mis cosas ya empacadas, muchos de mis tesoros hubieran terminado rotos. Había habido dos terremotos más fuertes que éste en años anteriores, incluyendo el de 1931 en Oaxaca que destruyó más de la mitad de esta ciudad.

Al hablar de la cantidad de muertes causadas por los temblores, introdujo uno de sus tópicos favoritos: la sobrepoblación en México que, en su opinión, es la causa de la mayoría de los problemas económicos. Piensa que el gobierno debería instituir alguna forma de control de la natalidad, aun secreta. "No debería ser una opción", dijo. Esta clase de comentarios inesperados sobre lo que piensa que el gobierno debe o no hacer, se intercalaban constantemente en nuestras conversaciones, indicando que tiene más opiniones políticas de las que quiere admitir.

Geles se sorprendió mucho cuando decidió mudarse a Ocotlán, pero le dio gusto por él. "Después de todo, era su mundo." Le era difícil pensar que perdería a su mejor amigo, pero Rodolfo regresaba triunfante, lo cual le permitiría olvidarse de su infancia a veces infeliz. La situación era muy diferente de cuando se fue en 1948, como un "don nadie".

La escultora cree que una de las razones de su decisión fue que pensó que podría vivir mejor allá que en la Ciudad de México. "Sus padres ya habían muerto, así que no tenía que lidiar con ellos." Y estaba Guillermina, la esposa de su hermano Javier, a quien quería mucho. Era conveniente volver a donde todo le era familiar, y donde el dinero que ganaba como pintor le sería más que suficiente.

Pero hubo otras complicadas razones. Después de entrar al escenario del arte mexicano, ciertas personas se aferraron a él, porque les abría las puertas. En algunos casos, cree que Rodolfo se vio involucrado con gente de la que después ya no sabía cómo deshacerse. Por ejemplo, hubo un pintor que vivió en el cuarto de arriba de su departamento y abusaba de la amistad de Rodolfo, quien le presentó a todos sus amigos y a Estela Shapiro. Incluso lo puso en contacto con una galería en Estados Unidos y rechazó una exposición en Washington, D. C. para que su amigo tomara su lugar. Dice Geles:

> Rodolfo era tan noble que exageraba. Otro amigo llegó de España y no tenía dónde quedarse. Dejó que usara su departamento y él se mudó al cuarto de servicio en la azotea. El pintor se quedó un año, en tanto Rodolfo vivía e incluso pintaba en ese cuartito. Lo mismo sucedía con otros amigos. Siempre lo dio todo; por eso lo querían tanto.

Rodolfo invitó a Geles y su familia a visitarlo en Oaxaca varias veces. Cuando salían al campo, siempre les explicaba todo. En una ocasión llegaron por carretera con varios amigos y Rodolfo detuvo la caravana varias veces para decirles lo que él pensaba que debían ver y qué lugares eran más importantes.

La relación exclusiva del pintor con Estela Shapiro terminó unos años después, entre 1989 y 1990, aunque periódicamente él le daba obra para vender y escribió una declaración acerca del arte para el vigésimo aniversario de la galería. Sus artistas más importantes están incluidos en un bello libro publicado para la ocasión.

La fotografía de Rodolfo acompaña una reproducción de la pintura titulada *Mi pueblo es mi país*, en la que se ve a una mujer asomándose a un paisaje lleno de cactus. En las manos lleva una bandera tricolor adornada con las casas de adobe de un pueblo mexicano. Rodolfo escribió: "Para mí, el arte es una forma de expresión".

Había sido un periodo fantástico para ambos: Estela organizó exposiciones en lugares como Nueva Orleáns, San Francisco, Nueva York y Florida, así como en diferentes ciudades de México. Casi todas fueron reseñadas por críticos, algunas en forma breve, otras de manera más completa.

Algunas reseñas incluían fotografías de sus pinturas. Por ejemplo, *La otra conciencia* muestra a un ángel con zapatos de tacón alto, señalando el camino mientras vuela sobre una mujer que camina bolso en mano, y unos perros a sus pies. En otra pintura se ve a unas niñas que caen del cielo flotando en paracaídas. De hecho, parecen más bien marionetas, lo cual me hizo recordar su historia del espectáculo de títeres que llegó a Ocotlán y la impresión inolvidable que dejó en él.

Un crítico le preguntó si su trabajo le había permitido realizar sus sueños y deshacerse de los fantasmas de su niñez. Yo le hice la misma pregunta y se desconcertó. Dijo:

> Logré deshacerme de la pobreza; los fantasmas y pesadillas de mi infancia fueron mis complejos, mi timidez. Aunque aún soy tímido, creo que ya soy capaz de decir lo que pienso.

Unos meses después de esa conversación, habría de ver cómo habló en defensa de un grupo a quien nadie más estaba dispuesto a defender.

En 1987, dos años después de su regreso a Oaxaca, una mujer brillante y de fuerte carácter llamada Nancy Mayagoitia, nacida y crecida en la Ciudad de México, se mudó para allá también. Nancy era abogada pero, habiendo escuchado que "algo" sucedía en Oaxaca, decidió abrir una galería de arte en la capital con el objetivo personal de poner a la región en el mapa en cuanto al arte mexicano contemporáneo.

Es difícil creer que las calles del centro histórico de Oaxaca no hubieran estado siempre llenas de galerías. Cuando Nancy abrió la suya, *Arte de Oaxaca*, rápidamente se inauguró un segundo espacio cerca del parque Del Llano, a varias cuadras del pequeño local que ella rentaba cerca del zócalo. Definitivamente era el comienzo de algo nuevo. En el interior que pintó de blanco y llenó de luces, Nancy planeaba mostrar el trabajo de artistas de vanguardia de lo que ya se llamaba la escuela oaxaqueña. Es natural que muchos de los jóvenes artistas entrenados por Roberto Donís en el *Taller Rufino Tamayo* estuvieran incluidos, pues formaban el núcleo de este movimiento.

No obstante, alguien le mencionó al pintor de sesenta años que recién regresara a Ocotlán e intentaba convertir su casa en algo así como un centro cultural para los jóvenes de la localidad. Al saber que este pintor fue distinguido por Tamayo doce años atrás, Nancy se interesó en él.

Sabía que necesitaba un artista reconocido. Planeaba representar a artistas jóvenes que empezaban a establecerse y en ese momento no tenía relación con ningún nombre famoso. Pero no estaba familiarizada con la obra de Rodolfo Morales. Éste se había hecho amigo de algunos de los pintores jóvenes, quienes aprendieron a conocerlo y respetarlo, aunque por su timidez él no hubiera hecho nada por forjarse un nombre en nivel local. Nancy ni siquiera le pidió personalmente que participara en su exposición de apertura, pues aún estaba terminando de mudarse. Fueron los pintores jóvenes quienes lo invitaron.

Rodolfo accedió y habló con Estela Shapiro, quien aún era su corredora de arte. Ella le dio a Nancy dos pinturas para esa primera exposición. Nancy dice que sabía que "seguramente no eran lo mejor del trabajo disponible que había en ese momento; ¡Estela no le daría unos cuadros mejores en consignación a una nueva galería de arte en Oaxaca!"

Los dos óleos eran de 1985 y eran como los que hacía Rodolfo entonces: más oscuros, menos coloridos. A Nancy le parecieron "sombríos, un poco tristes pero al mismo tiempo intrigantes". Admite que no tuvo mucho tiempo para absorberlos ya que estaba muy ocupada preparando la apertura de su negocio en una ciudad en la que nunca había vivido.

Al inaugurarse la exposición, hubo mucho interés en la galería y en la obra que se exhibía. Como las dos piezas de Rodolfo eran las más caras, todos le preguntaban quién era el artista y por qué un cuadro suyo costaba tanto. Nancy me explicó que en 1980 la mayoría de sus invitados no eran compradores de arte; eso habría de cambiar un par de años después. En la actualidad hay muchos oaxaqueños que se han hecho de impresionantes colecciones de arte de los pintores locales.

Debido al precio y a la novedad de una galería, aunque la gente sí compró esa noche, la obra de Morales permaneció un buen tiempo sin venderse. Dice Nancy:

> Esto me permitió ver las pinturas, estudiarlas y tratar de entender lo que contenían; durante algún tiempo no tuve otra referencia de su obra, de modo que me metí profundamente en esos óleos.

Agrega que ahora es dueña de una de las obras y puede verla a diario, excepto cuando la presta para participar en alguna exposición.

Aunque no tenía nada más que su intuición para continuar, dice que sabía que las pinturas eran diferentes y representaban algo que nadie más estaba haciendo. Poco a poco, fue conociendo a Rodolfo también. Él visitaba la galería cada jueves, que era el único día a fines de los años 80 en que dejaba Ocotlán para estar en la ciudad de Oaxaca. Había retornado a su pueblo para disfutar del lujo de pintar todos los días y eso era precisamente lo que estaba haciendo. Pero una vez que se incorporó al medio artístico local a través de la galería de Nancy, tanto sus planes como su conducta cambiaron. El pintor introvertido y la corredora de arte se sentaban al escritorio de ésta, tomando *capuccinos* y café negro y charlando durante horas.

Llegó el día en que Nancy fue invitada a la casa de Ocotlán. Habiendo escuchado comentarios sobre ella, tenía curiosidad. Rodolfo creó un oasis para pintar en un espacio de la planta alta, con vista a uno de los patios, en medio de sus antigüedades, sus juguetes especiales y sus tesoros personales. Conforme fue vendiendo cada vez más su obra, empezó a llevar gente a Ocotlán para que lo conocieran y vieran su estudio y su trabajo en proceso. Para entonces, la reputación de la galería crecía y Rodolfo se había convertido en su estrella.

Ella descubrió otra faceta de Morales cuando le llevó sus primeros cinco collages. Dice Nancy:

> Estos trabajos hechos con papel, listón, encaje, calcomanías, estambre y otras cosas me atrajeron desde el principio. Eran tan frescos, felices y diferentes de los óleos sombríos, especialmente por sus marcos de hojalata hechos a mano. Después me enteré de que a Estela Shapiro no le gustaron y que los rechazó cuando Rodolfo le enseñó algunos.
>
> Supongo que robé un pedazo de su corazón cuando me enamoré de estos trabajos que a mí me parece que salieron directamente de ese corazón.

Rodolfo llevó más y más collages a la galería. Se vendieron rápidamente.

> Se pusieron muy de moda entre algunos de nuestros clientes estadounidenses. Se vendían tan rápido que nunca había suficientes. Los precios eran más accesibles, más de acuerdo con la idea de Rodolfo del precio que debían tener, que del mercado de la oferta y la demanda en la galería.

Como Estela era aún la corredora de arte de Rodolfo, ella recibía la mayor parte de la comisión de la venta de su obra. Hasta que más turistas y coleccionistas de arte de Monterrey empezaron a comprar su trabajo en la galería de Nancy, Rodolfo continuó oficialmente con Estela quien, a su vez, seguía manejando todo su trabajo y organizando exposiciones en Estados Unidos. En 1990 expuso en Scottsdale, Arizona; en San Antonio y Dallas, Texas, y en Santa Mónica y San Francisco, California. Además, continuaba exhibiendo su trabajo en la Ciudad de México, Monterrey y Oaxaca.

Gradualmente, los óleos y collages subieron de precio. Al respecto, dice Rodolfo:

> Yo no tuve nada que ver con eso. No quería saber los precios. En esa época no me interesaba mucho el dinero, hasta que poco a poco descubrí cuál era su propósito y en lo que podría usarse.

Pero algo cambió en la relación entre Rodolfo y Estela. Pudo haber sido el concepto nebuloso de él de hacer una fundación cultural y el poco interés de ella en el asunto. (Desde su regreso a Ocotlán, empezó a jugar con la idea de usar su dinero para mejorar el nivel cultural de su pueblo, concentrándose en particular en los jóvenes cuyas mentes y actitudes podrían moldearse si se les ponía en contacto con algo nuevo.)

También es posible que se haya visto afectada por el hecho de que Nancy le dio mérito a sus collages y lo ayudaba a hacerse de una reputación en Oaxaca.

Ahora que Rodolfo había cambiado de ritmo de vida amoldándose al paso más lento de la provincia, la Ciudad de México parecía muy lejana. Parece ser que el momento decisivo fue un día en que se encontraba ahí de visita y Nancy lo llamó para decirle que había vendido una de sus pinturas en seis mil dólares. Hasta ese momento, no se vendían en más de mil.

Era un paso enorme, tanto financiero como psicológico.

Una vez que se dio cuenta de que su obra podía venderse en esos precios, y en Oaxaca donde el escenario del arte era nuevo, Rodolfo empezó a concentrar su energía cada vez más en su estado natal, alejado de la Ciudad de México. No era cuestión de "ser desleal", porque él sabía que le eran necesarios los contactos con una galería y que un pintor tenía que serle fiel a su corredor de arte. Pero en ocasiones la relación entre ambos puede llegar a ser paternalista, y esto obstaculiza el avance de aquél. (Éste parece ser un dilema universal y no tiene una solución sencilla.)

Dice Rodolfo:

> Cuando uno empieza, tiene que serle fiel a su galería. Pero una vez que se tiene éxito, debe separarse para continuar desarrollándose. Aunque le debo mucho a mujeres como Estela y Nancy, pienso que una persona no puede hacer que avance la carrera de otra. Quien tiene que avanzar es la propia persona... uno tiene que ser responsable de sí mismo.

Ése parece ser un tema común en su pensamiento y su forma de enfrentar al mundo; como si al reconocer públicamente o con gratitud que alguien lo ha ayudado o puede ayudarlo, perdiera una parte suya. Aunque la confianza en sí mismo ha aumentado con su éxito y reconocimiento como artista, la parte infantil de su personalidad conserva algo del miedo y del dolor que experimentó cuando niño. Parece como si temiera la dependencia y al mismo tiempo tuviera una enorme necesidad de ser dependiente. Es irónico que si hubiera superado esta cualidad infantil, posiblemente habría perdido ese toque de inocencia y deleite que le da vida a su arte.

Sin embargo, no cabe duda de que Estela Shapiro y Nancy Mayagoitia jugaron un papel muy importante en su carrera. Pero todas las relaciones tienen un flujo y reflujo natural, incluidas aquellas entre corredor de arte y artista. La separación de Rodolfo y Estela fue gradual en muchos aspectos y también natural: el artista había "vuelto a casa" y descubierto que los conocimientos de Nancy en el terreno de la ley eran un instrumento importante para ayudarlo a desarrollar su fundación. Ésta, por su parte, la apoyó pues sería una manera de canalizar legalmente los crecientes ingresos de Rodolfo, y porque le pareció una forma eficiente de mantener un seguimiento de sus ventas.

Estela continuó haciendo cosas que demostraban su afecto por Rodolfo. Sabiendo cuánto disfrutaba de la música, en 1992 encargó una sinfonía en su honor, que compuso Jorge Córdova Valencia. Se tituló *Impulsos y homenaje a Rodolfo Morales* y fue presentada el 21 de octubre del mismo año frente al palacio de gobierno en Oaxaca, con la orquesta sinfónica local. Asistió mucha gente, incluyendo a varios grupos indígenas con regalos de flores y fruta.

Los días 15 y 16 de mayo de 1993 la sinfonía fue ejecutada por la orquesta filarmónica de la UNAM en la Sala Nezahualcóyotl, en el Centro Cultural Universitario de la Ciudad de México.

El programa impreso para esa noche incluía unas palabras del crítico Antonio Rodríguez diciendo que el mensaje de Rodolfo no es superficial ni su pintura pretende ser intelectual. Al compositor le hicieron los más altos cumplidos por haber capturado las emociones de la pintura de Morales: los colores, su forma de ver las cosas, su casa, los espacios.

La sinfonía procuraba reflejar musicalmente la gama de colores que suelen asociarse con la obra de Morales. Sin embargo, es justo decir que después de que éste volvió a Oaxaca, empezó a experimentar cada vez más con los colores brillantes que llenaban los cuadros de la década de los

90. Siempre se ha sentido a gusto con la oscuridad; las noches oscuras en su pueblo aumentaron la sensación de misterio que vivió de niño. Parece haber necesitado trabajar con toda una gama de colores antes de alcanzar el punto en el que se permitió salir de esa oscuridad:

> Luché por liberarme del complejo que me impedía hacer uso de toda la gama de colores. Lo logré cuando me descubrí a mí mismo. Y entonces me atreví a terminar una pintura.

Pese a que él sostiene que su uso del color después de su regreso estuvo influenciado por las fiestas de su niñez y por haberse liberado de su complejo de inferioridad, Nancy Mayagoitia tuvo algo que ver. En un viaje a Estados Unidos unos años después de abrir su galería, compró docenas de tubos de pinturas de aceite con todos los nuevos tonos que encontró. Ya en Oaxaca, estaba desempacándolos en su galería para dárselos a los pintores jóvenes que trabajaban con ella cuando entró Rodolfo. Le mostró algunos de los nuevos colores. Él se interesó mucho y tomó varios para sí; fueron parte del pago que hizo por una pintura que quería como regalo de bodas. Al poco tiempo, esos colores nuevos, más brillantes, empezaron a aparecer en sus pinturas. Ya no regresó a la paleta de tonos más oscuros, colores de tierra que usara hasta entonces.

A Nancy puede dársele también crédito por uno de los logros más importantes en la vida profesional de Morales hasta entonces, el cual afectó su autopercepción y aumentó su confianza: en 1994, negoció la realización de un mural en el hotel Royal en la prestigiada zona del Pedregal en la Ciudad de México. Ambos fueron a ver el hotel después de que se deshiciera un trato para hacer un mural en un restaurante citadino. Junto con un decorador de interiores y el arquitecto del hotel, examinaron el gran espacio. Estaban emocionados con el proyecto porque era importante hacer un trabajo en la capital, dada su sofisticación y sus críticas hacia los artistas que trabajaban fuera de la tendencia artística principal. Estela logró una impresionante cantidad de encargos para Rodolfo. Ahora era el turno de Nancy. El pintor no tomó medidas; observó la pared un largo rato y luego dijo: "Sí, puedo hacerlo".

Nancy se vistió de traje sastre para negociar con los dueños del hotel, todos hombres de negocios, impecablemente vestidos, como se espera en la gran urbe. "Era el proyecto más grande que negociaba y estaba muy nerviosa." Dice que cuando empezaron, ella se apoyaba en la mesa tratando de vender a los dueños los méritos de Rodolfo, mientras ellos se recargaban en sus sillas con los brazos cruzados sobre el pecho. Su entusiasmo era contagioso. Para cuando terminó de promover el talento de su pintor favorito, los dueños del hotel estaban apoyados en la mesa y ella acomodaba en su silla con los brazos cruzados. Hablaba con tanta confianza en sí misma que se hacía escuchar por los demás.

Esperaba que ellos ofrecieran un precio para empezar a negociarlo, pero siguieron hablando y se negaron a nombrar una cantidad. Mencionó una cantidad mucho más alta de la que esperaba conseguir, pero al menos la negociación se dio por iniciada. Por fin se acordó el precio que habrían de pagarle: era el que ella tenía en mente desde un principio.

Como resultado de sus negociaciones, Rodolfo tuvo libertad de pintar lo que quisiera y cuando quisiera. Así estaba bien porque él había aprendido que no debía realizar un diseño planeado para el mural, sino hacer lo mismo que con sus cuadros: plasmar en ellos sus sentimientos conforme fuera avanzando. La pared para el mural era como de cien metros de largo y el espacio del hotel, bastante moderno. Rodolfo sabía que podría incorporar a un mismo tiempo el espacioso interior y la presencia de los huéspedes del hotel en su trabajo, porque a lo largo de los años había captado perfectamente lo que implicaba crear un mural.

Cuando pintó los dos murales al inicio de su carrera, sabía que tenía que existir una relación entre la arquitectura y la pintura, cosa con la que aún no era muy diestro, pero que podía intuir sin saber exactamente cómo. Sabía que las decoraciones que se repetían en los templos de Santo Domingo de Ocotlán y de la ciudad de Oaxaca usaban elementos arquitectónicos como ventanas, puertas y columnas; que tenía que haber una suerte de integración entre el arte y el diseño dentro de un conjunto arquitectónico, aunque nunca se lo hubieran enseñado en la Academia.

Cuando vio por primera vez las pinturas murales de Miguel Ángel y Rafael, dice que de pronto entendió a la perfección de qué se trataba el muralismo. Se llevó consigo esta percepción para aplicarla al proyecto del mural en el hotel.

A su llegada para iniciar la pintura, no había tomado medidas ni tenía ningún diseño o plan. No llevaba pinturas ni pinceles ni paleta para mezclar los colores. A Nancy, que lo acompañaba, tampoco se le ocurrió llevar una cámara. Mientras hablaba con el arquitecto y los dueños, Rodolfo caminó de un lado a otro varias veces, luego se acercó al grupo, y les dijo: "Ya lo tengo".

"¿Ya tienes qué?", preguntó Nancy. Rodolfo contestó:

> El tema. Se va a llamar *Entrando con recuerdos. Saliendo con flores.* Me vino a la mente basándome en los sonidos, los olores y los elementos arquitectónicos dentro del espacio del hotel, mientras paseaba de un lado a otro.
>
> Se escuchaban los pasos de la gente caminando por ese espacio y el aroma de las flores llegaba hasta donde yo estaba, así que decidí pintar lo que se me ocurría en ese momento.

En cierta forma, estaba describiendo toda una vida de reaccionar a los sonidos y los olores en cualquier lugar donde se encontrara. De modo que pintar un mural se convirtió en un llamado especial. Mientras un empleado del hotel fue a conseguir una cámara, alguien encontró un florero para que Rodolfo mezclara sus pinturas. Compró unos pinceles en una ferretería e inició el trazo del diseño en pintura acrílica negra. (Siempre usó acrílicos de secado rápido sobre los que aplicaba el óleo, en tres de los colores primarios).

Nancy no tenía idea de cómo abordaría el tema del mural, aunque ya lo había visto trabajar en sus cuadros. Me describió que vertió algo de pintura negra en la vasija que estaba usando para mezclar y pintó una línea horizontal y luego una vertical para representar la base de una columna arquitectónica. Luego, trabajando de izquierda a derecha, empezó a pintar varias figuras de tamaño natural, que llenaban el espacio del mural. En cuarenta y cinco minutos terminó el diseño completo. Cuando estuvo listo para usar el óleo para completar la imagen, no se desvió del trazo original excepto en algunos detalles.

Relata Nancy:

> Fue extraordinario. Hubiera dado cualquier cosa por tener en ese momento una cámara de video para grabar lo que pasó. Empezó trazando un bosquejo y no paró hasta que terminó el diseño entero. No podía creerlo. La escena incluía mujeres con vestidos color de rosa cargando unas casas con patios. Atrás de ellas, había árboles, tierras, iglesias y cabezas de mujeres volando en el cielo. Otras se encontraban paradas sobre los edificios de la ciudad con cabezas en los brazos. El fondo estaba lleno de ángeles y pájaros.

"Así es como debía ser", me dijo Rodolfo encogiéndose de hombros cuando le pregunté acerca de este logro tan destacado.

El mural fue para él una experiencia dramáticamente diferente de la que sufrió tiempo atrás, con la presión que tuvo que padecer cuando pintó el mural de San Carlos.

En este hotel conoció a Manuel Serrano, maestro restaurador de pintura antigua, quien se presentó para ver lo que hacía. (Pocos años después, Serrano se involucraría directamente con el proyecto de otro mural, que dio a Rodolfo fama internacional.)

Durante las semanas en las que Morales trabajó con el mural, sucedieron muchas cosas positivas: la gente que se detenía a mirar lo que hacía parecía encantada con la escena que se desarrollaba frente a sus ojos. El pintor dice que se sintió muy a gusto llamando tanto la atención. Lo que más le complació fueron unos coleccionistas de su obra que eran de Monterrey y no lo conocían personalmente. Estaban de visita en el hotel y le dijeron que lo identificaron de inmediato por el trabajo que realizaba. Eso fue muy gratificante. Empezaba a ser reconocido por su estilo y sus temas.

A menudo las personas altamente creativas no pueden expresar de dónde sacaron sus ideas y Rodolfo no es la excepción. Parece acostumbrado a "ver" imágenes mentalmente y esta experiencia le parece tan natural que no puede explicarla de manera lógica. Le pregunté si la apariencia indígena que daba a algunas de sus mujeres era deliberada, ya que otras no parecen serlo.

Contestó:

> No es mi intención plasmar a ninguna gente en particular. Algunas veces tal vez corrija una figura en una pintura pero nunca la borro.

Yo me preguntaba cómo podía pintar tantos cientos de mujeres que nunca se ven idénticas. El mural del hotel era muy grande, y las mujeres de la compleja escena que creó eran mucho más grandes que aquellas de sus óleos. Sin embargo, no se perdió nada al plasmar las figuras a gran escala. La piel de las mujeres tenía profundidad y sombras. Los huesos de sus pómulos eran aparentes bajo el rico brillo de los rostros en tonos cafés. Pero este efecto no es fácil de lograr, ni hecho sin pensar. El artista me explicó:

> Es resultado de un esfuerzo deliberado. Lo que yo hago mejor es la textura de la piel de mis figuras. Intento lograr la textura como lo hicieron algunos de los pintores expresionistas alemanes. La aplicación del color era muy dramática en su obra.

En efecto, la piel de las mujeres en todas sus pinturas es una mezcla de tantos colores que es imposible distinguirlos. "Es para iluminarles directamente la cara", explica; "eso se logra conforme se va trabajando." Su comentario nos indica con claridad que, en cuanto a la técnica, no trabaja a ciegas ni lo hace intuitivamente.

Nancy me comentó que el mural del hotel era un excelente ejemplo de la versatilidad de la obra de Rodolfo. Resaltó que aunque no tenga una composición preconcebida, su combinación de los colores, sus perspectivas anormales y la mezcla de varias escenas en una sola son intencionales. Hace algo similar a Gauguin y Matisse, que buscaron incorporar cualidades planas y decorativas a su obra para expresar las cualidades de los lugares donde pintaban.

Nancy me animó a dedicar un tiempo a observar la obra de Morales; a examinar con cuidado sus imágenes y permitir a mis sentidos empaparse del estado de ánimo de las pinturas. Una noche le tomé la palabra y pasé varias horas viéndolo pintar. Estábamos en su estudio en la casa de 5 de Mayo en la ciudad de Oaxaca, en total renovación. En la planta baja había material de construcción, mampostería, vigas viejas, arena y pedacería de azulejos. Soplaba una leve brisa entre los arcos aun sin terminar en la planta alta, donde se encuentra su estudio, con vista al templo de Santo Domingo. Parecía que iba a llover. Los pájaros cantaban tan fuerte que sus trinos formaban una sinfonía en la cinta que grabé con nuestra conversación de esa noche. Pudimos haber estado sentados entre las nubes que flotaban sobre las montañas en el horizonte.

En una de las pinturas estaba retratada una mujer que mostraba sólo una parte de su rostro al extremo izquierdo de la tela. De alguna manera, el efecto era más eficaz que si hubiera pintado la cara completa. Le pregunté cómo sabía cuándo incluir sólo una vista parcial y me dijo: "Así es como tenía que verse". Atrás de ella, se encontraba el domo de un templo colonial, sin el cual la pintura habría sido por completo diferente. Sin algún elemento arquitectónico, no hubiera sido una pintura de Morales.

Flores rojas cubrían a la mujer al filo de la pintura como si brotaran de ella, o la envolvieran cual una capa floral. Atrás, un angosto tren pasaba frente a las montañas cubiertas de nubes. El cielo era del azul impecable que suele verse en Oaxaca en un día perfecto. Trabajó una hora en las flores y ni una sola vez se detuvo para ver lo que hacía. Parecía saber de antemano qué color debía ir en dónde y su mano simplemente iba plasmando la imagen que llevaba en la mente.

Al contrario de otros artistas que aplican un poco de pintura, dan un paso atrás para analizar lo que han hecho y luego aplican un poco más, él me explicó: "Después veo lo que ya terminé". El cielo, en su trabajo, es punto y aparte; algunas veces es de un azul profundo y otras, puede ser casi turquesa:

> Trato de encontrar diferentes tonos de azul; en realidad no hay otra razón particular. Nada más me salen así.

Utilizó cuatro tubos de pintura y un pincel pequeño, pintando directamente del tubo, sin mezclar en la paleta o en la palma de la mano como hacen algunos pintores. Primero usó un verde manzana que aplicó en pinceladas cortas en una nube de flores rojas suspendidas sobre las montañas y el tren. Una figura angelical volaba siguiendo las flores. Algunos toques de verde salían de la palma de su mano. Un poco antes, había usado el púrpura que le daba una sensación de profundidad al tapete de flores rojas. Puso un verde ligeramente más oscuro junto a los puntos en que aplicó el verde manzana.

De pronto, como si en un abrir y cerrar de ojos me hubiera perdido de algo, los rojos se hicieron más frescos; parecería que las flores aún estuvieran creciendo. Rodolfo metió el pincel en aguarrás y lo secó rápidamente con las puntas de los dedos. Tomó un tubo de amarillo y comenzó a aplicar pinceladas de ese color. Bajando el cuadro, trabajaba alternamente de pie y sentado en un banco bajo para aplicar las pinceladas de amarillo alrededor de las flores cerca de la cara de la mujer. Puso amarillo a las flores rojas, creando de inmediato una cualidad tridimensional que no tenían. Trabajó así, constantemente; primero las flores a la izquierda, luego a la derecha, luego al centro. Sin ningún esfuerzo, repetía el diseño en la parte inferior del lienzo, hasta que todo el manto de flores quedó embellecido con los leves toques de amarillo.

Miró la pintura llena de flores rojas y con cuidado firmó la obra. Había logrado el ambiente que quería. La imagen de la mujer llena de flores estaba convertida en una pintura de Morales. Le pregunté cómo sabía cuando una pintura estaba terminada y me dijo:

> Cuando ya no quieres continuar con ella. Haces un juicio visual una vez que decides que una pintura ya no necesita más trabajo. Es como decorar una casa con los muebles que se necesitan, puestos donde deben estar. Hacerlo de otro modo sería aplicar la fórmula académica.

Tenía unas diez pinturas casi terminadas en fila sobre el piso del estudio, cerca del caballete en el que trabajaba.

¿Cuántas irán a la galería?", le pregunté.

"Algunas", contestó. "Otras son encargos." Quise saber si Nancy los había arreglado, pero su respuesta fue ambigua. "La gente llega directamente conmigo", me dijo, como no queriendo reconocer que todavía dependía de un corredor de arte, ni siquiera de alguien tan acertado como Nancy Mayagoitia, para vender su trabajo. Pero yo sabía que cuando hubiera terminado nuestra entrevista, Rodolfo apagaría las luces y se dirigiría a la galería de Nancy, a dos cuadras de allí. Después de todo, la casa era suya. Buscaba entrar a una nueva etapa en la que pensaba que sería menos dependiente de Nancy y su galería. Pero le parecía casi imposible romper con el hábito adquirido en los últimos años; los lazos eran muy fuertes aún y la historia de la galería y el sitio donde se encontraba estaban íntimamente conectados a su mente.

11. Una charla de amigos

En el centro histórico de la ciudad de Oaxaca, en la calle Murguía, y a la vuelta del famoso hotel Camino Real, se encuentra una bella casa pintada de azul añil. Adorna su fachada un balcón largo de hierro forjado. Abajo de éste, hay unas ventanas verticales cubiertas con puertas de madera cuyo intrincado trabajo se parece al delicado bordado que hace una mujer zapoteca en la esquina de la calle. Una pesada puerta de madera se abre hacia un patio de piedra de cantera circundado por cuartos llenos de sofisticadas pinturas y esculturas contemporáneas. Durante las horas de oficina, es posible asomarse por los balcones y a través de las ventanas a uno de los cuartos y ver una pared cubierta con los collages de Rodolfo y algunas de sus pinturas más recientes.

Varias oficinas pululan de actividad. Sólidas escaleras de piedra van a la segunda planta hacia otros espacios de exposición, balcones, y un par de ángeles que dan al patio. A un lado de la escalera vemos una palangana de mármol, demasiado exquisita para usarla en algo tan mundano como lavarse las manos. En el tercer piso de la casa se alojan las bodegas y los cuartos de trabajo. Un viejo pozo en el centro del patio nos da una idea de los más de trescientos años de antigüedad de este bello inmueble, que a partir de 1992 ha sido la sede de una de las más grandes e importantes galerías de arte del estado: *Arte de Oaxaca*.

Ésta es también la galería que ha representado a Rodolfo y ha vendido su obra desde principios de 1987, dos años después de su regreso a su pueblo natal. La galería renta el espacio a la Fundación Morales, que es la dueña del edificio y que pagó su renovación. Durante varios años Rodolfo pernoctó en un reducido cuarto en la parte superior, después de pintar toda la tarde y parte de la noche en su estudio, localizado a unas cuadras de distancia. Nancy Mayagoita, una de las copropietarias de la galería hasta el año 2000, me dijo en 1998 que esperaba que Rodolfo se apresurara y terminara la otra casa que tiene cerca de la iglesia de Santo Domingo para que su pequeña recámara pudiera usarse como oficina. La oficina de abajo no tenía espacio suficiente para el escritorio de Nancy y el de su socia, Dora Luz Martínez.

Un lugar de reunión para el flujo constante de amantes del arte que pasan por Oaxaca, la galería ofrece una conversación amable, información y la presentación de nuevos artistas. A los compradores les interesa saber los precios de la nueva obra de Rodolfo, así como comentar el floresciente ambiente del arte en ese mágico estado. Pintores entran y salen algunas veces llevando obra; otras, con el propósito de hablar con las directoras. El teléfono suena constantemente. Hay una lista interminable de mensajes por contestar, cheques por firmar, catálogos por editar y facturas por aprobar.

Este próspero negocio maneja la obra de un grupo de entusiastas artistas, apoyándose en la reputación de pintores como Rufino Tamayo, Francisco Toledo, Rodolfo Nieto, Filemón Santiago, Arnulfo Mendoza, Abelardo López, Marco Antonio Bustamante... y Rodolfo Morales. Aunque la estrella de este último ha brillado más y más desde que volvió a Oaxaca, su relación con la galería evoluciona en forma constante. Una vez que estableció su fundación y empezó a restaurar templos del siglo XVI en algunas poblaciones cercanas a la ciudad, ha sido como un bailarín que intenta decidir a qué ritmo debe bailarse con sus corredores de arte.

Si Rodolfo es un "gran bailarín", su adquisición de la casa de Murguía sería como el primer paso en un escenario que se amplía cada año. La decisión de comprarla la tomó en 1992 casi por casualidad, en los primeros meses de vida de la fundación. Rodolfo tomaba café con Nancy en su anterior galería *Arte de Oaxaca,* que operaba en un local pequeño cerca del zócalo.

Dora Luz Martínez que, aunque ya había sido socia de una galería de gran éxito, aún no establecía la sociedad con Nancy, los acompañaba. (Poco a poco, se hicieron amigas y se dieron cuenta de lo mucho que tenían en común, pero como Dora Luz no estaba lista para reincorporarse al negocio del arte, su relación oficial no se iniciaba aún.) Comenta Dora Luz:

Era una charla de amigos, pero fue un momento muy importante. Entonces, la fundación era reciente y la formaban sólo Rodolfo y Nancy. Él quería adquirir la casa, pero tenía miedo porque sabía que costaría mucho dinero renovarla.

Rodolfo y Nancy eran muy cercanos. "Formábamos un buen par", dice Nancy con afecto, "aunque él era mucho más tímido en aquel tiempo."

Parecía lógico designar a Nancy, quien es abogada, para que fungiera como tesorera de la recién formada junta directiva. Rodolfo era el presidente. Para cumplir con los estatutos de la ley en México en lo que se refiere a fundaciones no lucrativas, se nombró secretario a Alberto Morales, su sobrino. Una vez libre de la carga de los impuestos que debía pagar a Hacienda por la venta de su obra, Rodolfo podría canalizar su dinero hacia los proyectos culturales y educativos que visualizara en Ocotlán. Pero los acontecimientos en su vida casi siempre toman una dirección no planeada y la casa de Murguía y la fundación no son excepciones.

En algunos aspectos, la propiedad permitió a nuestro artista dar rienda suelta a su amor por la arquitectura, en una forma que no le fue posible hacerlo con la de Ocotlán, cuyo trabajo le tomó casi veinte años. Fue designada centro cultural, con una biblioteca y un teatro al aire libre, pero también era el hogar de la extensa familia de Rodolfo. Adquirir el inmueble en Oaxaca entrañaba algo por completo diferente. Cuando le dijo a Nancy que la familia propietaria de la casa de Murguía estaba interesada en venderla y la fundación tal vez debería comprarla, la decisión requirió mucha fe de parte de todos y también desencadenó una serie de eventos que redundaría en la compra de otras tres casas históricas en Oaxaca en 1999.

Uno de los edificios más importantes del siglo XVII, la casa de Murguía se construyó al estilo típico de la época, con paredes de un metro de ancho para soportar los frecuentes temblores de la zona. Adquirida en 1932 por la hija de un hacendado que perdió sus propiedades durante la Revolución mexicana, la casa fue durante los últimos años el hogar de su hija y sus tres nietas.

Cuando Rodolfo la compró, algunos miembros de la familia aún vivían en la planta alta y el patio y sus múltiples cuartos estaban convertidos en un popular restaurante propiedad de una de las nietas, quien era muy amiga de Rodolfo. *El sol y la luna* era un lugar de encuentro para personas de diversas edades, aficionados al *jazz* y artistas locales. Rodolfo era uno de los clientes regulares.

En la señorial casa había una palmera tan alta como el segundo piso, donde ahora están las oficinas de la galería, la cual mandó cortar cuando se iniciaron los trabajos de renovación. Los cuartos donde se exhiben pinturas y esculturas de artistas oaxaqueños eran los que ocupaba el restaurante. Casi una tercera parte del patio lo ocupaba una escalera curvada que llegaba hasta la entrada. La decisión de Rodolfo de quitarla generó una acalorada controversia. El rumor voló por las calles; la gente estaba segura de que había arruinado la integridad de la casa.

El arquitecto que rediseñó el espacio aseguró que la escalera era relativamente nueva, tal vez construida en 1930, pero muchos residentes de Oaxaca no están de acuerdo e insisten en que era parte de la construcción original.

El ex esposo de Dora Luz era ingeniero e inspeccionó el inmueble para determinar si la estructura era lo suficientemente sólida para resistir las renovaciones planeadas por Rodolfo. Opinó que la plomería y la electricidad tendrían que ser totalmente reemplazadas y habría que agregar algunos baños. Los gastos de quitar la palmera y la escalera serían menores. Transformar la casa colonial en un espacio moderno que preservara su belleza histórica constituía todo un reto.

Debido a que la arquitectura colonial de Oaxaca fue nombrada patrimonio de la humanidad por la UNESCO, el Instituto Nacional de Antropología e Historia (INAH) analiza cualquier cambio que desee hacerse a las estructuras históricas, con miras a proteger el legado del país. No es posible hacer cambios al interior ni a la fachada de un edificio. Los inspectores que aprobarían el proceso de renovación retrasaron los trámites. Parece que criticaron los colores seleccionados por el pintor y objetaron que se pusiera cantera verde como marco a las ventanas.

El trabajo se detuvo por tanto tiempo que Nancy hizo un buen número de llamadas oficiales para quejarse de los inspectores. Por fin, Teresa Franco, directora del INAH, viajó a Oaxaca para ver qué sucedía. Cuando llegó ya no había electricidad y tuvieron que encender velas para que Rodolfo le mostrara la casa y le explicara los cambios que deseaba hacer. Según los que estuvieron involucrados más de cerca en el proyecto, cuando Teresa vio que se respetarían la belleza y la originael proyecto, cuando Teresa vio que se respetarían la belleza y la originalidad del inmueble, ya no hubo problema para proseguir con la renovación.

Dice Dora Luz:

> Rodolfo estaba como niño con juguete nuevo. Se interesó tanto que empezó a ir a la ciudad de Oaxaca dos veces por semana para ver los avances. Su innato sentido de la proporción y su habilidad para visualizar dónde debería colocarse todo eran increíbles. Si las cosas no salían como las quería, hacía que las deshicieran y volvieran a hacerlas. Aunque fue una experiencia de aprendizaje muy cara, preparó el camino para los muchos proyectos de restauración por venir.

Nancy y Dora Luz dicen que el verdadero arquitecto de la renovación fue el pintor. Su don para visualizar un proyecto terminado aun sin empezarlo, lo utilizó en todas las renovaciones subsecuentes. Y, desde luego, así es como pinta: "ve" lo que quiere que esté en el cuadro sin seguir los pasos habituales de trazo, planes o diseño.

Una vez le pregunté qué hacía si se le acababa el espacio para pintar otro arco del mismo tamaño que los demás en una escena, por ejemplo. Respondió:

> Hago uno más pequeño, o corto la tela. Normalmente no tengo problema con el tamaño. Si logro lo que quiero, no tengo ninguna razón para corregirlo.

Por ejemplo, mencionó una serie de arcos en una iglesia que estaba renovando en la que se debió haber empezado desde la pared interior para seguir la construcción hacia afuera. Los trabajadores empezaron del lado opuesto, de modo que no podían construir un arco completo. Entonces, simplemente construyeron uno más pequeño. "Así me gusta", dijo Rodolfo con una sonrisa.

La casa de Murguía se convirtió en un ejemplo de restauración. Los mismos funcionarios que obstaculizaron el proyecto empezaron a llevar gente para que vieran cómo debe hacerse uno de ese tipo. Señalaban las molduras hechas a mano; el trabajo de hierro forjado igual al de la época en que se construyó la casa; el cuidadoso trabajo en piedra, y los colores tan poco comunes del exterior y del interior.

Como la fundación apenas despegaba, el reto inmediato era cómo pagar el edificio. Aunque la obra de Morales aumentaba gradualmente de precio, la institución no estaba en condiciones de comprar y renovar una enorme casa colonial, especialmente tomando en cuenta que necesitó más de dos décadas para pagar el préstamo del inmueble de Ocotlán en 1960. En 1992, el artista no fantaseaba siquiera con realizar un proyecto como la restauración de iglesias y ex conventos del siglo XVI. Eso vendría después.

Rodolfo y Nancy estaban particularmente unidos en 1990. Nancy se casó en la iglesia de Ocotlán y Rodolfo organizó todo el evento. "Estuvo al frente de todo", me dijo, "¡fue inolvidable!" Se ocupó de cada detalle, incluyendo una banda de música que acompañó a la novia y a la concurrencia, de su casa a la iglesia. "Todo lo tenía ya listo mentalmente, hasta el último cohete." (El vestido que Nancy lució en esa ocasión se exhibe permanentemente en un maniquí en la casa del pintor).

A Nancy le pareció buena idea cambiar su galería a la casa renovada en Murguía, un local más grande y de mayor prestigio. Su negocio crecía. Dora Luz pasaba cada vez más tiempo ahí, ayudando a sus propios clientes a seleccionar sus piezas de arte y presentándolos a algunos de los pintores de Nancy. Después de un tiempo, fue natural que se convirtieran en socias y codirectoras del negocio.

Hacía ya varios años que Rodolfo deseaba encontrar una forma apropiada de canalizar los ingresos de la venta de su obra. Los estudios de Nancy le daban los instrumentos necesarios para concretar esos deseos. Así nació la Fundación Cultural Rodolfo Morales, que Rodolfo quería se estableciera en esa casa.

Un grupo de coleccionistas de Monterrey estaba interesado en la obra de Morales. Gracias a Mauricio Fernández, un entusiasta amante del arte que impulsó la primera galería en esa ciudad de emprendedores, los mexicanos del norte compraban constantemente su pintura. Un puñado de familias como la de Mauricio habían creado mercado ahí para la obra de Rufino Tamayo y Rodolfo Nieto. Estela Shapiro se encargó de que Rodolfo los siguiera de cerca. Según Nancy y Rodolfo, Monterrey se había convertido en la zona más importante de coleccionistas de arte de México.

La mano de obra barata cerca de la frontera ayudó a convertir a esta ciudad en un centro manufacturero importante. Con gran cantidad de dinero disponible para gastar, y no mucho en qué gastarlo en el norte, los empresarios ricos habían descubierto Oaxaca. Algunas veces volaban en sus aviones privados al sur a relajarse, a explorar las ruinas de Monte Albán o Mitla... y a comprar arte. Fue idea de Nancy acercarse a uno de ellos para que se asociara en la compra de la casa o le prestara el dinero a Rodolfo. El pago se haría con su obra de arte. Y un coleccionista en particular, Mauricio Fernández, financió todo el proyecto.

Rodolfo no se arrepiente de haber comprado la casa, aunque dice que salió mucho más cara de lo que hubiera imaginado. "Pero fue el paso decisivo y valió la pena." Logró lo que quería. Ya no tenía miedo de llevar a cabo otras restauraciones. No sabía cuán grandes llegarían a ser y cuántos cuadros necesitaría vender para pagarlas.

Dora Luz opina que quienes trabajan con Rodolfo deben siempre tener en cuenta que él es el originador de todas las ideas, y es donde su tradición entra en juego. Sus anécdotas de la infancia, la influencia de su madre, la sensualidad de la iglesia de Ocotlán, las fiestas, funerales y bodas que recuerda de aquellos años; todas estas cosas lo colocan en un contexto histórico y cultural definido.

Éste le permite saber qué hacer con un edificio del siglo XVI tan rápidamente como decide qué plasmar en la tela. Nunca se le acaban las ideas. Durante años ha pintado varios cuadros a la vez, y ahora que tiene estudio en Ocotlán y en la ciudad de Oaxaca, trabaja en varias pinturas en cada lugar.

Estela piensa también que no debe vérsele nunca como un ser aislado. Es a un tiempo su pueblo y parte de su pueblo. Dora Luz lo explica así:

> No es solamente lo superficial de su trabajo lo que se ve, sino la visión de una vida. Rodolfo mismo es un óleo; unido a su pueblo, a sus tradiciones, a una forma de vivir representada por las iglesias que preserva. Y lo sabe. En más de una entrevista ha dicho: "Yo soy mi pueblo". Sus cuadros y restauraciones de templos adquieren una nueva dimensión cuando se les contempla como el conjunto de cosas que lo respaldan: la plaza principal con los portales y la iglesia, las mujeres, las montañas, sus queridos perros. Sus pinturas describen el pueblo como si él lo estuviera construyendo. Aun si dice que no es religioso, las tradiciones de la iglesia han formado su identidad; por eso es que ha tenido la fuerza para hacer lo que hace.

Si uno no percibe que los antecedentes de Rodolfo son ricos en tradiciones, es fácil confundir su trabajo y calificarlo simplemente de folklórico, o incluso anticuado. Es fácil considerarlo tan sólo un pintor de éxito que usa su dinero para restaurar edificios históricos, o un filántropo que ayuda a su pueblo. Pero hasta su aseveración "Yo soy Rodolfo Morales", debe verse dentro de la santa fecundidad de la Iglesia mexicana, sus colores escandalosos, su sagrado desorden, sus velas chisporroteantes y oraciones fantasmales de las mujeres. Cuando dice "Yo soy Rodolfo Morales", hace una declaración sobre su vida entera; no únicamente sobre su trabajo.

Respecto a los antecedentes de otros artistas oaxaqueños Dora Luz me dijo:

> Sería lo mismo aun si fueran de otras partes del estado. Francisco Toledo, por ejemplo, viene del istmo, con una tradición igualmente fuerte, aunque mucho más mitológica. Rodolfo viene del valle, con la luz; las flores, los colores. Pero ambos son de su pueblo; y eso significa mucho más que un lugar geográfico.

Pese a que Rodolfo extrajo de estas experiencias el diseño que quería para la casa en la ciudad de Oaxaca, acordaron que era necesario un arquitecto. Él puede pensar como tal y amar la arquitectura tanto como la pintura, pero aun así, es pintor. Se necesitaba alguien que tuviera su misma perspectiva y tomara decisiones apropiadas en cuanto al espacio y el diseño.

Después de hablar con varios arquitectos, Rodolfo se decidió por Esteban San Juan, originario de su propio pueblo. Aunque nunca se había hecho cargo de un proyecto como la casa de Murguía, ayudó a Nancy con su galería anterior.

Ése fue el principio de una relación que habría de crecer hasta un nivel no imaginado.

Esteban San Juan es uno de los hombres más afortunados de Oaxaca; su vida se ha enriquecido, no sólo profesional y económicamente, aunque esto sea lo más obvio. Como Esteban ha hecho mucho dinero con su trabajo en la Fundación Morales, es objeto de críticas. "Se está aprovechando de Rodolfo", dicen algunos. "Hace demasiado dinero", dicen otros, "tiene demasiado poder; controla mucho a Rodolfo". Quienes lo conocen desde hace tiempo, concuerdan en que ha aprendido y crecido mucho desde que empezó a trabajar con éste.

Algunos ciudadanos de Ocotlán suponen que Esteban se ha involucrado en el proyecto con tanta dedicación porque quiere ser presidente municipal del pueblo (su padre ocupó este puesto dos veces). Yo le pregunté si era cierto, y él lo negó: "Yo no creo en los políticos; han sido el error de México. En lo que creo es en lo que he logrado como arquitecto. Ha dejado a la gente pasmada."

Y eso es poco. Los logros de la fundación han llegado con tanta rapidez y tanta furia que parece mentira que la primera restauración histórica se haya completado sólo siete años antes de que se escribiera este libro. Rodolfo está cambiando el rostro de Oaxaca en términos arquitectónicos. A algunos les resulta difícil creer que un hombre introvertido, de voz suave, logre tanto. Un hombre en cuyas pinturas el elemento femenino está siempre presente: esperando, aceptando, recibiendo lo que la vida le ofrezca.

Pero Rodolfo Morales es también un hombre que cuando niño decidió que ya no tendría más migrañas. Del que se burlaron académicos, críticos, maestros y compañeros de clases, y aun así siguió pintando exactamente como le dio la gana. Quienes han trabajado cerca de él conocen bien su obstinación. Le gusta que las cosas se hagan como él quiere. Esta cualidad hace que muy pocos se atrevan a decirle que está cometiendo algún error. Nancy Mayagoitia es una excepción y, cuando es necesario, le dice de frente: "Estás equivocado".

Según Estela, Rodolfo nunca olvida si alguien le dice o le hace algo que lo ofenda. Nancy y Dora Luz han experimentado sus abruptas e inesperadas explosiones de cólera. Esteban describe:

> Es estricto con lo que escoge y decide. Su personalidad es humilde, pero es muy detallista... no le importa si el trabajo es perfecto, pero en el resultado debe verse que ha intervenido un verdadero artesano.

Esta misma preocupación es evidente cuando el artista habla de sus pinturas. Ha dicho una y otra vez que la perfección no tiene corazón, en tanto el arte es una expresión de sentimientos y emociones. Cuando cita la frase popular: "Los mexicanos nos expresamos con las manos", implica que los trabajos en verdad creativos no pueden ser impecables. Una máquina es capaz de producir un objeto técnicamente perfecto, pero no una persona que lo elabora con las manos. Para Rodolfo, es como si el espíritu creativo de hecho poseyera al artista y se moviera a través de él. Esto no es lo mismo que la inspiración, en la cual, afirma, no cree, sino en el trabajo.

Dora Luz dice:

> El maestro Morales se encarga de la creatividad y la creatividad se encarga de él; uno simplemente tiene que verlo y con eso ya se motiva para hacer las cosas como él quiere que se hagan. No se puede estar cerca de él mucho tiempo sin percibir cuánto valora el empeño en el trabajo y cuánto le disgusta la gente que habla de lo que va a hacer y no hace nada.

Esteban dice que no tiene paciencia con la pereza. Pero incluso Francisco Toledo, cuyos regalos a Oaxaca han hecho época, ha preguntado cómo puede la fundación operar con tan poca gente. Algo además del trabajo diligente parece ser la razón de este éxito.

Con su estilo callado y decidido, Rodolfo inspira. Dora Luz explica:

> No es un hombre común. Te hace creer que lo que deseas lo tienes ahí mismo. Tiene la habilidad de despertarte el corazón y tocarlo. Más que artístico, el trabajo que hace es humano. Le gustaría dar mucho más.

Por su parte, Esteban comenta:

> No es necesario ser experto ni crítico de arte para saber lo que quiere expresar en sus pinturas. Antes de que el mundo indígena fuera transformado en el mundo actual, ellos tenían la clase de cosas que él muestra en su obra. El trabajo de preservación es una forma más grande y tangible de evitar que ese mundo desaparezca.

El trabajo en las iglesias parece tener una cualidad casi espiritual para Esteban, quien proyecta una apasionada energía al explicar por qué ciertos pueblos están redescubriendo su pasado gracias a la fundación. Pese a la diferencia de edad —veinte años— entre ambos hombres, su pasado está relacionado por muchas razones.

El pintor conocía a la madre del arquitecto como "la mejor cocinera de Ocotlán" y a su padre como "el mejor panadero". Comparten las mismas tradiciones, lo cual ha simplificado el logro de ciertos objetivos, sin tantas explicaciones de por medio.

Esteban agradece a Rufina López, la madre de Rodolfo, por los dones que posee: "Se encargaba de todo lo que fuera la cultura del pueblo". Sus hermanos y hermanas estudiaron teatro con ella y siempre le tuvieron respeto. Uno de sus hermanos suele hacer las veces de maestro de ceremonias en los eventos de Ocotlán, gracias al entrenamiento recibido de Rufina. Asimismo, recuerda escenarios hechos por Rodolfo para las obras de teatro que su madre dirigía.

El pintor confía al arquitecto el trabajo práctico, convirtiendo sus ideas en piedra y mortero. Esteban estuvo en el seminario durante cuatro años, para luego cambiar de parecer y decidirse por la arquitectura, una decisión fortuita que enfureció a sus padres. El sacerdocio era una de las pocas profesiones disponibles para los jóvenes de pueblos como Ocotlán; la otra opción era hacerse soldado.

Inicialmente, Rodolfo no tenía planes de incluir en el trabajo de la fundación la restauración de las iglesias. Pero un par de ángeles enormes, esculpidos en piedra para la casa de Murguía, lo lanzaron en esa dirección. La obra del talentoso escultor, epítome de "artesano humilde", fue tan magnífica que Rodolfo le encargó que hiciera varios ángeles más para llenar los nichos vacíos de la iglesia de Ocotlán. Ambos realizaron un exhaustivo trabajo de investigación sobre los ángeles para lograr que se aproximaran lo más posible a los originales en tamaño y diseño.

Una vez terminados y colocados en su lugar, el pintor se dio cuenta de cuánta ayuda necesitaba la deteriorada iglesia de su infancia, la cual, junto con el mercado de los viernes, le diera el mayor de los placeres cuando era niño. Con sus altares decorados, sus eventos y festividades, sus bodas y funerales, sus solemnes procesiones, sus santos con elaboradas vestiduras y rostros dolientes, era el centro de la vida para él.

Pero cuando encargó los ángeles, el templo estaba tan deteriorado y raído como un ramo de flores lleno de polvo y metido en un vaso roto a un lado del altar.

Quieta y oscura, reverente y misteriosa, llamativa, cursi y santa, aún era fantasmalmente bella. La fragancia de las flores y el chisporroteo de las velas, los rostros compasivos de los santos, la música y el misterio, continuaban siendo enormemente atractivos para Rodolfo. Según sus allegados, veía que la historia de su pueblo desaparecía al tiempo que la iglesia se deterioraba.

En sus ansias por rechazar el aburrimiento y la inactividad del pasado, Ocotlán había dado la espalda a las riquezas, la colorida sensualidad y la belleza que caracterizaron una época que se fue. Esto no quiere decir que haya sido sólo un pueblo mestizo que hubiera olvidado su herencia indígena. Pero la mezcla de sangre india con la europea produjo una iglesia que representaba algo importante en cuanto a la historia, la cultura y la devoción religiosa.

Dice Rodolfo:

> Ocotlán es mestizo, la gente no tiene raíces; se interesa sólo en la tecnología. Hay un gran peligro si no le ponemos atención a nuestra historia, si vivimos únicamente en un mundo de competencia.

Si se permitiera que muriera la iglesia, el pasado rico y colorido del México rural, como el que dio forma a la vida de este artista, moriría también.

Después de los ángeles, Rodolfo Morales dio otros pasos. Decidió reparar algunas áreas de la fachada que se encontraban deterioradas. Cuando empezó la obra, él y Esteban descubrieron varios arcos originales que llevaban al ex convento y que se cubrieron con cemento. El ex convento, que albergara a tantos frailes, estaba en peores condiciones que la iglesia. Desde 1898 se utilizó como cárcel y durante varios años, también para oficinas de gobierno. Durante la reforma de don Benito Juárez se retiró el poder a la Iglesia y los dominicos fueron forzados a renunciar a sus bienes eclesiásticos, incluyendo los conventos.

Pero Rodolfo pudo ver más allá de los techos deteriorados y los portales en ruinas. Logró imaginar que las bóvedas definían de nuevo los generosos espacios interiores, las escaleras de piedra que llevan a los balcones y el techo de varios niveles. Los mosaicos y el capitel, la insinuación de frescos desteñidos, el grosor de las paredes, los óleos rasgados, los patios abiertos; todo sugería la belleza y la historia de este edificio.

Dora Luz cuenta que ella y Nancy fueron con sus esposos a visitar el ex convento y subieron al techo a examinar las condiciones del inmueble. Los guardias de la cárcel se pusieron nerviosos y les dijeron que era peligroso andar allá arriba.

> Pero como todo lo hacíamos como una gran familia en esos días, era natural que nos involucráramos en los proyectos que Rodolfo quería hacer.

Poca gente sabe que ambas mujeres, junto con sus familias plantaron buganvillas alrededor de la plaza principal de Ocotlán antes de que se iniciaran los trabajos de restauración de la iglesia o el ex convento. "Queríamos que el zócalo se viera como en las pinturas de Rodolfo", me contó

Nancy Hay fotos del grupo escarbando la tierra como trabajadores comunes. Además, hablaron con las autoridades acerca de rescatar el mural que su amigo pintó en el palacio municipal. Es un ejemplo de cómo todo se hacía por respeto y admiración hacia él.

Si bien Rodolfo suponía que los fondos canalizados a la fundación por la venta de su obra pagarían el remozamiento de las fachadas, en realidad no sabía de cuánto dinero se disponía. Dependía de Nancy para la contabilidad. Hasta entonces, no había necesitado mucho dinero; sus objetivos para el centro cultural de Ocotlán eran modestos. Ahora, recién terminados los trabajos en la casa de Murguía, no tenía idea de si había dinero para un proyecto tan grande.

Nancy, pese a no estar muy de acuerdo con la dirección que tomaba Rodolfo, le confirmó que la cuenta tenía fondos para pagar la obra de Ocotlán. Después de todo, era su dinero y podía gastarlo como mejor le pareciera, siempre y cuando sus proyectos se avinieran a los objetivos establecidos por la fundación. Su papel era vender tanta obra como le fuera posible y asegurarse de que el dinero se manejara apropiadamente. Pero, así como Esteban San Juan ha sido criticado por tener mucha influencia sobre Rodolfo —y por su próspero estilo de vida—, Nancy ha sido también objeto de murmuraciones. Sin estar enterados, muchos dan por hecho que gana una comisión alta por la venta de la obra de Morales.

La verdad es que aunque *Arte de Oaxaca* se quedaba con la comisión que habitualmente cobran las galerías cuando Rodolfo se unió a su grupo de artistas, la mayor parte de los ingresos percibidos por la venta de su obra se canalizaba directamente a la fundación. En 1996 se acordó que la galería recibiría el diez por ciento de comisión y en ese mismo periodo Esteban percibió un porcentaje similar por su trabajo de restauración de cada sitio histórico.

Ya hemos hablado del papel de Nancy en la promoción de la obra de Rodolfo, quien nunca cuestionó los ingresos hasta que inició los proyectos de construcción. Después de todo, ella era la tesorera y a él le resultaba cómodo no tener que preocuparse por los detalles financieros ni los procedimientos legales. Sin embargo, como sucede con todas las organizaciones que padecen "dolores de crecimiento", hubo desacuerdos entre ambos acerca de lo que la fundación podía y no podía hacer.

El costo de restauración del ex convento de Ocotlán es de cerca de trescientos cincuenta dólares por metro cuadrado. El arquitecto y Rodolfo están orgullosos pues es relativamente bajo. Como el ex convento es enorme, los números finales pueden llegar a los millones de dólares. El pintor subraya con satisfacción que todo el dinero que entra a la fundación se invierte de manera directa en las restauraciones. No hay contratos de intermediarios que aumentarían los costos. Si el trabajo se hubiera llevado a cabo mediante un concurso, los costos se habrían duplicado.

El convento restaurado es impresionante, en especial para los originarios de Ocotlán que han vivido ahí toda su vida. Las fotografías de "antes" y "después" apenas dan una pista de la magnitud de la restauración. Los frescos descubiertos son particularmente dramáticos, aunque, según Esteban, como algunas decoraciones fueron destruidas por los curas, ciertos diseños tuvieron que crearse de nuevo en vez de restaurarse.

Nancy dice que la mente de Rodolfo está llena de color, por lo que no es de sorprender que desde un principio haya incorporado los mismos colores brillantes de sus pinturas en su trabajo de preservación. Le pareció obvio que lo que necesitaba la gravemente dañada fachada de la iglesia era "más color". Esteban aprendió del artista a no tenerle miedo al color. Cree que sólo en los pueblos la gente se siente a gusto como para jugar libremente con éste.

Las fiestas y los mercados indígenas, con su escandaloso uso de rojos y turquesas, púrpuras y amarillos, rosas y morados, han influenciado claramente las combinaciones poco convencionales de Rodolfo. Carlos Monsiváis escribió, en *Secretos de la multitud*, que el color local es siempre una fusión de los extremos y su verdad reside en su feliz integración. Y cuando dice que la sensualidad se refugia en los colores, en las tradiciones mexicanas y costumbres, podría estar describiendo las iglesias y casas restauradas, así como las escenas en los óleos de Morales.

Dice Esteban:

> Trabajar con Rodolfo ha sido mejor que una maestría en la universidad; una vez que uno se da cuenta de lo que es el arte en términos de arquitectura, se puede empezar a emplear el color con mayor libertad.

Cita como ejemplo los bloques de colores fuertes que usa para definir ciertos espacios en los edificios que está restaurando. Era natural, pues, que el artista y el arquitecto hayan decidido pintar la fachada de la iglesia con un color dramático.

Cuando hoy día uno admira el bello campanario de la iglesia, es difícil imaginar cuán escandalosos parecieron esos colores en 1994. Pintado del color exacto del cielo azul de Oaxaca, en un día claro y soleado, está adornado con franjas blancas y amarillas. Al ver la iglesia dibujada contra el cielo, es difícil distinguir dónde termina una y principia el otro. Las nubes y los rayos del sol parecen reflejarse en las cúpulas del ex convento y en el campanario. Esta sensación estética sólo podía lograrla un maestro del color.

Algunos han dicho que el que sugirió los colores fue otro artista oaxaqueño, Ariel Mendoza. De todas maneras, habiendo visualizado cómo devolver a esos edificios su belleza original, Rodolfo supo que con los suficientes trabajadores podría resucitar el orgullo del pasado. Sin embargo, la posibilidad de retirar a la gente del embrujo de la televisión, la tecnología y el crudo materialismo del siglo XX, tendría que esperar un poco. Las preocupaciones inmediatas eran sobre asuntos prácticos. Para obtener los permisos oficiales para restaurar la fachada de la iglesia, la novata fundación tendría que llenar múltiples formatos del INAH.

Rodolfo me dijo que el director ya había hecho compromisos en otras partes y que al clero no le llamaba la atención lo que pretendía hacer: "La burocracia del clero no está interesada en el pasado. Lo único que les importa actualmente es el dinero". Le pregunté cómo es esto posible en un país tan pobre y me respondió: "Por eso funciona la Iglesia tan bien; porque el país es tan pobre".

Nancy hizo un sinnúmero de antesalas e incluso habló con el gobernador a nombre del pintor. Para asegurarse de que se apegara a la ley, obtuvo varias cartas de presentación del gobernador, fomentando la cooperación de las autoridades locales con la restauración.

Esteban sostiene que hablaron del proyecto en un fin de semana y el lunes empezaron a trabajar, y Nancy insiste en que todos funcionaban en equipo y que la reconstrucción no empezó en forma abrupta. Ella llevaba a los coleccionistas de Rodolfo a conocer el ex convento y la iglesia para mostrarles el trabajo filantrópico que estaba haciendo la fundación. "Eso ayudó a vender algunas pinturas", me dice, "lo que a su vez, contribuyó a financiar el proyecto."

Los presos y los empleados de las oficinas miraban lo que sucedía desde el interior del convento. Los albañiles empezaron los trabajos derribando literalmente la parte exterior del inmueble y reconstruyendo de afuera hacia adentro. El ex convento estaba en peores condiciones de lo que pensaban. Esteban narra: "Había que bañarse varias veces al día por tanto polvo; el techo casi se cayó antes de que empezáramos a trabajar".

Al terminarse el trabajo en el exterior del convento, Rodolfo solicitó al gobernador que se sacara a los presos del edificio y se reinstalaran las oficinas en otra parte. Aunque se transfirió a los presos más peligrosos, algunos que no lo eran tanto se quedaron ahí durante la restauración. Uno se pregunta qué habrán pensado mientras todos los cuartos a su alrededor se reconstruían, pintaban y transformaban en espacios que atraerían a altos dignatarios de todo el mundo.

Aunque Rodolfo comentó a secas que tuvo algunos problemas cuando se inició la restauración de la iglesia en Ocotlán, Esteban me confió que Héctor González, arzobispo del estado de Oaxaca, se puso muy difícil y no quería cooperar. No les permitió trabajar tan cerca de la iglesia como hubieran querido. También tuvieron que remozar las oficinas del sacerdote local. Pero Rodolfo trató de hacer bien las cosas, arregló incluso la casa del asistente del sacerdote y dio el material necesario para reparar la de éste.

Según Esteban, la razón del conflicto es la pérdida de poder en los pueblos en los que trabaja la fundación:

> El clero no quiere aceptar que alguien tenga más poder que ellos; están acostumbrados a manejar las situaciones de manera que nadie más pueda dar su opinión. Algunos sacerdotes han aceptado el trabajo de la fundación, pero tienen que obedecer al arzobispo, aunque eso signifique la destrucción de la herencia cultural de los pueblos.
>
> Por ejemplo, al principio, en Ocotlán el padre se sentía desplazado. Le era difícil aceptar que el maestro Morales tuviera más reconocimiento que él. Nos contó la historia del sapo que le pidió permiso a un grillo para vivir en su casa mientras llovía. El sapo fue creciendo y creciendo hasta que se adueñó de la casa del grillo y lo aplastó. El sacerdote dijo que la fundación era como el sapo y el clero local como el grillo.

Su sonrisa era amplia y juguetona como la de un adolescente mientras contaba el cuento: "El cura tenía razón; si hubiéramos podido, nos habríamos deshecho de él".

Le pregunté lo que opinaron los ciudadanos de Ocotlán cuando empezaron con los martillazos, las sierras y la pintura, a lo que respondió:

> Pensaron que estábamos restaurando la cárcel para los presos y que las autoridades religiosas nos habían dado permiso para restaurar la fachada. Y, por supuesto, no pedimos permiso para pintar. Hubieran dicho que no. Tampoco les dimos a elegir los colores.

Ante las críticas de los pobladores por los trabajos realizados en la iglesia y el ex convento, Rodolfo le dijo a Esteban que tenían que inventar una historia acerca de por qué utilizaron esos colores:

> Dijeron que teníamos muy mal gusto, que los colores eran horribles y preguntaron si las autoridades nos habían dado permiso. Querían algo que se viera "como si fuera de París", aunque no tuvieran idea de lo que eso significaba. Así que les dijimos que el azul era por el cielo y el amarillo y el blanco eran los colores del Vaticano. Con eso quedaron todos contentos.

A principios de 1999, años después de terminada la restauración, los planes para hacer varios museos en el ex convento, aún estaban incompletos. Rodolfo quiere un espacio especial para rescatar pintura religiosa y ha pagado grandes sumas de dinero para la restauración de varios óleos deteriorados que se encontraron ahí. Espera también incluir el trabajo de algunos artesanos locales, así como una colección poco ortodoxa de aparatos de radio fabricados entre los años 30 y los 50. Aún se discute si se va a cobrar la admisión a los museos y si se abrirá un restaurante. Nuestro artista opina que en el futuro la fundación se retirará de estos proyectos para que la gente del pueblo se involucre y se responsabilice de ellos.

Una muestra del aprecio que el pueblo de Ocotlán le tiene a Rodolfo Morales es una carta oficial entregada a la fundación, fechada el 9 de diciembre de 1995, y firmada "con agradecimiento por el trabajo que se hizo en beneficio de nuestro pueblo". El libro de visitantes del ex convento ha sido firmado por miles de personas. No obstante, no todos han recibido este regalo de igual manera. Una de las lámparas que se instaló en la fachada para iluminarla, fue robada. En el espacio vacío se encontró un letrero escrito a mano que decía: "Este foco fue robado por alguien que no cree en el progreso". La última vez que estuve en Ocotlán, en 1999, el letrero seguía ahí.

Rodolfo asevera que en todo el estado de Oaxaca la gente se ha olvidado de la cultura y la historia del pasado, y no le interesa ayudar a los pueblos. Pero, según Esteban, hasta el arzobispo ha cambiado con el pintor y es más amable, aunque aún no visita ninguno de los lugares en cuya restauración trabaja la fundación. Miguel Ángel Díaz Alba, el obispo auxiliar, un hombre con mayor sensibilidad, en opinión del arquitecto, visitó el ex convento y felicitó a Morales por el trabajo realizado.

Haciendo a un lado las críticas, el pintor destaca que la gente de la localidad es la que importa y que el único consentimiento que necesita es el del pueblo, no el oficial. Me confesó que las restauraciones eran más significativas para él que su pintura o su trabajo como artista y, en son de burla, agregó que van a durar más tiempo y a beneficiar a mucha gente. "Con las pinturas, ¿quién sabe?"

Cuando Rodolfo vio lo que podía lograr con la venta de sus pinturas, ya no le fue posible dar marcha atrás. (Un poco en broma y un poco en serio, una vez le sugirió a Esteban que después de su muerte, los nombres de todos aquellos que se han opuesto al trabajo de la fundación deberían grabarse en una placa que se coloque permanentemente a la entrada del ex convento de Ocotlán.) Con la iglesia y el ex convento de su pueblo, su labor de preservación del México antiguo salió del óleo para transportarse al mundo real, aunque insista en que no quiere que su trabajo como pintor se confunda con el de la fundación. Pero como ésta depende de su éxito como artista, no es tan fácil decir eso.

Cerca de un año después de que arrancara la fundación, el nombre y la fotografía del artista llenaron la primera página de los periódicos locales. Pero no porque estuviera preservando la cultura en el estado de Oaxaca. El hombre que me dijo durante nuestras charlas que si un artista llenaba su vida con algo significativo para él, nunca cometería suicidio ni se convertiría en alcohólico, fue arrestado por la policía estatal.

12. El Día de los Inocentes

En la madrugada del 9 de julio de 1993, la policía de Oaxaca detuvo a Rodolfo y a otros tres pintores (Ariel Mendoza, Justina Fuentes y Jorge López García), y los acusó de "violar la moral del Estado y la Constitución". Los cuatro artistas se encontraban en un auto estacionado cerca de la entrada del mercado 20 de Noviembre, a un par de cuadras del zócalo, esperando a que abrieran las puertas para entrar a desayunar.

El mercado es un lugar enorme, que vendría a ser el equivalente de un centro comercial, pero con más gente, más color y mucho más estimulante. Repleto de puestos que venden desde flores frescas hasta carne, queso, chapulines fritos, ropa y juguetes para niños, y encerrado entre paredes, ocupa varias manzanas del centro de la ciudad. Ahí es donde los residentes de Oaxaca hacen sus compras diarias y siempre está lleno de vendedores ambulantes y turistas.

Los oaxaqueños acostumbran almorzar en puestos de comida, con mesas cubiertas con manteles de plástico, situadas en medio de un mundo de puestos diversos en el centro del mercado. Según Rodolfo, los cuatro amigos salieron a cenar y cuando los arrestaron no estaban haciendo nada ofensivo. De hecho, dice, se había quedado dormido y despertó sobresaltado con los gritos del policía que le decía que se bajara del carro; que quedaba arrestado "por prácticas sexuales dentro de un automóvil, faltas a la moral y a las buenas costumbres de la comunidad".

Aunque la prensa no mencionó que hubiera estado alcoholizado, parece que hubo algo de valentía inducida por el alcohol, que lo animó a gritar que no le importaba que se lo llevaran a la cárcel. A pesar de que dieron sus nombres a los policías y les explicaron que eran artistas, nadie los tomó en serio. Durante su traslado a la estación de policía, Rodolfo se puso a hacer bromas con "la moral de Morales".

Entonces el asunto se puso un tanto surrealista: dado que la realidad puede crearse de mil maneras en México, en especial en Oaxaca, cualquier situación puede parecer verdadera a todos los participantes aunque difiera dramáticamente dependiendo de quien la describa. Los hechos reales son que cuando Rodolfo y sus amigos llegaron al mercado, éste estaba cerrado y esperaron en el auto. Después fueron detenidos y llevados a la estación de policía. Hay quien dice (y prefiere no ser nombrado) que anduvieron de fiesta toda la noche y bebieron demasiado. (A principios de los 90, Rodolfo era conocido en su círculo de amistades porque sabía divertirse. Reía, bailaba y bebía al parejo que los demás. Podía pasar todo el día pintando, pero los fines de semana desaparecían su timidez habitual y sus inhibiciones.)

Aunque todavía no ha quedado claro quién fue, uno de los cuatro detenidos solicitó que le permitieran hacer una llamada telefónica. Varios policías le señalaron un aparato, riéndose como si fuera un gran chiste. Pero el teléfono no funcionaba. Según Rodolfo, la policía lo hizo para humillarlos aún más. Por fin se les permitió comunicarse con un amigo que aceptó pagar la multa para dejarlos ir. También llamaron a la corredora de arte de Rodolfo, Nancy Mayagoitia, "para aclarar las cosas".

Al llegar Nancy, varias horas después del arresto, el jefe de la policía ya se había dado cuenta de que los detenidos eran, en efecto, pintores, y que uno de ellos era Rodolfo Morales, una personalidad en el ambiente cultural local.

Después de un largo alegato terminaron por ofrecer disculpas por el arresto y soltaron a los cuatro. Nancy pensó que se daba por terminado el asunto y que lo sucedido era un incidente menor que pronto sería olvidado por todos los involucrados. Sin embargo, poco después se detuvo también al pintor Francisco Toledo, por supuestas faltas a la moral.

Al parecer Toledo fue sorprendido en un auto en una situación comprometedora con la pintora Laura Rojas; él lo refutó y aclaró que lo que estaba haciendo era orinar en la calle porque no había ningún baño público cerca. La policía lo maltrató y lo detuvo. Cuando el pintor salió de la estación y se dirigió a casa de unos amigos para comunicarles lo sucedido, observó que lo siguió una patrulla. Tomando en cuenta el arresto anterior de Morales, se relacionaron los dos hechos y explotó un gran escándalo. El asunto adquirió tintes de telenovela, con acusaciones de brutalidad policiaca por parte de la comunidad artística y de indignación moral, con un marcado sentimiento antihomosexual y antiintelectual por parte de los sectores más conservadores de Oaxaca.

Las acusaciones siguieron volando hacia todas partes. La especulación acerca de lo ocurrido en realidad era el tópico de conversación de la ciudad. La prensa local parecía decidida a exponer a los dos artistas con historias sensacionalistas y fotografías poco favorecedoras. Aparecieron muchos artículos en los diarios *Noticias*, *El Sur*, *Diario del Istmo* y *El Imparcial*. Los caricaturistas se dieron vuelo con el tema. La televisión y la radio también contaban la historia. Los hechos se exageraron a tal punto que alguna gente empezó a asegurar que habían arrestado a Rodolfo Morales y a Francisco Toledo, porque los encontraron ¡teniendo relaciones sexuales entre sí!

El asunto se convirtió en una pesadilla, me comentó Rodolfo. "Yo ya esperaba que fuera nada más un mal sueño." El escándalo llenó la prensa durante varias semanas en los meses de julio y agosto de 1993, e implicó una serie de desplegados por parte de los intelectuales prominentes de Oaxaca, y al menos una reunión a puerta cerrada con el alcalde de la ciudad, Carlos Manuel Sada Solana. Se suscitaron diversas situaciones fuera de lugar, en las que se llegó a nombrar a personajes de la política nacional, incluso al presidente de la República.

Nancy Mayagoitia continuaba vendiendo su pintura, en tanto Rodolfo se convertía en el centro de atención de la opinión pública, de tal manera que se confirmó su reputación como uno de los pintores más famosos de Oaxaca. El incidente se convirtió en un suceso de relaciones públicas y, por consiguiente, una mina de oro.

El hombre que hablaba tan suavemente que era necesario acercarse para escuchar lo que decía, de pronto tuvo una fuerte voz pública, aunque no se lo propusiera. La fundación recién formada por él había empezado a restaurar algunos edificios públicos en Ocotlán, y era claro que su arte llamaba la atención en ciertos círculos. Pero hasta el día de su arresto, era conocido más bien por otros artistas y coleccionistas. Ahora, todos sabían quién era Rodolfo Morales. La desagradable experiencia tuvo un efecto positivo en la venta de sus pinturas. La gente que nunca antes había oído hablar de él tenía curiosidad por conocer su obra y quería enterarse de qué clase de artista provocó tal conmoción.

El 31 de julio de 1993 se publicó en *El Imparcial* una carta abierta de Rodolfo al presidente municipal de Oaxaca. En ella aclaraba los hechos del día de su arresto, negando que hubiera estado haciendo algo más que dormir en el auto, en espera de que abrieran el mercado. Enseguida criticaba a los policías que lo aprehendieron, diciendo que, dada su condición de gente a quien le falta cultura y educación, no podía esperarse que actuaran con inteligencia.

Proféticamente, añadió:

> Estimo que este accidente va a formar parte de mi biografía porque yo le he dado todo el apoyo a la cultura de Oaxaca y por ello creo que merezco cierto respeto. Por eso es mi protesta, porque sé que tal vez a mucha gente se le trate igual o peor, pero como no tienen voz pública, no les hacen caso. Me preocupa el contraste en que vivimos.

Un artículo del mismo número de *El Imparcial*, titulado "Pintores famosos indignados por acciones de la policía", describe un encuentro entre los integrantes del grupo de pintores encabezados por Francisco Toledo, en el Instituto de Artes Gráficas. En el artículo se cita a Rodolfo diciendo que estaba obviamente enojado con el presidente municipal, a quien "apenas si saludó". La reunión fue a puerta cerrada, pero al día siguiente, en entrevista privada con la prensa, nuestro artista compartió lo ahí hablado. Dice que le expresó a Sada Solana:

> Usted es el responsable porque es el alcalde y debe tener control; yo exijo que se cite a la prensa nacional para que cuestione al gobernador sobre los atropellos que se dan en Oaxaca por parte de la policía en contra de los ciudadanos.

Al terminar la semana,se reunió con Sada Solana un grupo mayor de artistas, esta vez en el Museo de Arte Contemporáneo. El propósito era exponer su indignación por las diversas agresiones policiacas en contra de pintores oaxaqueños como Rodolfo Morales, Ariel Mendoza, Justina Fuentes, Jorge López y Francisco Toledo, quienes fueron acusados de faltas a la moral e injustamente encarcelados. El hecho de que Toledo hubiera sido golpeado por la policía, se incluyó también en sus demandas.

En otra carta abierta publicada en la prensa local y firmada por Juan Alcázar, Luis Zárate, Jorge López, Laura Rojas, Justina Fuentes, Rubén Leyva, Ariel Mendoza, Fancisco Toledo y Rodolfo Morales, se reiteraban los asuntos discutidos en el Museo de Arte Contemporáneo. También se condenaban los ataques a través de la radio y otros medios de comunicación y se expresaba preocupación por el clima de temor creado en Oaxaca.

Rodolfo era citado con frecuencia. En uno de los artículos que se publicaron, decía que su rabia contra la policía se relacionaba con ciertas experiencias de su infancia. Sin profundizar mucho, dijo: "Cuando era niño, sufrí mucho por la falsedad de las normas establecidas". Agregó que cuando la policía hablaba de moral y de comportamiento moral lo hacía simplemente como arma para intimidar a la gente.

Él esperaba recibir una disculpa personal de parte del alcalde por la forma en que lo trataron, pero lo único que dijo Sada Solana fue que le apenaba que los hechos hubieran sucedido durante su gestión al frente del municipio y que tenía la intención de continuar respaldando la moral dentro de la comunidad. Después, cuando dio una disculpa pública, argumentó que, debido a que la policía recibía un salario tan bajo, no podía controlarla.

Lo que sí hizo fue asegurarse de que despidieran a los agentes que participaron en los arrestos y destituir al juez que multó a Rodolfo y a sus amigos. En su argumentación por escrito expuso que todo el asunto estaba fuera de control, y que la cobertura de la prensa, las cartas que se escribieron, las protestas de diferentes grupos y las murmuraciones, agrandaron desproporcionadamente un asunto que de raíz era un problema administrativo. Alabó las contribuciones culturales de Morales y de Toledo, agregando que Oaxaca estaba muy orgullosa de la fama que habían traído al estado.

Es imposible saber si la decisión de dar de baja a los policías y al juez involucrados en el asunto se debió a las quejas legítimas de abuso policiaco, o porque Carlos Sada Solana había sido puesto bajo el escrutinio público por la publicidad que recibieron las acciones de protesta de la comunidad artística. Reconoció que el juez no intentó entender la posición de los ciudadanos como en el caso de Rodolfo, de quien se burló, y que los policías fueron castigados por abuso de autoridad en contra de Toledo. Agregó que algunas veces la gente no tiene el criterio suficiente para determinar lo que es moral o inmoral y lo que constituye una conducta inmoral es un asunto de interpretación. Los policías eran un ejemplo.

Lo que el grupo que respaldaba a los artistas quería dejar claro, era que lo sucedido con ellos era sintomático de un problema mayor que involucraba al gobierno de la ciudad. Sólo la "gente de dinero", decían, era inmune a los ataques policiacos. Alegaban que los pobres que no pueden defenderse, a menudo son golpeados y maltratados por la policía. La acusación más seria fue que en lugar de escuchar las quejas de abusos de los ciudadanos, el gobierno parecía estar lanzando una campaña contra los artistas.

La prensa conservadora —en particular el *Diario del Istmo* y *El Sur*— publicó artículos que decían: "Ser artista no significa que uno pueda romper con las reglas de la comunidad, aunque haya hecho mucho a favor de la cultura y el mundo intelectual". Los pintores fueron criticados por creer que "sus viajes constantes al extranjero, en donde las reglas son diferentes les daban la libertad de cometer actos inmorales abiertamente en las calles. Tienen que entender, que viven en México, un país en el que la Constitución tiene reglas de moralidad."

El Sur, que con frecuencia ataca casi cualquier cosa que hagan o digan los artistas en Oaxaca, decía que "mucha gente estaba usando el escándalo como pretexto para criticar al gobierno, con la excusa de respaldar a los pintores". No titubearon en etiquetar a gente prominente y en asegurar que Toledo, Morales y demás artistas que estaban con ellos en el momento de los arrestos, fueron sorprendidos en una "situación terrible. Debieron haberse quedado callados, dejar que pasara y no hacer tanto escándalo escribiendo cartas a todo el país".

Las peores palabras están al final. Rodolfo y sus compañeros fueron acusados de evidenciar "lo que ya sabemos: los que quieren ser rectores del arte en Oaxaca y se han agenciado nuestros museos (Maco, Iago, Taller Tamayo) y hasta andan queriéndose apropiar del ex convento de Santo Domingo son mariposones, y así está cab... el futuro del arte en Oaxaca" (*sic*).

Unos años después, el Día de los Inocentes, cuando la prensa aprovecha para burlarse de los notables, se publicó un montaje de una fotografía de Rodolfo y Margarita Dalton (entonces directora de Cultura del estado de Oaxaca) juntos, con el título "La boda Dalton-Morales". Ahí se decía que después de un corto romance, los guapos palomos, la intelectual Margarita Dalton y el reconocido pintor Rodolfo Morales, se habían casado en una emotiva ceremonia civil efectuada el 31 de noviembre a las ocho de la noche en Ocotlán, lugar de nacimiento del famoso pintor.

La historia mencionaba a Tania Libertad y Jesusa Rodríguez como testigos de la novia y por parte del novio, Francisco Toledo y Edmundo

Aquino. Por supuesto que se trataba de una sátira pero, bajo la superficie, había una actitud prevaleciente en ciertos sectores conservadores de la sociedad oaxaqueña. Al igual que en otras partes del mundo, los artistas, a quienes perciben como gente que vive bajo sus propias reglas, son el blanco principal.

Toledo parece ser más vulnerable porque viste como indio (a menudo descalzo y sin peinarse). Se rehúsa a dar entrevistas personales y suele hacer escenas en eventos a los que está invitado. Su fama internacional y magnánimas contribuciones a Oaxaca disgustan aún más a algunos paisanos suyos, sobre todo por su bien conocida inclinación a que las cosas se hagan como él dice o no se hagan. A menudo amenaza con irse de Oaxaca y no volver nunca.

Pese a todo lo anterior, sugerir que Toledo fue arrestado porque era Toledo es una exageración, en el mejor de los casos. La verdad parece ser que la policía no sabía que se trataba de un artista, como tampoco sabía que Rodolfo Morales y sus amigos lo eran.

Pero hubo otro asunto delicado que se filtró en la controversia que rodeaba a los artistas y a quienes los apoyaban. Se menciona en un ejemplar de *El Sur* que decía así: "En manos de quienes tienen conductas raras está, en Oaxaca, el monopolio cultural... quienes manejan a su arbitrio el Museo de Arte Contemporáneo... han pretendido obtener para su reducido grupo el manejo del ex convento de Santo Domingo de Guzmán en donde podrían seguir practicando esas conductas que los han llevado al escándalo" (*sic*).

Aunque no se hicieron más referencias al ex convento en ningún otro artículo, el presidente municipal estaba consciente de lo sucedido tras bambalinas: ciertos ciudadanos habían propuesto que el antiguo convento anexo al templo de Santo Domingo se convirtiera en hotel. Un gran número de artistas, Toledo especialmente, se opuso con vehemencia a la idea y en lugar de eso, propuso un centro cultural. Rodolfo formó parte del grupo encabezado por Toledo cuando éste se acercó al presidente Carlos Salinas durante su visita a Oaxaca, para hacerle la propuesta.

Describiéndose como "una persona sin prejuicios consciente de la necesidad de hacer algunos cambios en nuestra sociedad", Carlos Sada Solana insistió en que a Toledo no se le había señalado para castigarlo por protestar contra el proyecto del hotel. "Todos los ciudadanos tienen el derecho de sugerir los usos que podrían darse a los magníficos edificios históricos y tesoros de Oaxaca", dijo. Agregó que como "la cultura no siempre tiene apoyo financiero, la economía de Oaxaca necesita ayudarse con cosas que traigan derrama económica a la región".

Después de muchas protestas de los artistas y largos ofrecimientos del gobierno de que no se repetirían errores como el de los arrestos, las cosas se calmaron. Pero el episodio sacó a la superficie una tensión latente en Oaxaca entre aquellos que quieren que las cosas se queden como siempre han sido y otros que estaban decididos a empujar al límite su creatividad. Éste es un aspecto del carácter del oaxaqueño que nunca ven los visitantes, atraídos por la reputación de su estado como centro del arte.

En muchos aspectos, tanto Toledo como Rodolfo son como antorchas de la comunidad. Están decididos a salvar a México de sí mismo, preservando el pasado y negándose terminantemente a permitir que ciertos tesoros oaxaqueños sean destruidos. Cuando alguno dice lo que piensa o se encuentra en medio de las murmuraciones o la crítica, el otro encuentra la manera de involucrarse también.

Aunque no discutieron lo sucedido en sus arrestos, de pronto se vieron involucrados en asuntos que los relacionaban de una u otra forma. Empezaron a aparecer en los mismos foros, hablando, no acerca del arte, sino de la contaminación del agua y los hallazgos arqueológicos. Fueron invitados a unirse a asociaciones culturales como la Comisión de Rescate y Preservación de Monte Albán. Hay algunas fotografías de los diarios en las que los dos se encuentran en el mismo evento como miembros honorarios. Estos artículos y fotografías parecen estar a años luz de distancia del escándalo que ocupó los encabezados de los mismos medios tan sólo unos meses antes.

Los nombres Toledo y Morales en la misma frase garantizan que la gente pondrá atención a lo que se dice. Desde los arrestos realizados en 1993, cada vez que en Oaxaca se toca el tema del arte y los artistas, es como si se dijera: "Francisco Toledo y Rodolfo Morales... los dos maestros". Muchos parecen olvidar que estos dos pintores han tenido causas célebres muy poco relacionadas con la cultura, y mucho con los derechos personales. Han sido también el punto de partida para un grupo pequeño pero muy significativo de pintores que han ayudado a hacer de Oaxaca el centro del arte contemporáneo en el país.

Yo sabía que Toledo fomó una organización llamada Pro-Oax (Por el Desarrollo de Oaxaca), y que desde hace tiempo venía hablando de los asuntos que le preocupan. Pero Rodolfo era neófito en el asunto y me preguntaba cómo se veía a sí mismo en relación con aquél, qué pensaba de él como artista y cómo diferían en su forma de abordar el tema de los problemas sociales. A pesar de las dramáticas diferencias de personalidad y estilo de ambos, ¿había algún punto de encuentro entre ellos?

Aunque Rodolfo insistía en que "en el arte no debe haber comparaciones", y por lo tanto se negaba a opinar sobre el trabajo de Toledo como pintor, estuvo dispuesto a comentar por qué piensa que éste no sucumbió a los peligros del éxito a una edad muy temprana. En su opinión, "para Toledo, el trabajo era más importante que su vida personal. Así fue como escapó. Encontró su propio estilo. Lo que lo salvó fue precisamente la expresión personal".

Cuando tenía veinte años, Toledo ya había logrado algo muy cercano al reconocimiento internacional, aunque su trabajo ha sido considerado por algunos críticos como "excesivamente fluido", con una cualidad "artesanal" o casi "decorativa". Edward Luci-Smith, en su libro *Arte Latinoamericano del Siglo XX*, describe el trabajo de Toledo como "rico en color y de texturas suntuosas, aunque inmemorable en cuanto a imágenes individuales". No cabe duda de que el trabajo de Toledo es insólito y manifiestamente sexual. La energía que emana de su pintura parece reflejar los impulsos creativos casi apabullantes que residen en su enjuto e hiperactivo cuerpo.

El hecho de que también Toledo tenga una fundación, hace inevitable que la gente compare las actividades de la suya con las de la Fundación Morales. Éste sí es un tema que Rodolfo está dispuesto a discutir. Toledo, dice, tiene una forma más "universal" de abordar la cultura, mientras que él está más interesado en el ámbito "local". Toledo invita a menudo a Oaxaca a pintores importantes y escritores de reputación internacional, por ejemplo, al Premio Nobel de poesía, el irlandés Seamus Heany, quien dio una conferencia en febrero de 1999 en el Instituto de Artes Gráficas. Rodolfo insiste en que no quiere antagonizar con Toledo, dado que sus actividades son simplemente dos formas diferentes de abordar el mismo objetivo, o sea, dar a la gente un mayor acceso a la cultura.

La impresión que tiene la gente en general es que los dos son amigos con muchas cosas en común. Varios observadores dicen que Toledo es "el mejor amigo de Rodolfo como artista". Otros comentan que "no se soportan mutuamente". Cuando le pregunté a Rodolfo si eran amigos, su respuesta fue: "Nos saludamos, pero no tenemos una amistad muy estrecha". También reconoció que Toledo ha tenido que aguantarle mucho a los políticos y gobernadores locales durante los últimos diez años, en su lucha por preservar la herencia de Oaxaca. Y aunque se estaba refiriendo a la controversia del ex convento de Santo Domingo, incluyó también algunas otras cosas.

Rodolfo ya me había dicho antes: "Todos hemos sido influenciados por Tamayo". Con esto se refería a algo más que el estilo en la pintura: la técnica y el uso del color que han llegado a asociarse con el término "escuela oaxaqueña". Hablaba también de:

> ...la práctica entre los artistas oaxaqueños de darle a su gente algo a cambio. Tamayo sentó un precedente público. Su colección personal de escultura precolombina se encuentra en una bella exhibición en una casa pequeña, de una arquitectura hermosa, en el centro histórico de la ciudad de Oaxaca; un obsequio permanente al pueblo en que nació. Toledo está siguiendo su ejemplo.

(Y no mencionó que él hace lo propio.)

El interés compartido por ambos artistas es la ecología. "Ahí es donde coincidimos" dijo Rodolfo, y mencionó que en febrero de 1998, el presidente de México, Ernesto Zedillo, llegó a Oaxaca a inaugurar un parque a la orilla de un río contaminado por el que Rodolfo y Toledo estaban trabajando para que la comunidad tomara conciencia del problema y se hiciera algo acerca del asunto.

> El parque lo construyeron nada más para distraer a la gente del problema del río y me negué a asistir a la inauguración. Es lo que hacen los mexicanos: inauguran este parque para darle algo a los habitantes en lugar de enfrentar los problemas reales como la ecología, la pobreza o la sobrepoblación.

(Algunos de sus críticos consideraron este ataque como una reacción simplista a un problema más complejo. Alegan que la construcción creó trabajos para muchos ciudadanos desempleados.)

Pero el tema de la ecología continúa siendo el núcleo de la actividad de Toledo, que a menudo llama a Rodolfo a la misma tribuna pública. A manera de ejemplo, es responsable del desarrollo de un enorme jardín botánico que se ha plantado en el patio posterior del Centro Cultural Santo Domingo. Su Instituto de Artes Gráficas contiene una colección de libros de arte y arquitectura, considerada una de las mejores en Latinoamérica, la cual está abierta al público. Localizado cerca del museo de Tamayo, el instituto es escenario de exposiciones pictóricas y conferencias. A finales de 1998 Toledo donó también su casa, que se encuentra junto al antiguo acueducto, para que los ciudadanos puedan usarla como sala de cine de arte.

Aunque Rodolfo ha sido generoso en sus halagos a las contribuciones culturales de Toledo, cree que hay otras formas de lograr una influencia más directa sobre la gente. Dice que la música y el teatro, por ejemplo, tienen un efecto mucho más fuerte sobre ellos que los libros o conferencias que están "fuera de contexto". Ésta es la razón por la cual prefiere patrocinar conciertos de música de autores mexicanos en algunas de las iglesias que ha restaurado, como Santa Ana Zegache. Prefiere mostrar a la gente la riqueza de su legado cultural y de sus raíces. Su amor a la música, que data de cuando era niño y asistía a la iglesia en Ocotlán, lo alimentó tanto que permanece como una de las constantes en su vida.

Como nuestro artista se rehusaba a hablar de lo que pasó cuando tanto él como Toledo fueron arrestados en 1993, me pregunté si estaría dispuesto a comentar lo que algunos de sus amigos llamaban "el problema de Rodolfo con la bebida". Desde que iniciamos nuestras entrevistas, escuché historias acerca de sus excesos, y esperaba que él hablara del asunto. Él había dejado claro que el alcoholismo se mantuvo latente durante el periodo del muralismo debido a que el compromiso que había con el socialismo o comunismo, y hasta con las aventuras sexuales, parecía llenar un vacío. "El alcoholismo", me dijo, "vino después."

Pero, en lugar de responder directamente, comentó: "Es crucial poder llenar tu vida con algo; si no, termina uno como tantos pintores, muertos por el alcoholismo o por el suicidio". Mencionó a Rodolfo Nieto, cuyo nombre se relaciona con el de Rufino Tamayo como uno de los pintores más importantes mucho antes de que hubiera algo que pudiera llamarse la escuela oaxaqueña de pintores. Nieto no sólo bebió hasta que murió a causa de esto, sino que su madre contribuyó a su alcoholismo, ya que ella lo proveía de licor con tal de que se quedara en casa.

Luego dijo, como hablando para sí mismo, que era un misterio por qué algunos pintores pueden perderse en sus propias pinturas y otros no.

Volvió a uno de sus temas favoritos: el peligro que encierra el éxito a una edad muy temprana:

> Quizá es porque para algunos es demasiado fácil, y eso es lo que después les causa problemas (como el alcoholismo o el suicidio). Yo con lo que lleno mi vida es con la pintura.

Para 1994, el escándalo del año anterior había pasado a la historia, y empezó a extenderse un nuevo rumor acerca de Rodolfo. De pueblo en pueblo se comentaba que estaba haciendo algo raro y sin precedentes. Pero, al contrario de las acusaciones de faltas a la moral, estaba involucrado en uno de los actos morales más importantes que uno pueda imaginar: restauraba ex conventos e iglesias deterioradas del siglo XVI. Además, no pedía al pueblo que cooperara con dinero. A diferencia de los típicos proyectos gubernamentales, en los que los pobres se vuelven más pobres mientras una o dos personas se vuelven más ricas, Rodolfo Morales pagaba el costo de los trabajos por sí mismo.

Ciudadanos importantes de diferentes pueblos llegaron de visita a Ocotlán para cerciorarse de los rumores. Una vez allí examinaron con detenimiento el ex convento que antes sirviera como prisión. Observaron la recién pintada fachada de la iglesia. Los rumores eran ciertos. El pintor oaxaqueño en verdad estaba haciendo algo extraordinario. Los rumores difamatorios de tiempo atrás se olvidaron. La gente musitaba: "Probablemente la policía lo inventó todo". Cuando llegaban a casa había un tópico sobre el cual hablar: "A lo mejor el maestro Morales puede restaurar nuestra iglesia".

Sin importar las condiciones en las que se encontraran sus iglesias, la gente asistía a ellas a rezar en sus altares y a adorar a sus santos. Las flores y las velas aparecían todos los días aunque en muchos de los pueblos los devotos escucharan misa de un sacerdote itinerante que llegaba de vez en cuando. Deteriorada o no, la iglesia seguía siendo el lugar más importante del pueblo; un hecho del que Rodolfo estaba perfectamente consciente.

Después de que los líderes discutían el asunto con la gente del pueblo, cuya opinión era muy importante, se hacían las solicitudes. Los representantes viajaban horas para llegar a Ocotlán a presentar con humildad sus solicitudes al hombre cuya reputación estaba sobrepasando su identidad como pintor. Algunas veces la petición era que se restaurara la iglesia en su totalidad. Otras, que se repararan sólo algunas secciones. Con el fin de hacer todo de manera oficial, los líderes del pueblo presentaban los expedientes y cartas pertinentes, para asegurar al pintor que sus ruegos eran genuinos y estaban respaldados por toda la población. Si la petición le parecía interesante o si ya había oído hablar de la iglesia o la había visto, iba al pueblo con Esteban San Juan para decidir si se hacía o no el trabajo.

Su amor por la arquitectura era el motivo principal de estas restauraciones. Pero también creía que al remozar la iglesia podía aumentar el orgullo de los habitantes y atraer también el turismo a la región. Esto último ayudaría a aumentar los ingresos de la población, y más gente joven podría quedarse en sus lugares de origen en vez de mudarse a las ciudades para encontrar trabajo. No dejaba de reconocer que tal vez él no viviera el tiempo suficiente para ver esos logros económicos, pero sí creyó en su visión de crear un futuro mejor para Oaxaca, así como creyó en su visión interior para crear sus pinturas.

En los primeros meses de 1996, las solicitudes de casi una docena de pueblos habían ya sido aceptadas y aprobadas por la Fundación Rodolfo Morales. Una vez que ésta expandió sus objetivos formalmente para incluir la restauración de iglesias, fue más sencillo rechazar las solicitudes de sistemas de agua potable, carreteras, clínicas y escuelas. En 1999, cuando este libro se estaba terminando, Rodolfo mencionó que ya no empezaría ningún proyecto hasta terminar los de los pueblos con los que ya tenía un compromiso.

En particular, hay una iglesia y un pueblo que sobresalen. Es el único proyecto de restauración llevado a cabo por la fundación sin una solicitud del pueblo de por medio. Se trata de la iglesia de Santa Ana Zagache, un lugar al que su madre lo llevó cuando niño, a la fiesta del santo patrón. (Rodolfo nos cuenta que, puesto que los indígenas gastan su dinero nada más en fiestas y no en comodidades mundanas como muebles u otras posesiones, cada celebración atrae a multitud de visitantes de los pueblos vecinos.)

Debido a que no había autos en Ocotlán en ese tiempo, la familia se transportaba a las fiestas en carreta de caballo o de mulas por caminos o veredas. Rodolfo nunca olvidó Santa Ana. El pueblo y la fiesta le causaron una impresión imborrable. Cuando inició el trabajo de restauración en Ocotlán, lo que recordaba en especial eran los insólitos altares barrocos de la iglesia de Santa Ana. Hizo un viaje especial al pueblo para ver si era en verdad tan impresionante como la recordaba. Aunque la encontró en unas condiciones terribles, Rodolfo supo de inmediato que era uno de los templos más extraordinarios de toda la región. Pero para restaurarlo necesitaba dos cosas: suficientes fondos de la fundación y el permiso de la comunidad para realizar el trabajo.

El dinero era la parte fácil. Nancy cuestionó si era conveniente iniciar un nuevo proyecto de restauración antes de concluir el de Ocotlán, pero por fin accedió a que se hiciera: los fondos estaban ahí. Los precios de sus obras iban en aumento y estaba vendiendo mucho.

Convencer a la gente del pueblo de que sólo quería hacer algo por ellos y no tomar nada para sí mismo fue una tarea que requirió de todas las habilidades de Rodolfo. La reputación de Santa Ana como un pueblo desconfiado, cerrado y violento era bien conocida. Mitad zapoteca y mitad mixteca, la población era de tan sólo unas mil personas que hablaban dos lenguas y estaban divididas en los dos grupos políticos más importantes del país: el PRI y el PAN.

Antes de la conquista española, la tierra de los alrededores de Santa Ana era una de las más prósperas de todo el valle de Oaxaca. Cortés se la adjudicó como propiedad personal. Pero el ganado que trajeron los españoles a este paraíso destruyó los campos de especias, lo cual enfureció a sus habitantes, quienes se vengaron una noche matando a trescientos animales. Esta enorme pérdida enojó a los españoles de tal manera que un representante de la corona les prohibió salir de los confines del pueblo. Por eso la gente de Santa Ana es tan desconfiada de los fuereños y pueden ponerse violentos si se les provoca. Desde luego, se hicieron más pobres y más aislados al no poder hacer trueque con los otros pueblos. Esteban dice que también se volvieron más autosuficientes y desarrollaron un estilo de cocina muy especial: carne con limón secada al sol durante cuatro meses y luego frita con orégano, una hierba que introdujeron los españoles.

Pero parece ser que ya había problemas entre los zapotecos y los mixtecos antes de la llegada de los españoles. Hubo una batalla importante en un cerro llamado "La chiche de María Sánchez". Zagache quiere decir "mogote" (cerro o tumba pequeña) en náhuatl. Los arqueólogos especulan que debe haber un centro ceremonial bajo los numerosos montículos que ahí se encuentran. Pero como la gente del pueblo nunca le ha permitido a nadie hacer excavaciones, no se sabe lo que pueda haber escondido allí.

La iglesia misma parece estar construida sobre un templo prehispánico. Los desmoronados escalones que llevan al atrio están hechos de adobe y son, por supuesto, muy antiguos. Rodolfo me recordó que los templos precolombinos se construían en forma de pirámides y que estos escalones angostos bien podrían ser parte de uno de los lados de la estructura antigua. Los nueve altares contienen tanto misterio como lo que pueda estar enterrado bajo los cerros. Nadie sabe realmente (o no quieren decir) lo que sucedía en el pueblo en la época prehispánica, ni por qué escogieron los dominicos este lugar para construir una iglesia fantástica llena de oro y altares barrocos.

Además, como la gente es tan reservada, los ritos religiosos que se llevaban a cabo en sus templos antes de la llegada de los españoles permanecen en el misterio. Es probable que la restauración abra la puerta a los arqueólogos, historiadores y antropólogos y se descubra otra civilización oculta, como las de Mitla y Monte Albán.

Según Rodolfo, todos los tesoros se encontraban aún en la iglesia cuando inició la restauración, porque la gente es tan desconfiada y difícil que nunca permitieron que nada se moviera de su lugar. No había sacerdote y eso era bueno, ya que éstos, dicen, sacan los objetos valiosos de las iglesias y los venden a los anticuarios.

Aunque ya me habían contado todo esto acerca de Santa Ana, no estaba preparada para lo que vi en mi primera visita. Sentí que me habían dejado caer en otro mundo. Es difícil explicar a una audiencia urbana, no latinoamericana, lo que es Santa Ana Zagache. Primero, está el pueblo enclavado en un sitio tan escondido, que dos choferes de Oaxaca tuvieron que pedir direcciones varias veces antes de que lo encontráramos. Hasta que la fundación se involucró, no había razón alguna para visitarlo.

Había muy pocos señalamientos en los caminos que se retorcían entre los terrenos de cultivo que se extendían interminables entre Oaxaca y Ocotlán. Cuando al fin hallamos el sitio donde teníamos que dar vuelta para el pueblo, la entrada no nos pareció para nada imponente. Callecitas de tierra se alineaban con altas bardas de cactus y carrizo, construidas de una forma que nunca había visto. No existía ningún café o tienda a la vista. Por entre los cactus de las bardas, se veían las casas de adobe café y patios de tierra con algunos pollos y chivos. De pronto, al centro del puñado de calles polvorientas, la vista más asombrosa: la iglesia de Santa Ana Zagache.

Elevándose al cielo a una altura como de dos pisos, la iglesia parecía enorme, fuera de toda proporción en relación con las pequeñas chozas situadas a su alrededor. Una gruesa pared hecha de adobes obviamente nuevos rodeaba el atrio. (Rodolfo me dijo que cada familia decidió contribuir voluntariamente con cien adobes hechos a mano para construir la barda. Se conmovió mucho con este gesto. Fue una de las muestras de aprobación unánime de lo que la fundación estaba haciendo.) En el centro del atrio había un árbol de enorme tronco y largas ramas que daban mucha sombra, y que tenía que ser tan antiguo como la iglesia.

Pequeñas capillas ocupaban cada esquina de la barda. Antes de la llegada de los españoles, los indios estaban acostumbrados a observar sus ritos religiosos en espacios abiertos y les daba miedo entrar a las enormes iglesias católicas a rezar. Pero los dominicos eran listos. Construyeron pequeñas capillas en las cuatro esquinas de las bardas que rodeaban los atrios y colocaron la imagen de la Virgen en cada una de ellas. Como la gente amaba el cielo, los frailes empezaron a hacer procesiones en los atrios con estandartes y flores. Guiaban a la gente de una capilla a otra y luego la metían a la iglesia. El pintor identificó estas capillas abiertas como un aspecto de la arquitectura de templos que únicamente se encuentra en México.

Afuera de la iglesia se había hecho una banqueta nueva y se habían plantado árboles y arbustos. Los reconocí como toques de Morales, pero parecían incongruentes en un lugar en el que todo lo demás era café. El silencio que rodeaba la iglesia era casi estremecedor. No había nadie por ahí. El pueblo mismo pudo haber estado desierto. La entrada de la iglesia estaba adornada con esculturas y artísticos y sofisticados grabados en piedra. Cuando me asomé, vi que el santuario mismo estaba lleno de un andamiaje enorme y complejo que llegaba hasta lo más alto de los domos.

Por fin, vi señales de vida. Por lo menos una docena de trabajadores reparaban el ladrillo y el estuco, mientras varias jóvenes quitaban el emplaste que cubría las pinturas de cuatrocientos años de antigüedad en las paredes. A pesar de la penumbra, se observaban algunos fragmentos de los frescos en tonos azules y terracota alrededor del altar principal. Una vez que mis ojos se familiarizaron en la oscuridad con las estatuas cubiertas de plástico, las velas y las flores, observé una sección que parecía de oro. Rodolfo me explicó que en los siglos XVI y XVII, los artesanos solían usar la hoja de oro para decorar las iglesias. Parte de la restauración de Santa Ana incluía reemplazar la hoja de oro de los nueve altares y restaurar las pinturas religiosas más importantes.

Pero los objetos más valiosos de la iglesia, según él, eran dos ángeles de piedra de tamaño natural. Cubiertos originalmente de hoja de oro y situados dentro del templo junto a la puerta principal, eran pilas de agua bendita, por lo que sostenían sendos recipientes de metal. Una vez restaurados y recuperado su estado original del siglo XVI, pueden ser los únicos en su tipo que queden en todo el estado de Oaxaca.

El enorme domo había estado cubierto de frescos pero se encontraba tan seriamente dañado que se podían ver los adobes de la construcción y, en algunos tramos, el cielo. Los trabajadores que subían y bajaban escaleras, estaban reparando las cuarteaduras. Rodolfo dijo que esperaba que se pudiera pintar todo el interior, siguiendo el diseño de los frescos originales rescatados.

Varias jóvenes del pueblo habían descubierto los frescos con instrumentos similares a los usados por los dentistas. Conforme aparecían los diseños barrocos, los copiaban en papel de estraza. Luego los reproducían con colores idénticos en los tramos de las paredes recién reconstruidos. Cuando se complete el trabajo, el interior lucirá exactamente como estaba cuando los dominicos y los indígenas lo construyeron y pintaron. La única diferencia es que la pintura que usaron entonces era pigmento con agua, y la de ahora es acrílico.

Rodolfo explicó que las jóvenes de Santa Ana eran tan buenas para realizar ese intrincado trabajo debido a que el pueblo tenía toda una historia como productor de los bordados más finos de los alrededores. Las niñas crecen realizando labores manuales que resultan difíciles para otras personas. Hubo una francesa experta en restauración que visitó Santa Ana y le comentó a Rodolfo que las muchachas trabajaban mejor y con más paciencia que ella misma.

Yo le pregunté: "¿Quién entrenó a las jóvenes?", y contestó: "Nadie; sólo se les explicó cómo empezar a quitar las capas de pintura que cubrían los frescos y se pusieron a hacerlo solas". Agregó que era factible que la fundación estableciera un taller para entrenar a otras para hacer este tipo de trabajo especializado.

Pensaba también otorgar becas a algunas jóvenes para estudiar restauración de pintura de caballete con el maestro Manuel Serrano en la Ciudad de México.

Al iniciar sus proyectos no había tenido contacto con expertos en otros campos, pero paso a paso fue conociendo personas como Manuel Serrano, quien le ha ayudado a enriquecer el trabajo de la fundación. "De hecho, estos talleres, las becas, las artes, la ecología, son los objetivos de la fundación, y no sólo llenar papeles en las oficinas de Oaxaca."

Al referirse a los papeles, hablaba de algunos de los cambios que han ocurrido desde el modesto inicio en 1992. Aunque la mesa directiva aún está formada por Rodolfo, Nancy y el sobrino de él, Alberto Morales, los proyectos se han ido transformando. Al aceptar más solicitudes que requerían dinero y tiempo extra, fue obvio para Nancy que la fundación necesitaba más espacio que el disponible en la galería de Murguía y más manos para ayudar en el terreno administrativo.

En 1994, una joven llamada Flor de María Ruiz, recién graduada en administración en la Universidad Autónoma Benito Juárez de Oaxaca, fue contratada como directora de la Fundación Rodolfo Morales. Nancy rentó una pequeña oficina en el centro histórico de la ciudad, no lejos de Santo Domingo, donde Flor y un asistente empezaron a organizar los archivos y el creciente trabajo de oficina asociado a la fundación. Bajo la guía de Nancy, empezó a coleccionar y preservar todos los artículos que se hubieran publicado sobre Rodolfo desde 1975. Gruesos álbumes con fotografías, transparencias y artículos de prensa y revistas se recopilaron para conformar su currículum.

Flor empezó también a preparar folletos explicando la misión de la fundación y sus contribuciones filantrópicas, así como un plan para crear otra organización similar a ésta. En tanto el pintor se quejaba de que era una pérdida de tiempo hacer este tipo de "papeleo" (pensaba que su buena relación con el director del Instituto de Antropología e Historia hacía innecesaria esta formalidad), Nancy insistía en que era necesario. Estaba convencida que cuanto más se ampliara el trabajo de la fundación, más necesario sería documentar todas sus actividades e inversiones.

Conforme los gastos se fueron acercando a los cincuenta mil dólares mensuales, Nancy, como tesorera, se preocupaba porque la contabilidad se llevara con todo detalle. A pesar del desdén de Rodolfo hacia la burocracia, ella se aseguró de que Flor mantuviera al corriente el aspecto contable y administrativo. Por ejemplo, enviaba al Instituto Nacional de Estadística, Geografía e Informática (INEGI) copias de las actividades del centro cultural en Ocotlán. Incluso el centro de salud recibía estas copias, puesto que una de las primeras actividades oficiales fue comprar una ambulancia para Ocotlán.

En 1995, los artículos que hablaban de Rodolfo en periódicos y revistas tenían un nuevo enfoque. En México, muchos comentaban los proyectos de la fundación. El *New York Times* publicó uno escrito por Julia Preston el 8 de noviembre de 1995, en el que lo llamaban una "institución cívica" de Oaxaca, que "se enfrentaba a la tradición mexicana del patrocinio agobiante del gobierno y, por lo tanto, el control de las artes". Le pregunté qué pensaba de toda esta atención y me dijo que sentía que había entrado a un nuevo ciclo en su vida. Aclaró que él veía que su vida estaba formada por ciclos: la gente aparecía en el momento preciso para ayudarlo aunque él no hubiera pedido ayuda. Cada vez que sentía que estaba listo para entrar a un nuevo ciclo, la persona apropiada estaba ahí. "Yo creo", me dijo, "que va a volver a suceder así."

En la revista *Siempre!* se publicó una entrevista en exclusiva con la periodista Irma Ortiz. Era la edición del 43° aniversario, del 27 de junio de 1996, y en ella se ofrece una perspectiva interesante de la personalidad de Rodolfo. En la portada se exhibe una pintura que hizo de Don Quijote, el famoso aventurero que cuestionaba las viejas formas de hacer las cosas. Aunque Don Quijote, con su lanza y su casco, domina la pintura, en el trasfondo, el paisaje montañoso y el zócalo no pueden ser otros que los del valle de Oaxaca.

13. Una belleza digna de contemplar

Después de analizar y comprender el papel de las restauraciones de los templos en la vida de Rodolfo, podemos entender por qué ahora, a sus setenta y tantos años, siente más pasión por estos trabajos que por su pintura. Las iglesias que ha reconstruido permanecerán mucho tiempo más que aquellas que ha ejecutado con sus pinceles. Pero hay algo más en estos proyectos de preservación; algo psicológico, emotivo y estrechamente ligado a la compra de las casas históricas de la ciudad de Oaxaca. Es como si su propia existencia dependiera de la preservación de esta expresión tan única del carácter mexicano. Aunque algunos artistas compatriotas suyos comparten un vínculo espiritual con su país, el alma de Rodolfo, en especial, parece personificar la arquitectura del pasado tanto como su pintura.

En la ciudad de Oaxaca perduran los faroles y la impresionante arquitectura colonial que le pareció tan llena de magia cuando la visitó de niño. Quienes llegan ahí concuerdan en que es una de las ciudades más encantadoras y culturales de México. Comprar algunos de los edificios más bellos de Oaxaca es un giro poético para alguien cuya familia nunca fue invitada a esas casas, pero también revela algo acerca de la necesidad de Rodolfo de definirse a sí mismo a través de un espacio físicamente delimitado.

Luego de que la fundación adquirió la casa de Murguía, en 1998 se compró y renovó otra casa en la avenida Independencia, cerca de la iglesia de La Soledad. Ésta suele usarse para recibir y albergar a coleccionistas de arte y otros invitados que llegan con el fin de visitarlo y comprar su obra. Para fines del siglo xx, ya habrá completado y remozado una tercera casa frente al dorado templo de Santo Domingo. De todos los sitios en la ciudad, Rodolfo escogió para montar su estudio, la casa con la mejor vista de las montañas, del cielo y particularmente del claustro, identificado por el dominico inglés Thomas Gage como "excesivamente rico, con una iglesia que vale millones". El estudio mira hacia las cúpulas de la iglesia adornadas con mosaicos que de noche se iluminan como un templo árabe. Y aunque no haya sido él quien restaurara Santo Domingo, disfruta de la vista del templo mientras pinta en su estudio todas las tardes.

La reputación de Rodolfo en el ámbito nacional le ha dado el privilegio de poder hacer algo más que contemplar "la estructura barroca más suntuosa de México". Ha logrado acogerse al esplendor del pasado y al mismo tiempo puede darse el lujo de recrear su amor por el teatro. Cuando lo desea puede sentarse en primera fila cada vez que hay un evento de importancia en la iglesia. El complejo de Santo Domingo está más imponente que nunca gracias a la magnífica restauración y recuperación del ex convento. Años antes, Rodolfo y otros artistas apoyaron a Francisco Toledo en la protesta que se organizó en contra de que se convirtiera en hotel.

Financiado por el estado y la iniciativa privada —Banamex fue uno de los principales benefactores—, el ex convento es ahora museo y centro cultural con tesoros precolombinos de valor incalculable y objetos de oro provenientes de las ruinas del gran centro zapoteca, Monte Albán. Sus paredes de piedra albergan una biblioteca de gran valor y objetos religiosos y de guerra, indígenas y españoles.

La inauguración del centro cultural en el verano de 1998 fue un acontecimiento cultural al que Rodolfo asistió como invitado especial. Diferentes personalidades, incluyendo a los gobernadores de diez estados de la República y encabezadas por el presidente de México, Ernesto Zedillo, asistieron a la gran gala.

Los discursos de bienvenida se demoraron debido a un pequeño contratiempo relacionado con el incomparable Francisco Toledo. De forma deliberada o accidental, lo excluyeron de la lista de aquellos a quienes se daría el reconocimiento por haber hecho posible la restauración. Algunos artistas y otros simpatizantes incluso habían boicoteado la inauguración en apoyo al artista, hecho a un lado por la estructura de poder.

Toledo apareció, renuente, al último minuto, vestido como acostumbra con sus sandalias indígenas, calzón de manta y camisa blanca. El presidente Zedillo se refirió con aprecio a él varias veces durante su discurso, con fuertes aplausos de parte del público cada vez que lo mencionaba. Pero, tan pronto como el presidente concluyó, y mucho antes de que todos entraran al templo para escuchar el concierto estelar, Toledo se esfumó.

La velada organizada después por Nancy Mayagoitia para su querido artista resultó un éxito para Rodolfo, así como el evento anterior constituyó casi un insulto para Toledo. Lo festejó con una magnífica cena en su galería *Arte de Oaxaca.* Pequeñas veladoras brillaban como estrellas en la escalera que lleva a la planta alta de la galería, donde había una mesa que se desbordaba con flores frescas. Entre los invitados estaban destacados políticos, amigos y coleccionistas de Rodolfo. Entre otros se encontraban ahí José Murat, quien pronto sería el nuevo gobernador del estado, un periodista francés que había escrito favorablemente sobre Rodolfo, el arquitecto Esteban San Juan y Manuel Serrano, el maestro restaurador de pinturas del siglo XVI. Como el esposo de Nancy estaba en campaña por la presidencia del Ayuntamiento de la ciudad, la tensión política era casi tan palpable como lo fue la excitación artística que prevaleció durante el evento en Santo Domingo.

Mi esposo y yo éramos los únicos invitados que no hablaban español, y varios coleccionistas tuvieron la gentileza de charlar conmigo en inglés acerca de su relación con Rodolfo. Mauricio Fernández, miembro de una de las familias más prominentes de Monterrey y del Congreso, vestido con una camisa indígena de manta blanca bordada, habló sin pretensiones de los años que tiene de conocer a nuestro artista, y de cómo empezó a coleccionar su obra. Según él, las primeras pinturas que compró en la galería de Estela Shapiro en la Ciudad de México son superiores a los óleos recientes. Hojeamos un ejemplar del libro que editó el gobierno de Veracruz hace unos años, con su obra y me enseñó las pinturas que datan de fines de los 70 a la mitad de los 80, las cuales son propiedad de su familia. Me mostraba los detalles, las múltiples imágenes y las complejas escenas que caracterizan su obra de esos años. "Hoy está pintando demasiado rápido", dijo. Miró al otro extremo de la mesa, donde Rodolfo se encontraba sentado entre Esteban San Juan y Elba Esther Gordillo, prominente senadora por Chiapas. Su voz era sorpresivamente suave y gentil, considerando el contenido crítico de sus palabras. Piensa que Rodolfo ha "perdido" algo porque ahora parece más interesado en vender su pintura para financiar los proyectos de restauración que por el acto de pintar en sí.

No cabe duda de que muchos de los bellos óleos que Mauricio me enseñó tenían más detalles que las pinturas actuales que viera en sus dos estudios. Pero, ¿en realidad, se había perdido algo? Vino a mi mente una historia que me contó Rodolfo de su primera visita a Italia: "Cuando entré a la biblioteca del Vaticano, encontré lo que había buscado toda la vida en mi trabajo".

Los frescos de los magníficos edificios italianos estaban pintados de tal manera que se mezclaban con sutileza con la arquitectura que los rodeaba. Los pintores renacentistas italianos, en su forma de usar el espacio, lograron lo que reconocía que, de algún modo, le faltaba a sus composiciones. Las ventanas y los arcos de las puertas estaban decorados con diseños a su alrededor, por lo que la extensión determinaba la clase de pintura que llenaba el cuarto. Habiéndolo entrevistado durante un buen tiempo ya, habiendo visto sus restauraciones de los templos, podía entender la intensidad física de lo que intentaba describir.

Le era necesario involucrarse con la arquitectura; podríamos decir que estaba obsesionado por ella. Le pregunté si le interesaba la historia de los dominicos, cómo y por qué construyeron las bellas iglesias que restauraba y dijo: "No". Lo que le fascina son los aspectos estéticos de las construcciones mexicanas tan únicas, que están ahí gracias a la destreza de los maestros canteros indígenas. Los densos diseños, la rica ornamentación y los detalles de las texturas ejecutados por estos desconocidos artesanos, parecen compartir vitalidad y energía con las pinturas de Morales.

Puede decirse que la arquitectura y el arte mexicanos actuales están obsesionados con el tratamiento y la transformación especiales de las superficies. Esto se hace más evidente en Oaxaca, donde muchos artistas contemporáneos cubren sus telas con el tipo de textura áspera con la que Rodolfo ha pintado desde que empezó a hacerlo en 1950. En 1999 era indudable que Rodolfo aplicaba el óleo más aprisa y creaba escenas mucho más simples para poder financiar su pasión por la arquitectura. Pero, en vez de criticar este comportamiento, sería más justo considerar sus actos como un capítulo más en la vida extraordinaria que ha llevado para hacer lo que más ama.

Las iglesias que han sido preservadas por su fundación tal vez no estén llenas de oro, pinturas de ornato o tallas en piedra, como las de Santo Domingo, y quizá tampoco sean visitadas por gente notable o miles de turistas. Pero es prematuro predecir si llegarán a ser igualmente importantes en su propia forma. Cuando Rodolfo escoge una iglesia para restaurarla, usualmente la razón es que tiene un detalle arquitectónico excepcional: la cúpula, el asombroso número de altares, o un fresco particularmente complejo. Cualesquiera que sean las razones, la selección es puramente estética, no histórica.

Es el espacio arquitectónico en sí lo que le resulta tan atractivo. En su pintura, el espacio siempre juega un papel importante. El espectador tiene la clara impresión de estar viendo desde el quicio de una puerta, desde una ventana o desde un portal. También la perspectiva, aunque técnicamente incorrecta, crea siempre una sensación de expansión, de profundidad, algo parecido a lo que se siente al entrar a un espacio grande, como el de una iglesia.

Hasta los interiores que pinta Rodolfo parecen estar siempre abiertos, con puertas y ventanas por todos lados. Nunca provocan la sensación de encierro o restricción. Quizá sea porque el mismo Rodolfo ha necesitado siempre de espacio para respirar, libre de las restricciones que otra gente intenta imponerle.

Pero, más allá de las cuestiones estéticas, Morales no exagera al decir que con la restauración de sus iglesias le está devolviendo su herencia a los indígenas. En cada pueblo, procura hacer participar al mayor número de gente posible, en parte por el beneficio económico que esto representa, y en parte para reforzar en ellos el sentimiento de que el proyecto de restauración es de su propiedad. Siempre hay un encargado de cada proyecto local. El arquitecto San Juan requiere de una persona para que vigile el trabajo que se va haciendo. Esteban dice que él se encarga de ver que todos los detalles estén perfectos, en tanto Rodolfo verifica la belleza del proyecto.

Para comprender la magnitud del regalo del pintor a su tierra natal, es necesario entender cómo y por qué se construyeron las iglesias barrocas en Oaxaca. Los dominicos que llegaron al sur de México hacia 1526 para encargarse de la conquista espiritual del país, eran un grupo de monjes muy ambiciosos. En su excelente libro *Los monasterios fortalezas en México*, Richard Perry identifica al estado de Oaxaca como "el teatro principal de la conquista espiritual". Pero pocos clérigos eran tan ambiciosos como cierto obispo Maldonado, que gastaba sin dificultad el dinero de la iglesia en cosas tangenciales que tuvieran un efecto espectacular.

En este caso, se trataba de iglesias y monasterios. El convento era una parte esencial de cada complejo, por ser la residencia de los frailes y el corazón político y social de cada pueblo.

Lacerando el cielo azul de Oaxaca como el puño de una nueva deidad, las iglesias eran como la propia Oaxaca: algo especialmente bello para contemplar. Muchas tenían techos de madera, tallados con ornamentos y decoraciones y ocasionalmente grabados con diseños geométricos. Escenas religiosas e imágenes de santos adornaban entradas, ventanas y techos. Columnas retorcidas y cornisas curvas rivalizaban con los intrincados nichos en los que se instalaban pinturas y estatuas. La hoja de oro y los frescos de colores vivos eran tan excesivos como fuera posible. Según Perry, los dominicos, a la inversa de los austeros franciscanos que evangelizaron el norte de México, construían tan prodigiosamente y gastaban tanto que eran criticados por su "incontrolable extravagancia".

Sus proyectos eran patrocinados en parte por las nuevas industrias de la seda y la grana cochinilla que llegaron a ser más lucrativas que las exportaciones de plata a Europa. (La grana cochinilla es un parásito de un tipo específico de nopal que durante siglos ha servido para obtener tintes rojos con los que se tiñen hilos y estambres usados en el tejido de tapetes y ropa. Durante la Colonia, su gama extraordinaria de coloraciones en rojo se puso muy de moda en el Viejo Mundo.)

Sus templos fueron una mezcla única de características indias y europeas. Octavio Paz los llama "un ejemplo sublime" de cómo en México se le dio una nueva identidad a las estructuras europeas. Ningún detalle arquitectónico era demasiado difícil para los descendientes de las avanzadas civilizaciones mixteca y zapoteca, cuyos logros artísticos y culturales continúan hoy asombrando a los arqueólogos. Esta arquitectura sublime capturó e inflamó las pasiones de Rodolfo cuando visitó por primera vez la ciudad de Oaxaca. Nunca olvidó los elegantes templos que parecían casi luminosos con su piedra verde de tonos dorados extraída de las canteras locales. La construcción de iglesias fue el resultado de una rara sociedad entre los conquistadores y conquistados, quienes indistintamente miraban al cielo para inspirarse. Como no había ni dirección ni precedente de lo que españoles e indios se propusieron hacer, estaba garantizado que los resultados serían sorprendentes.

Los materiales utilizados fueron los que estaban disponibles en la localidad. Por eso, a menudo las iglesias se construyeron sobre los templos ceremoniales que se encontraban ahí antes de la conquista, y se usaron piedras de las estructuras derruidas, como es el caso de Santa Ana Zagache. Cuando se usaban nuevas piedras, la destreza de los canteros fue uno de los aspectos más atractivos de los monasterios; transformaron la piedra en verdaderas piezas de arte. Las superficies de las piedras finamente pulidas ayudaron a resaltar el detalle arquitectónico y la calidad escultural de las bóvedas y naves.

Todo se interpretaba a través del filtro religioso que forzó a la gente a cambiar a un grupo de dioses por un solo dios y los santos que lo acompañan. La Virgen María, en sus muchas formas mexicanas, ocupó rápidamente un lugar prominente en las iglesias indígenas. Los prácticos dominicos respaldaron la metamorfosis espiritual de sus indígenas conversos. Los murales eran un aspecto especial. Pese a que en los murales precolombinos predominaban mitos ancestrales, los frailes permitieron a los artistas indígenas hacer uso de su amor por el color, siempre y cuando se atuvieran a las imágenes bíblicas.

Para fines del siglo XX la mayoría de estos murales habían sido cubiertos, pero cuando Rodolfo empezó con los proyectos de restauración, descubrió muchos ejemplos bajo las capas de pintura blanca. Debido a que los conventos no se diseñaron para inspirar reverencia o adoración, nunca fueron tan elaborados como las iglesias. Pero también tenían muchos frescos y rara vez eran pobres en belleza o sustancia.

La forma de arte representada por las iglesias coloniales en el estado de Oaxaca puede considerarse un documento histórico y un ejemplo del genio artístico que brotó a la superficie desde lo más profundo del subconsciente. Abandonadas por generaciones en los pueblos cercanos a la ciudad de Oaxaca, las iglesias que Rodolfo está restaurando han sido revaloradas por su herencia histórica, cultural y artística.

Los elaborados altares, las pinturas y estatuas de santos y líderes de la iglesia proveen una visión única de una era que ha desaparecido. Al igual que las frágiles hojas de un libro viejo leído por una generación en extinción, los edificios que una vez fueran el orgullo de los dominicos se caían a pedazos. No había dinero de la Iglesia, del gobierno estatal o del gobierno federal para preservarlos. De no ser porque Rodolfo empezó las restauraciones, un importante capítulo en la historia y la cultura de su gente se habría desintegrado.

En el verano de 1998 fui invitada a Santa Ana, un pequeño pueblo con una iglesia barroca espectacular, a una celebración especial. Dos de las pinturas religiosas que Rodolfo descubriera en la iglesia, restauradas en la Ciudad de México por Manuel Serrano —quien había recuperado ya cinco pinturas en el ex convento de Ocotlán—, serían develadas en la iglesia, con la asistencia de mucha gente de importancia para el proceso de restauración.

Al recorrer el pueblo, observé que estaba remozado: las cercas de carrizos frescos indicaban que acababan de ponerlos. El cambio apenas alcanzaba a percibirse. Rodolfo dijo: "Los habitantes están orgullosos de lo hecho en la iglesia. Ven que hay interés en este trabajo. Están muy contentos".

En la pared del enorme atrio, florecían los arbustos plantados por Rodolfo. La pared, hecha con adobe donado por el pueblo, también estaba terminada y pintada de blanco con cal. En el atrio se instaló una mesa a la sombra de un viejo árbol, decorada con manteles de papel picado blanco, vasos con flores blancas y sillas plegables de metal a ambos lados. Colocadas a unos cuantos metros, había también filas de sillas destinadas para el auditorio.

Rodolfo esperaba sentado en una de las sillas, acompañado de una mujer muy guapa con el cabello plateado recogido hacia atrás, al estilo mexicano. Dos hombres jóvenes, vestidos con camisas informales, se encontraban sentados al otro lado de Rodolfo. Me recibió con el ligero beso en la mejilla que yo había anticipado con placer, y me presentó a sus acompañantes.

La mujer era Elisa Vargas-Lugo, una notable historiadora de arte que hablaría del valor histórico de las pinturas restauradas. Uno de los hombres era el presidente municipal. Nancy Mayagoitia llegó y me explicó en inglés algunos detalles. El gobernador de Oaxaca había sido invitado, pero llamó por teléfono desde Monterrey para disculparse porque no podría llegar. (El hecho de que ese día jugaba México contra Corea en la Copa Mundial de Futbol fue una coincidencia notoria.)

Contratada por Rodolfo, la banda de música del estado afinaba sus instrumentos. La gente de Santa Ana empezó a aparecer en el atrio y a ocupar las sillas colocadas para el auditorio. Muy callados, sus movimientos eran suaves y casi tímidos. Esteban San Juan se presentó con Manuel Serrano.

Llegó la prensa: muchos fotógrafos y cámaras de televisión. Los reporteros entrevistaron a todos los involucrados en el proyecto y tomaron muchas fotografías. El color lo dieron las jovencitas que estaban haciendo la restauración de los frescos dentro de la iglesia, vestidas a la usanza regional: falda de colores y huipil bordado con el pelo trenzado con listones y flores.

Era un ambiente perfecto. La banda tocó. Una leve brisa acariciaba a los que estábamos sentados a la sombra del enorme árbol. Todos los importantes —menos Rodolfo— dijeron unas palabras. La historiadora de arte explicó que las pinturas estaban entre los mejores retratos dominicos del siglo XVII encontrados en México, incluyendo el dorado Santo Domingo en la ciudad de Oaxaca. Aunque su auditorio estaba compuesto predominantemente por zapotecos y mixtecos, nunca los hizo menos en su discurso.

Como las pinturas no estaban firmadas, dijo, continuaría estudiándolas para determinar la identidad del artista. La primera era de un dominico vestido dramáticamente con el hábito negro; su pose digna indica su importancia. Santo Domingo, uno de los santos más importantes en España, aparece en la segunda. Un toque interesante es el retrato de la persona que encargó la pintura, el cual se encuentra abajo, del lado izquierdo. Su piel oscura lo identifica como indio y tiene que haber sido alguien de posición económica desahogada como para poder dar tal regalo a la iglesia. Nancy develó ambas pinturas en un cuarto adjunto a la iglesia que sirve como pequeño museo.

Las breves palabras del presidente municipal fueron conmovedoras. En un español tan simple que pude entender casi todo lo que dijo, expresó la profunda gratitud de su pueblo hacia Rodolfo por lo que ha hecho por ellos. Yo observé a éste, que se encontraba en su elemento. Con el cuerpo muy quieto, parecía completamente en paz. Estaba donde pertenecía. Sonreía a menudo y cuando era necesario, murmuraba con suavidad dando instrucciones al grupo de personas que siempre está con él en eventos como éste: su sobrino Alberto Morales, el director del Centro Cultural de Ocotlán, Adán Alberto Esperanza, o Esteban San Juan, su arquitecto.

Después de los discursos, se formó un río de mujeres para darle a Rodolfo sus regalos: gallinas vivas, huevos frescos, canastas, tenates enormes con tortillas y flores. Algunas lo abrazaron. Él sonreía gentilmente y susurraba palabras de agradecimiento. Luego se sirvió una comida especial.

El pintor y sus invitados se reunieron alrededor de la mesa bajo el árbol, en tanto las mujeres del pueblo servían una bebida hecha de maíz, llamada "tejate", en jícaras brillantes que se sostienen con ambas manos.

Lo mejor fueron los tamales envueltos en hoja de plátano y cocinados a la perfección. Al fondo, la banda tocaba mientras los invitados consumían incontables cervezas frías, comían y charlaban con alegría. Fue extraño que las mujeres de Santa Ana nos sirvieran, mientras el resto del pueblo nos miraba, sentado en las sillas. Pero Nancy me dijo que era "un gran honor" para ellos poder agasajar a Rodolfo, a sus amigos y a los invitados importantes de la Ciudad de México.

Nuestro artista me comentó que aún quedaba mucho trabajo por hacer en Santa Ana:

> La iglesia es todo lo que tienen. Quiero dejárselas otra vez bella y fuerte. Todos se juntan en la iglesia, ricos y pobres. Vamos a restaurarla de la mejor manera posible para que vuelva a quedar sólida.

Mencionó que la restauración no sería tan cara como la del ex convento de Ocotlán, pero por la magnitud del proyecto, el tamaño de la iglesia y su deterioro, me pareció que requeriría millones de dólares. Por ser una de las iglesias más importantes en el valle de Oaxaca, la fundación tiene planeado invertirle dinero y atención.

Al terminar el proyecto, Rodolfo cree que llegarán más visitantes a Santa Ana y a los otros pueblos cuyas iglesias se han restaurado. Si su visión se hace realidad, Santa Ana en particular llegará a ser parte de un corredor turístico que ya incluye a Oaxaca y Ocotlán. Actualmente, la carretera principal entre ambos lugares pasa por el pueblo de San Bartolo Coyotepec, donde se hace la cerámica de barro negro y se bifurca en caminos aledaños que llevan a los pueblos en los que se tallan los animales de madera, como San Martín Tilcajete.

Esteban describe la visión del pintor:

> Estamos involucrados en toda una manera de vivir, eso es más grande que la fundación o que las pinturas de Rodolfo o que la sola restauración de los templos del siglo XVI, con todo y lo importante que son estas cosas. Creo que hay una crisis en México en términos arquitectónicos. Demasiados arquitectos están arruinando pueblos enteros con la construcción de edifi-

cios modernos que no se integran a las raíces indígenas del área. Destruyen los centros históricos de los pueblos en aras de la modernidad.

Rodolfo y Esteban concuerdan en que en México "nuestras raíces y nuestra identidad están intrínsecamente ligadas a nuestra arquitectura". Según el primero, la arquitectura será responsable de crear el suficiente orgullo para mantener a la gente en sus pueblos, ayudando así a mantener su identidad.

A la larga, los pueblos tendrán más ingresos por la arquitectura. Ambos esperan que la fundación pueda promover los aspectos únicos de la arquitectura mexicana, demostrando que los materiales naturales de la zona tan magníficamente usados por los constructores del siglo XVI, pueden utilizarse en las construcciones de hoy. Hay ejemplos que pueden ser vistos y analizados de cerca por los visitantes de las iglesias.

Los trabajadores y artesanos empleados por la fundación usan dos tipos de ladrillo para construir las paredes térmicas que duran para siempre. Las construcciones respiran con el clima y el paisaje. Los materiales mantienen las casas frescas en la época de calor y tibias cuando enfría. Parece ser que estos ladrillos tan populares se originaron con los mayas. El primero es el adobe, el ladrillo simple de lodo que se seca al sol. El segundo, llamado tabique, es una mezcla de arcilla y tierra especial. Para el acabado satinado del interior de las paredes de las iglesias se usa una mezcla de baba de nopal con cal.

He visto también al maestro artesano dar forma y moldear los marcos de las puertas de la casa que Rodolfo está renovando en avenida 5 de Mayo, en la ciudad de Oaxaca. El cemento se vacía en moldes hechos a mano y se va amoldando a las curvas y ángulos mientras aún está fresco. Una vez seco, se pinta del color deseado. Los proyectos de restauración de Rodolfo han atraído a artesanos capaces de esculpir la madera para hacerla encajar en los espacios de las construcciones de los siglos XVI y XVII y de reproducir los diseños que no se han usado durante cientos de años.

En los otros pueblos se lleva a cabo un trabajo igualmente valioso. Por ejemplo, San Pedro Tabiche, una de las poblaciones más pobres apoyadas por la fundación, es también la que mejor ha respondido, según Rodolfo. Aunque su iglesia es mucho más pequeña que la de Santa Ana, la fundación "mantiene al pueblo vivo" con eventos culturales y ecológicos.

Por primera vez en la historia de San Pedro Tabiche, la gente escuchó una orquesta, por cortesía de Rodolfo, quien llevó hasta allá a la Orquesta Sinfónica de Oaxaca. Fue toda una experiencia para los músicos que nunca antes habían tocado frente a un público que no sabía que existieran sus instrumentos. "Cuando se tocaba una pieza de música", dijo Rodolfo, "la gente no sabía cómo aplaudir."

Esteban me contó que cuando terminaron el proyecto de restauración de San Pedro, sus habitantes lloraron. La respuesta del pintor fue también muy emotiva. Las muestras de aprecio por algo que él ama tanto le afectaron profundamente. Enriqueció sus vidas de la misma manera en que la suya se enriqueció cuando descubrió la música, la arquitectura y el arte.

La iglesia de San Pedro nunca se terminó y estaba a media construcción cuando Rodolfo la incluyó como uno de los proyectos de la fundación. El descubrimiento que hicieron los españoles de oro y plata suspendió la construcción. Al darse cuenta de la riqueza de las minas, los conquistadores forzaron a los hombres a trabajar en ellas, casi como esclavos. Durante un cierto periodo, de ciento cincuenta hombres que trabajaban en las minas, sólo cincuenta sobrevivieron.

Rodolfo, mostrando una cara diferente de su versátil personalidad, decidió explorar con Esteban una de las minas abandonadas. Siempre ha sentido una curiosidad enorme por el mundo. Los viajes que ha hecho, los libros que ha leído, las producciones teatrales y musicales que han alimentado su alma, todo ello contribuye a explicar la clase de hombre que es. Su inspección de la mina desolada le facilitó entender al pueblo en el que trabajaba la fundación.

En nivel superficial, las historias pueden parecer ajenas a los proyectos de restauración de la fundación, pero ayudan a explicar los templos en sí y los colocan en una perspectiva cultural más amplia que la arquitectura del siglo XVI. Los arqueólogos que han llegado a Santa Ana debido a la restauración del templo descubren cosas rara vez vistas, por ejemplo, las bardas de cactus y carrizo. Las repercusiones del trabajo de restauración pueden llegar, a fin de cuentas, mucho más allá de lo que Rodolfo o cualquier otra persona de la fundación pueda haber anticipado.

Como arquitecto, Esteban San Juan está satisfecho. Cree que cuando los arquitectos mexicanos descubran sus raíces y tradiciones entenderán mejor la contribución tan importante que pueden hacer. Rodolfo piensa que conocer la historia de un lugar puede ser un ejemplo estimulante para otra gente en cualquier parte del mundo. Esto plantea a la fundación una tarea educativa bastante mayor que la de restaurar iglesias históricas. Muchas organizaciones internacionales quieren intercambiar información y saber más de las actividades de la Fundación Rodolfo Morales.

Al escribir este libro, no está claro aún cuál será el paso a seguir por la fundación. El trabajo de restauración depende únicamente de la venta de la pintura de Rodolfo, quien se niega a aceptar fondos del gobierno; la iniciativa privada puede ser la única fuente de ingreso para proyectos futuros.

Es difícil creer que el ingreso por la pintura de un solo artista haya logrado financiar los proyectos realizados entre 1992 y 1999. Como el artista quiere que el trabajo continúe después de su muerte, ha discutido con Esteban las distintas formas de evitar que haya "problemas" con su familia cuando él muera. En Oaxaca, las herencias pueden causar todo tipo de conflictos, pero Rodolfo cree que, además de los regalos que ha especificado en su testamento, ya les ha dado suficiente a sus parientes cercanos como para que no haya ningún conflicto.

> Algunas veces ha habido dificultades con amigos o familiares que no entienden la importancia de hacer un testamento o asegurar a la fundación en relación con las propiedades de Rodolfo en obra de arte e inmuebles. Cuando él muera, las pinturas que no se hayan vendido, así como las casas a su nombre, pasarán a ser propiedad de la fundación.

Le pregunté si Rodolfo es ingenuo con sus amigos. Respondió:

> Es muy bondadoso y ellos pueden abusar porque no entienden realmente a la fundación. Cuando lo hagan, van a apasionarse tanto como nosotros. En el caso de varios artistas muertos ha habido muchos problemas. Por eso todo debe planearse con tiempo. Y es algo que Rodolfo comprende a la perfección.

Los allegados al pintor lo han urgido a descansar, a no trabajar tanto, a ser menos estricto con los ingresos de la fundación. Pero el trabajo le gusta y la idea es que ésta llegue a ser autosuficiente económicamente. El dinero tendrá que llegar por otros medios. Desde luego, siempre es posible que el valor de su pintura siga subiendo. En febrero de 1999, el valor promedio de un óleo pequeño era de dieciséis mil dólares.

La casa del siglo XVII que tiene Rodolfo en Ocotlán alberga el centro cultural cuyo objetivo es ofrecer a los niños y jóvenes de ese y de otros pueblos cercanos el acceso a la educación y la cultura. En tanto que ésta ha sido siempre la meta de Rodolfo, los medios para lograrla han ido creciendo. Los objetivos educativos se alcanzaron inicialmente con una biblioteca de más de mil quinientos libros en un cuarto enorme al frente de la casa. Nancy Mayagoitia ayudó a comprarlos asegurándose de obtener el mejor precio de las editoriales.

Rodolfo, que ama la lectura y está familiarizado con la mejor literatura del mundo, rápidamente descubrió que la gente joven de su pueblo no compartía su pasión por la palabra escrita. Expresó a Nancy su frustración y desilusión porque su casa no estaba llena de gente leyendo en la biblioteca, y ésta lo instó a que no abandonara sus metas educativas. Le sugirió que hiciera la prueba con algo más contemporáneo, más tecnológico: crear un laboratorio de computación en Ocotlán. Con recursos de la fundación le ayudó a comprar suficientes computadoras para empezar. El centro de cómputo se encuentra en la parte de arriba de la casa, en uno de los espaciosos corredores y cerca del estudio en el que él pinta cada mañana.

Hasta fechas recientes, los visitantes que llegaban sin anunciarse queriendo ver al famoso pintor oaxaqueño podían caminar por la casa sin vigilancia, entre computadoras y pinturas de gran valor. Ahora, estas visitas se han restringido porque ya llegaba demasiada gente y las viejas computadoras han sido reemplazadas por modelos más nuevos y caros. En 1999, había treinta de estas máquinas con la tecnología más moderna, con base de datos para investigación y otros propósitos educativos. Los usuarios se han multiplicado desde 1996. En 1998, casi tres mil jóvenes hicieron uso de ellas.

A Rodolfo le gusta destinar la ganancia de ciertas pinturas al pago de proyectos específicos, aunque todo lo que ingresa por la venta de su trabajo, entra a la fundación y vuelve a salir. Por ejemplo, designó dos pinturas para pagar las nuevas computadoras. Es una forma de personalizar las ventas. Muchos de los compradores de su obra se sienten complacidos al saber que lo que pagaron servirá para beneficiar en concreto a un grupo de estudiantes.

Al igual que el laboratorio de cómputo, en los últimos años ha aumentado el uso de la biblioteca, cuyo número de lectores se duplicó a cinco mil personas entre 1996 y 1998. Como esperaba Rodolfo cuando inició el centro cultural, cada vez más gente joven consulta los libros. Hay ahora un nuevo sistema de clasificación y un plan para la restauración de los ejemplares dañados.

Se han designado fondos específicos para mantener al día la biblioteca, para contar con instructores en informática, para el cableado de las computadoras y para extinguidores. Aunque en 1999 no había planes para conectarse a Internet, la fundación espera poder crear una página en la Red para que un mayor número de gente se entere del trabajo que desarrollan. A pesar de la insistencia de nuestro artista en preservar el pasado, las actividades actuales reflejan que está consciente de que no puede ignorarse la tecnología del futuro. Esto lo refleja una fotografía reciente de él, con los audífonos puestos frente a una computadora.

Algo que le agrada tanto como la educación son los eventos mensuales patrocinados por el centro, sin costo alguno. Hay conciertos, exposiciones artísticas, conferencias, funciones de cine y representaciones teatrales, todos seleccionados por Rodolfo y pagados por la fundación. Conforme se terminen las restauraciones de las iglesias en los pueblos aledaños, los conciertos y exposiciones encontrarán foros nuevos.

En un calendario anual pueden incluirse conciertos de piano, recitales de cantantes conocidos, cuarteto de cuerdas, una obra de teatro para el "Día del Niño", una serie de películas clásicas de Charles Chaplin, un concierto de la Orquesta Sinfónica de Oaxaca, uno de banda, la sinfonía de algún joven compositor y hasta una conferencia de yoga.

A estos eventos culturales se invita a ciudadanos distinguidos y gente célebre de Oaxaca o de la Ciudad de México.

En el boletín informativo de 1999 de las actividades del centro cultural hay una fotografía de la iglesia que Rodolfo restauró en Ocotlán. Brillantemente iluminada, su fachada azul y blanco como de cuento de hadas resplandece con la luz estratégicamente colocada. El paseo que lleva a la iglesia está bordeado de sauces llorones. En el atrio se encuentra la orquesta sinfónica, todos vestidos de negro, listos para tocar piezas de Stravinsky o Beethoven para un auditorio que nunca había escuchado música clásica hasta que Rodolfo empezó a invitar a los músicos a su pueblo.

Ocotlán, un pueblo tan falto de cultura y educación que la llegada del tren cada semana se convierte en un suceso, ya no es el mismo lugar en el que el pintor nació en 1925. Por sí solo, él ha logrado al mismo tiempo preservar y cambiar la vida de su pueblo. Aun así, esa preservación del pasado, así como la Fundación Rodolfo Morales misma, existe únicamente porque él tuvo el coraje de decir: "Yo soy". Como dice Dora Luz Martínez: "La belleza del trabajo de Rodolfo se concreta en una simple afirmación... la afirmación de la vida".

Mientras el mundo avanza hacia el nuevo milenio, Rodolfo parece más activo que nunca: planea conciertos, concede entrevistas, viaja a Estados Unidos, explora minas de oro y plata, negocia con un director de cine, se traslada a diario a Oaxaca a trabajar. Ciertos días era difícil seguirle el paso. Recordé mi conversación con Elisa Vargas-Lugo, después de la develación de las pinturas en la iglesia de Santa Ana.

Ella estuvo de acuerdo en que la preservación de las pinturas y la de las iglesias son una manifestación de la misma cosa: el interés por el pasado y las tradiciones de un pueblo. Haciendo eco a las palabras de Rodolfo, su arquitecto me dijo una y otra vez: "Hemos alcanzado el corazón de la gente al preocuparnos por conservar sus templos". Elisa comentó que sería maravilloso si hubiera más gente que hiciera lo mismo que Rodolfo para preservar la historia y la cultura de su país. Yo comenté que a mí me parecía que el propio trabajo de Morales es un reflejo del alma de México. Mi interlocutora me miró a los ojos y me dijo: "México tiene muchas almas. ¿Tú crees que tienes la capacidad de entender a este país lo suficiente como para escribir de todo esto?"

Pensé mucho tiempo en su pregunta. Sabía que intentar entender a México era como pelar una cebolla: se le quita una capa sólo para descubrir que hay otra y otra y otra. El pasado abre camino al presente, que a su vez abre camino al pasado hasta que se encuentra uno atrapado en el tiempo mexicano, que cambia constantemente. Por desgracia yo descubrí que algunas cosas nunca cambian.

En pleno siglo XX se libran batallas ancestrales entre dos pueblos. San Antonino, al que Rodolfo recuerda de su infancia por las magníficas frutas y verduras que sus moradores llevaban al mercado de Ocotlán, tenía problemas. En la cima de su carrera, en medio de sus proyectos de restauración, el hombre que hizo famoso a Ocotlán con su pintura, se encontró implicado en la controversia. Sin advertencia previa, se convirtió en la voz defensora de San Antonino, el lugar que su pueblo había decidido odiar. El artista y filántropo tuvo que representar un nuevo papel; uno relacionado con los políticos, justo las personas a las que él procuró mantener alejadas.

14. La política puede arruinar el arte

A fines de 1997, cambió dramáticamente una tradición que perduró en Ocotlán durante generaciones: se les avisó a los habitantes del pueblo cercano de San Antonino que ya no podrían vender sus productos en el mercado de los viernes. "Tenemos problemas con San Antonino", decía la gente de Ocotlán en tono amenazador. Existían diferentes opiniones acerca de la causa, la cual era muy ambigua. Pero seguramente los indígenas hicieron algo muy malo para que los sacaran del mercado, provocando que se pudrieran sus productos y privándolos de su forma de subsistencia. Oculta tras una máscara de armonía y buena voluntad, la líder del mercado, una mujer con un cargo de tintes políticos, usaba su autoridad en una lucha por el poder y por ver quién podía conseguir más ingresos. Y al hacerlo, se castigaba al grupo indígena por haber logrado la prosperidad.

Poco a poco, Rodolfo fue sintiendo la fuerza de su propia autoridad, lo cual le dio la confianza para realizar algo poco común en él. En una conferencia de prensa con los periódicos locales, rompió el silencio que acostumbra guardar en lo referente a asuntos políticos y protestó en contra de las acciones de la líder. Dijo que no importaban las razones que se manejaron para sacar a los indígenas del mercado, pero que eso era discriminación racial. En tanto que sus palabras eran producto de su propia interpretación de los hechos, contenían la suficiente verdad como para llamar la atención fuera de la localidad.

Con esta expresión pública de indignación, Rodolfo dio un paso gigantesco al asignarse un nuevo papel como defensor de la justicia y la igualdad en Oaxaca. Fue una reacción insólita por parte de un hombre que se comunicaba sólo a través de sus pinturas y cuya timidez e introversión eran legendarias. No obstante, en sus antecedentes figuraba la protesta que hiciera años atrás en lo que la prensa llamó la "huelga de los pinceles caídos", cuando en la Ciudad de México se rehusó a permitir que le quitaran sus clases de dibujo. Dio otro paso en esta dirección al escribir una carta pública al presidente municipal, protestando por el trato humillante e injusto de que fueron objeto él y otros pintores a manos de la policía y el juez local.

Durante los meses siguientes a la protesta pública contra la discriminación del pueblo de San Antonino, se escribió un gran número de artículos acerca de los puntos de vista del hombre a quien todos llamaban "el Maestro" Morales. Las entrevistas de los periódicos y revistas ya no se limitaban a hablar de su trabajo como pintor o como filántropo. Sus antecedentes, su niñez en Ocotlán, su educación en la Ciudad de México, el lanzamiento de su carrera apoyado por Rufino Tamayo, y hasta las restauraciones de las iglesias, empezaron a pasar a segundo término. Lo que el público escuchaba cada vez más eran los puntos de vista de un artista reconocido en el ámbito internacional. Rodolfo Morales, el niño tímido que no era capaz siquiera de mirarse al espejo, estaba ahora en primera plana de los periódicos de todo el país. Su voz propugnaba por el presente. Los artículos —que se referían principalmente a las críticas del artista al gobierno y a ciertos políticos—, no se parecían a aquellos sensacionalistas escritos en 1993, describiendo su arresto "por faltas a la moral".

La evidencia de que había gente fuera de Oaxaca que se interesaba en lo que tuviera que decir, se encuentra en el ejemplar del 8 de noviembre de 1998 de la prestigiosa revista *Proceso*. En un artículo escrito por Pedro Matías titulado "Morales: mediador conciliatorio", se incluye una fotografía del pintor sentado en las escaleras de una iglesia, vestido con pantalón de mezclilla y zapatos de trabajo. Se dice que Rodolfo intenta servir como mediador en un problema que involucra a varios pueblos. Menciona una amenaza de muerte que recibió en noviembre de 1997 de un grupo cristiano de extrema derecha que declaró casi gráficamente: "Si sigues defendiendo a los indios de San Antonino, te vamos a pintar el esqueleto".

El artículo cita a Rodolfo comentando que el grupo que lo amenazó llevaba la cruz gamada usada por los nazis. Además, sostenía que lo que decían se había convertido en algo "peligroso" y criticaba al gobierno por negarse a aceptar que los problemas existían de tiempo atrás. Identificó por su nombre a varias personas de su pueblo y de la ciudad de Oaxaca quienes, o bien estaban involucradas en el problema, o no querían ayudar a resolverlo.

Radio 90, que transmite desde Ocotlán, habló negativamente de nuestro artista un año antes de la entrevista de prensa. Sin mencionar su nombre, dijeron que "una persona famosa" del pueblo tenía tendencias comunistas que lo llevaban a hacer cosas antimexicanas. "Pero ellos nunca han conocido a un comunista", dice Rodolfo, "usan esa palabra sólo para provocar temor." Recordé que cuando compró la casa de Ocotlán, la gente pensaba que al poner en contacto a los jóvenes con la cultura y la educación, promovería el comunismo y que la gente pensaba que seguramente practicaba esa doctrina porque usaba un paliacate rojo en el cuello.

A pesar de estas murmuraciones, su defensa del caso de San Antonino fue tan inesperada que muchos observadores locales se quedaron pasmados. Algunos lo criticaron por ser tan incauto. Después de todo, los de San Antonino "no eran más que indios". Otros decían que el dinero y el éxito se le habían subido a la cabeza y quién creía que era para condenar una acción que muchos apoyaban. Dice Rodolfo:

> Lo que estaban haciendo con esa gente era una grave injusticia y no podía quedarme callado. Pero aun mi preocupación por la justicia fue calificada de comunista. Éste es un ejemplo de las dificultades que enfrentan México y América del Sur por el enfrentamiento del mundo indígena con el mestizo. Es un caso de *malinchismo* (término popular que describe el problema que ha existido en México desde que Cortés, el conquistador, tomó a una mujer indígena, "La Malinche", como su amante y su guía, para así usar sus habilidades para derrotar a su pueblo). La incertidumbre política que el país enfrenta a fines del siglo xx hacen que conflictos como éste sean más obvios, más agudos. Comienzan odiándose a sí mismos y terminan odiando a los demás. La cultura existente, con sus presiones, hace que estos grupos se conviertan en sus peores enemigos porque están avergonzados de sus raíces. Por ejemplo, los *ladinos* (aquellos que traicionan después de aprender algo de ti) deciden no obedecer más las leyes y costumbres de su pueblo, aunque su familia haya sido parte de él por generaciones, hayan hablado la misma lengua y respetado los mismos ritos que mantienen a la comunidad unida. Se sienten superiores a aquellos con quienes comparten origen, sangre y tradiciones, y desprecian todo lo que se considere indígena. Prefieren hablar español que sus propias lenguas.
>
> Otro ejemplo es el del indio zapoteco de Oaxaca, don Benito Juárez, quien fuera presidente de México; él no hacía alarde de su naturaleza indíge-

na aunque hubiera logrado lo aparentemente imposible: ser electo al cargo más importante del país. Juárez parecía estar más orgulloso de haber aprendido a leer y a escribir español en su adolescencia, que del hecho de que un indio hubiera logrado ser el líder de una nación cuyos conquistadores convirtieron en esclavos a sus antepasados.

Un ejemplo más: durante ciertas celebraciones en mi pueblo, se escogía a la muchacha que tuviera la piel más clara para que cantara el himno nacional. La vestían de blanco y le ponían polvo dorado en la piel y el cabello, para hacerla parecer rubia. Tener la piel demasiado oscura revela una ascendencia indígena, lo cual es mucho menos deseable que la herencia europea.

Es irónico que la belleza y la autenticidad del valle de Oaxaca tengan una deuda tan grande con el mundo indígena: esta creativa cultura, evidente en forma tangible en los magníficos sitios arqueológicos, es lo que ha atraído a los visitantes durante años.

No es la población mestiza la que interesa a miles de intelectuales, investigadores y amantes del arte, sino los grupos indígenas que han mantenido sus tradiciones, su lengua, sus habilidades artísticas y sus arraigadas costumbres del pasado. Una de las razones que motivan a Rodolfo a restaurar los templos de los pequeños pueblos es preservar este pasado.

En algunos aspectos, hasta los españoles eran más tolerantes con los indios en Oaxaca de lo que lo son ahora algunos de sus propios descendientes; ellos al menos tenían un sentido de responsabilidad hacia los conquistados. Promulgaron leyes que protegían los derechos civiles de los indios para que su herencia no fuera destruida, como sucedió en otros lugares de América.

La belleza y majestuosidad de las iglesias restauradas por la fundación de Rodolfo es una prueba del compromiso de los frailes con los indios a quienes llegaron a evangelizar. Las iglesias se construyeron para la gloria de la corona española.

Se respaldaron la educación y el matrimonio entre españoles e indígenas. El idioma y las costumbres locales eran asimilados por los extranjeros, a la vez que imponían sus costumbres a los habitantes de la Nueva España.

Pero, dice Rodolfo:

Ocotlán es un pueblo de ladinos. Admito que hace mucho dieron la espalda a sus raíces indígenas. Desprecian en especial a los habitantes de San Antonino, por ser indios. Pero el odio parece haberse intensificado porque son prósperos y deben sus logros al trabajo duro y responsable. También parecen tener atributos especiales de los que carecen otros grupos indígenas del valle de Oaxaca. Mejor aún, no muestran ningún complejo de inferioridad. Quizá esto se deba a la influencia de los pobladores del istmo de Tehuantepec, otro grupo indígena que no siente inseguridad acerca de su identidad o su lugar en el mundo. Los de San Antonino, como los zapotecas de Tehuantepec, han superado sus dificultades por medio del trabajo y el esfuerzo y no están dispuestos a condescender con los de Ocotlán. Se sienten iguales a sus vecinos mestizos, no inferiores. Su comportamiento ha enfurecido a muchos ciudadanos mestizos de Ocotlán, que piensan que todos los indios deberían tener un comportamiento subordinado.

La cultura de San Antonino desaparece gradualmente: ha habido cambios en la introducción de la energía eléctrica; la agricultura se hizo más productiva con las bombas de agua eléctricas; la abundancia de agua y los días de trabajo más largos produjeron más cosechas. Como resultado, los jóvenes de San Antonino han logrado salir a estudiar medicina, leyes y otras profesiones. Al hacerlo, dejan atrás su lengua, sus costumbres y su herencia cultural. Cuando abandonaron la agricultura, abandonaron gran parte de su pasado. Ahora son burócratas aquí en la ciudad. Sin embargo, ha habido gente muy distinguida que salió de ese pueblo en este proceso. Algunos ciudadanos de Ocotlán no pueden aceptar el éxito de sus vecinos indígenas. Es difícil olvidar que durante varias generaciones fueron los agricultores que vendían sus productos en el mercado de los viernes.

Ahora vivimos tiempos diferentes. Todos los sistemas tradicionales se han desmoronado. Las antiguas instituciones están de cabeza. Ahora casi todos quieren ser prósperos. Desean tener comodidades y dinero, sin saber para qué sirve éste. Todos los errores que hemos cometido, todas las cosas por las que hemos pasado... se deben a que somos humanos.

Su protesta por la exclusión de los habitantes de San Antonino fue un acto muy humano. En un principio él creía que la líder sólo había sacado a relucir tendencias racistas de algunos ciudadanos de Ocotlán. Pero parecía haber más que simples cuestiones del mercado o el poder de una sola mujer. Aquí es donde la historia se complica. Conforme sucedieron las cosas, nuestro artista observó ciertas actitudes en extremo radicales y hoy alega que existe una organización secreta en Ocotlán que odia a todos los indígenas y que quiere mantener ocultos sus verdaderos motivos. Según él, y lo ha dicho muchas veces en público:

> Es un grupo de derecha con tendencias fascistas, reminiscente del *macartismo* estadounidense de los 50. Dicen que tienen que defender a México de sus enemigos, pero en realidad son un frente que siente odio hacia nuestras culturas. Creen que son los elegidos, los que deberían gobernar y tienen el derecho de decirles a los demás lo que deben hacer.
>
> En 1993 apareció un hombre en el pueblo, quien dijo estar distribuyendo información para promover el respaldo a un nuevo gobernador. Luego empezó a hablar en contra de los indígenas. Era parte de un grupo llamado Alianza Popular Nacional (Alponal), de tendencias nazis y que parece haber incursionado también en la ciudad de Oaxaca. En los volantes se decía: "Los enemigos de México son los comunistas, los judíos y los homosexuales". También circularon algunas cartas y documentos que citaban la lucha por "las ideas cristianas". Al leerlos sentí temor. Lo que en realidad quieren es tener poder, influencia y control sobre los demás. Lo de los indígenas en el mercado es el primer paso.
>
> Este grupo cristiano reúne a los jóvenes de Ocotlán y los hace jurar en público que en el nombre de Jesucristo están dispuestos a dar su vida contra el comunismo, aun si eso implica desobedecer a sus padres. Parece una extraña reminiscencia del grito de batalla de los cristeros que llegaron a Ocotlán cuando era niño, disparando al aire y matando españoles al grito de "¡Viva Cristo Rey!"
>
> Yo no soy el único que recibió amenazas de muerte por externar su opinión. Al sacerdote de Ocotlán también lo amenazaron porque no está a favor de los grupos católicos de extrema derecha. El arzobispo de Oaxaca, Héctor González, sabe lo que sucede y no ha tomado cartas en el asunto. Es una manera de mantener a raya a los miembros de la Iglesia católica. Por un lado se encuentran los llamados teólogos de la liberación, que han estado activos en el estado de Chiapas. Por el otro, el grupo de ultraderecha que funciona en Ocotlán. Aunque no dice oponerse a la teología de la liberación, sino sólo al comunismo, creo que en efecto se opone al movimiento de derechos humanos de la Iglesia. Pero en ambos lados hay fanatismo.

El doctor Ronald Waterbury, antropólogo y profesor de la Universidad de Queens en Nueva York, que ha vivido y trabajado en Oaxaca durante varias décadas, me explicó que el problema entre ambas poblaciones es anterior a la disputa por el mercado y a cualquier organización de derecha. Citó como ejemplo el hecho de que Ocotlán ha descargado su drenaje en San Antonino durante años y que los de San Antonino, a su vez, lo taparon y bloquearon el camino a Ocotlán con grandes piedras.

El conflicto llegó a los encabezados de la prensa y puso al artista de nueva cuenta en las noticias. Un funcionario de la oficina del entonces gobernador Diódoro Carrasco envió a la policía estatal porque unos indígenas de San Antonino habían bloqueado la carretera a Ocotlán. Rodolfo pasaba en su camioneta y vio cómo los policías atacaban a los manifestantes, por lo que se puso furioso, y convocó a una rueda de prensa para denunciar públicamente lo que "el gobierno le está haciendo a mi pueblo".

Cuando Nancy se enteró de la rueda de prensa, aclaró con diferentes contactos si la agresión era verídica. Averiguó que, de hecho, algunos policías resultaron lesionados por las piedras arrojadas por los manifestantes e intentó convencer al pintor de cancelar el evento. Le advirtió que pagaría las consecuencias de esta declaración pública y que la situación podía resultarle adversa. No logró convencerlo.

En la conferencia el artista denunció al gobernador diciendo que "rompía toda relación con Carrasco". Este emotivo acto suyo tuvo como precio una lluvia de críticas, sobre todo porque era bien sabido que el funcionario era un admirador de su pintura.

En el ejemplar de *Noticias* del 28 de agosto de 1997 se citaba a Morales diciendo que si el gobierno hubiera resuelto este problema tiempo atrás, no habría necesidad de recurrir a la violencia. Su ira vibraba en las líneas del artículo. Dos días después, el otro periódico importante de Oaxaca, *El Imparcial*, publicó una caricatura política en la que se veía a Rodolfo desnudo, quitándose las alas y la aureola y gritando: "¡Estoy harto de ser amable!" Arriba de él, un diablo con alas, que representa a Francisco Toledo, le entrega un traje de diablo cantando: "Si te vienen a contar cositas malas de mí..." A la izquierda hay un tanque de guerra conducido por Diódoro Carrasco con el casco puesto y el letrero: "Dime con qué Toledo andas y te diré qué Morales eres". El toque final es una mujer curvilínea que porta un estandarte con la leyenda "Señorita Gay Universo" y que dice a Rodolfo: "Querida, el que se enoja, pierde".

Sería exagerado decir que nuestro artista sufrió una humillación pública por esa estridente denuncia, pero es posible que se haya sentido un tanto incómodo. Aun así, su posición antigubernamental se reafirmó. Está convencido de que se cometió un atropello con la descarga de las aguas negras y el gobierno debió intervenir para resolver el problema en forma definitiva.

En febrero de 1999, José Córdoba, reportero del diario *Wall Street Journal*, fue a Ocotlán para escribir sobre el conflicto con San Antonino, alertado por Andrés Oppenheimer, escritor y periodista ganador del premio Pulitzer, autor de *Bordering on Chaos* (México al borde del caos).

Córdoba entrevistó a ciudadanos de ambos pueblos, incluyendo a Rodolfo, quien le dijo todo lo que me relató en nuestras conversaciones y le enseñó los volantes. El reportero los mostró a su vez al supuesto autor, Jorge Vásquez Hipólito, de Alponal, quien negó haberlos redactado y dijo que la organización ya no estaba en funciones.

En su visita a algunos de los proyectos de restauración de la fundación, el periodista se refirió a la suástica, diciendo que le parecía que había una lucha entre "la mierda y la cultura". Riendo, Rodolfo le indicó que eso era cierto en muchos sentidos. Le pregunté si la apariencia y las preguntas de Córdoba ponían nerviosa a la gente y me contestó:

> Sólo al gobierno. Muchos ciudadanos de Ocotlán ni siquiera saben quién era Hitler, ni de qué se trató el holocausto. Su comprensión de la historia es tan limitada como su comprensión de la cultura. Y a los que saben se les hace fácil olvidar.

A mi sugerencia de que él elevó el nivel cultural de su pueblo al instalar una biblioteca y un teatro y llevar música clásica con los conciertos de la orquesta sinfónica, dijo en son de burla y con más intensidad de lo acostumbrado:

> ¡Eso no ha significado ninguna diferencia! De lo que no se dan cuenta es de que los nazis eran los enemigos de la cultura, pero ni siquiera conocen lo que ésta es. Todo lo que saben es odiar; odiar al ser humano, lo cual los lleva al odio por los indios y, aun peor que eso, odio por ellos mismos.

"¿Y qué hay del nuevo gobernador, José Murat?", le pregunté. Varios residentes de Oaxaca me comentaron que les había sorprendido su disposición a responder a situaciones que todos pensaron que ignoraría. En muchos aspectos, Murat estaba adquiriendo una reputación positiva. "Él ya sabe", repuso Rodolfo, "pero ninguno de los políticos quiere involucrarse." Dijo que si se suscitara alguna agitación publicitaria por el artículo del *Wall Street Journal*, posiblemente se haría algo. Luego bajó un poco el tono de crítica hacia Ocotlán y sentenció: "A la gente del pueblo se les perdona, porque no saben lo que hacen". La conversación me dejó un tanto inquieta. Como expresaba su punto de vista en un tono tan decidido, lo presioné para cerciorarme de que quería que yo lo incluyera en el texto. Él me alentó a que lo hiciera, agregando enfáticamente: "Yo no tengo nada que ocultar".

Lo seguí interrogando, tratando de encontrar alguna señal de temor, a lo que refutó: "No, hay otros con más razones que yo para tener miedo". Me contó que la Cámara de Diputados recién había accedido a pagar el costo de un guardaespaldas para los políticos de alto nivel durante los próximos seis años, incluso después de terminado el mandato de ese gobierno. "Lo que cuesta un guardaespaldas bien podría alimentar a cien personas", expresó con disgusto.

Después de las amenazas de muerte que recibiera en el otoño de 1997, a Rodolfo también se le asignó un guardaespaldas. Aunque esta acción puede parecer una decisión pragmática por parte del gobierno, el hecho es que ochenta años después de la Revolución mexicana, alguien en Ocotlán amenazó de muerte a su más famoso artista, por un desacuerdo con la postura que adoptó. Esto no difiere de cómo se definía la justicia en el pueblo después de los cristeros, cuando un solo ciudadano podía tener "su propio ejército".

Hay quienes consideran que el pintor es demasiado confiado y algunas veces hasta incauto respecto al gobierno y al ejercicio del poder. Un crítico dijo que su trabajo está situado "entre el patriotismo y la religión". Me pregunté en voz alta si se había vuelto político a pesar de sí mismo. Pero él insistió en que los temas patrióticos y religiosos se encontraban en sus pinturas porque "así es la gente, yo me limito a pintar sus expresiones de nacionalismo". Desarma a aquellos que le preguntan sobre sus propios impulsos nacionalistas con una sonrisa tímida, como si fuera una broma muy personal. "No es ni la política ni la religión lo que yo apoyo", dice, "sólo la justicia."

Siguió explicándome que, como figura conocida, él tenía "voz pública y quedarse callado sería no tener moral". Durante muchos años fue alguien que no tuvo voz alguna; es justo decir que la importancia que le da hablar es tanto psicológica como moral.

Cuando protestó contra la injusticia durante su ejercicio como maestro, lo hizo por una cometida en su contra. En 1993 el trato de la policía y del juez que lo humilló le pareció injusto. En otra ocasión, a fines de los 90, fue por la injusticia en contra de un pueblo que era considerado inferior. Su identificación con aquellos considerados inferiores adquiere un nuevo sentido al recordar que durante la mayor parte de su vida, él también fue considerado inferior. La comprensión de estos hechos ayuda a explicarnos al hombre y a sus acciones.

Rodolfo me aseguró:

> Tengo confianza en que todos los intelectuales de México me apoyan cuando hago críticas al gobierno o a la Iglesia. Ellos son los que entienden el asunto de la Malinche.

Se refirió de nueva cuenta a la líder del mercado de Ocotlán como una mujer obsesionada con el poder:

> Alguien que se dedica a vender fruta y verduras se las arregla para tener poder; se consiguen a alguien que venda por ellos, le dicen a la gente lo que tiene qué hacer... hasta que alcanzan poder por medio de ciertos líderes del gobierno.
>
> Hablando con honestidad, todos tenemos tendencias racistas, incluso yo. Pero las controlo con la cultura. Si nos atormentamos o nos dejamos manipular, algunas veces este sentimiento sale a la superficie y actuamos de manera injusta. Estoy seguro de que es ahí donde la cultura puede cambiar las actitudes de la gente. Pienso que como estoy en posición de ofrecer a los habitantes de Ocotlán las más altas manifestaciones de la cultura, la actuación de la orquesta sinfónica, de cantantes internacionales, teatro, arte, he podido introducir un elemento "sorpresa" en sus vidas. Antes de los proyectos culturales de mi fundación, mis coterráneos nunca tuvieron la oportunidad, por ejemplo, de ver algo tan bello y tan limpio como el ex convento restaurado, lo cual les agrada mucho.

Continuó hablando acerca del trabajo de restauración en Ocotlán y el placer que le causan estos proyectos es evidente: "Los árboles y las flores, todo está bien cuidado, y es para la gente del pueblo". Le pregunté si pensaba que las nuevas experiencias culturales traerían como resultado un cambio permanente en la actitud de esa gente.

Su respuesta fue confusa:

> Hay una falta de tranquilidad... están inquietos... están viendo cosas que nunca antes habían visto... A muchos les preocupa que se cuestionen las formas antiguas de hacer las cosas, pues sienten que las costumbres antiguas y los valores son puestos en tela de juicio.

Entonces el fanatismo latente puede asomar la cara. Y la evidencia de esto fue la reacción a su defensa del pueblo de San Antonino. Forzó a sus vecinos de Ocotlán a "ver lo que hacían o habían estado haciendo en contra de un grupo de gente pobre y humilde".

Al cuestionarle si sus acciones lograron que más gente del pueblo se opusiera al prejuicio, su respuesta fue corta y rápida: "No lo creo, pero no podía quedarme callado, aunque fuera el único que hablara". Su declaración me pareció política y así se lo dije. Me respondió encogiendo los hombros como acostumbra y rebatió:

> Se tiene que luchar en contra de toda esta negatividad. Fuimos un pueblo conquistado. Alguien debe tener la fuerza para protestar por la injusticia. Hablan de defender a Ocotlán; bien, pero, ¿defenderlo de quién? ¿Será de nuestros propios vecinos?

En 1999, la vida de Rodolfo parecía estar cada vez más llena de gente que quería sentarse junto a él en restaurantes, invitarlo a tomar una copa, vender su obra, ser su amigo. Me comentó con ironía que sabía bien que entre ellos estaban ciertos individuos que antes "no le habrían dado ni la hora". Su vida profesional dio también un salto inesperado porque Nancy Mayagoitia —su corredora de arte y tesorera de la fundación desde 1990— de pronto salió de la escena: a su hijo de siete años se le diagnosticó una rara enfermedad en la sangre, posiblemente mortal. En octubre de 1998, con poco más que una maleta, viajó de emergencia con el niño a Houston, Texas, para ponerlo bajo tratamiento médico. A mediados de 1999, ambos aún estaban en el Centro Médico Infantil de esa ciudad, sin indicación alguna de su fecha de regreso a Oaxaca. Si bien Dora Luz continuó vendiendo la obra que Rodolfo entregaba cada mes a la galería *Arte de Oaxaca*, muchos allegados a Nancy y a Rodolfo comentaban que éste parecía estar "perdido" sin la mano firme de su amiga para guiarlo.

Al hablar del asunto, Rodolfo insistió en que las pinturas en las que trabajaba en sus dos estudios no requerían de su presencia para venderlas o ponerles precio. Los compradores y coleccionistas llegaban cada vez con más frecuencia a comprarle directamente a él, me dijo. Uno de los aspectos positivos de un Rodolfo Morales "más público" es que sus coleccionistas parecen tener un acceso más directo a él. No obstante, insiste en hacer las cosas a su manera, sin importar que a veces le pidan que incluya ciertas imágenes en una pintura. Pero siempre vende su obra a una velocidad increíble.

Con Nancy alejada por un tiempo, el pintor depende cada vez más de Esteban San Juan. Esto se debe también a que los proyectos de la fundación se han multiplicado y expandido hacia nuevas direcciones. Boris Perth, el cineasta alemán que documentó el trabajo de la Fundación Morales, había regresado a Europa a solicitar financiamiento para terminar la película y buscar su distribución internacional. Rodolfo se estaba convirtiendo, en los aspectos artístico y cultural, en una figura de talla internacional. Entonces, resultaba insólito que estuviera tan embrollado en los problemas locales.

Le pregunté qué pensaba de la idea prevaleciente en Estados Unidos de que un artista no tiene por qué involucrarse en asuntos sociales o políticos. Sabía muy bien que los artistas mexicanos no se quedan callados al respecto.

"Nada más los curas se quedan callados", me contestó.

Pero yo estaba muy interesada en conocer los últimos acontecimientos con los vecinos de San Antonino, sin olvidar por supuesto su expresión de unos meses antes: "La política puede arruinar el arte".

Refiriéndose a un escritor mexicano reconocido que declaró que no había un segundo de su vida en el que dejara de ser escritor, Rodolfo había insistido en que así debía ser con cualquier forma del arte:

> El artista debe trabajar en su oficio todo el tiempo. Uno tiene que vivir su trabajo. Se tiene que trabajar únicamente en el arte. Si un artesano participa en política, su trabajo se ve afectado.

Pero, aquí estaba varios meses después, diciendo:

> Necesito involucrarme en los problemas locales. No puedo ser ajeno a ellos. Cuando se tiene el reconocimiento, se tiene voz. Es esencial hablar en contra de lo que uno piensa que está mal.

Insistí en hablar de su imagen pública y él aseveró que no eran cuestiones políticas en las que estaba metido, sino de justicia. Le sugerí que cuando se habla de justicia e injusticia, la línea que divide lo secular y lo religioso se pierde. Porque, después de todo, ¿no le concierne a la religión el trato justo del débil?

El pintor insistió en que lo que él hacía no tenía nada que ver con la religión ni con la política. Aceptó que cuando los artistas, por ejemplo Diego Rivera, se involucran demasiado en la política, su forma de hacer arte sufre. En el caso de Rivera, conforme su politización se fue manifestando cada vez más, muchos de sus murales se convirtieron en propaganda pura. Rodolfo estuvo de acuerdo con los historiadores de arte como Edward Luci-Smith, quien describió: "La carrera política de Rivera conducida tan públicamente, con efectos tempestuosos y a veces... dañinos para su arte".

Recordó las muchas veces que escuchó al gran muralista insistir en que el artista debería involucrarse en los problemas nacionales. Aún gozaba de buena salud y estaba activo dando conferencias hasta 1957, año en que murió. Uno de sus tópicos favoritos fue que los artistas del mundo han expresado siempre su desacuerdo con los problemas sociales. Era la época en la que los muralistas intentaban educar y dar un mensaje al pueblo y cuando se metieron en problemas, lo que se vio reflejado negativamente en su arte. "El arte no debe ponerse nunca al servicio de la política", afirmó Rodolfo. Esto es algo que nunca ha hecho, e insiste en que nunca hará.

El contenido de su trabajo y sus temas son en extremo diferentes de los de pintores como Rivera. Y nadie podría nunca sugerir que buscaba dar un mensaje educativo a través de las mujeres aladas que habitan en su mundo pictórico. Aun así, quise saber si le gustaba ser comparado con Rivera en otros aspectos. ¿Y si llegara a ser tan reconocido en el ámbito internacional como él? Su respuesta fue enfática: aseguró que definitivamente no le gustaba la comparación porque su mensaje no es socialista. (Rivera estuvo dentro y fuera del Partido Comunista desde 1925 —año en que nació Rodolfo— hasta 1954, en el que obtuvo el "perdón" y lo volvieron a admitir, pero sólo con "cierto número de compromisos artísticos".)

Continué por esta línea de conversación un poco más. Me preguntaba si había alguna similitud entre la defensa de San Antonino que hizo Rodolfo y las acciones de gigantes como Rivera que protestaba por la injusticia de su época. Morales insistió en que no era lo mismo:

> Cuando los muralistas cayeron en el propagandismo, se salieron del tema, que era el arte... aunque no todos... hay algunos murales que son muy importantes. Pero en su mayoría se alejaron mucho de la cuestión estética.

Es interesante subrayar que David Alfaro Siqueiros, quizá el de carácter más errático de los tres grandes muralistas, urgía a los artistas a "volver al trabajo de los antiguos habitantes de nuestros valles; los pintores y escultores indios... cuya proximidad climática... nos ayudará a entender la vitalidad constructiva de su trabajo". Fue este mismo Siqueiros quien voló a Estados Unidos cuando las cosas se le pusieron difíciles en el aspecto político, y cuyo nombre se liga a menudo con el asesinato de León Trotsky en 1940 en la Ciudad de México.

Conforme se aproximaba el siglo XXI, la actitud de la comunidad artística internacional —y la crítica del arte en general— parecía inclinarse a favor del arte mexicano. Aunque no se menospreciaba la contribución de los muralistas, el aspecto político de su trabajo empezó a cuestionarse. Los artistas mexicanos que empezaban a llamar la atención fueron aquellos que incorporaron sus raíces indígenas a su obra: Frida Kahlo, María Izquierdo, Manuel Rodríguez Lozano, Rufino Tamayo y Rodolfo Morales.

Pregunté a éste cómo le gustaría ser recordado al final de una era. "Lo que he vivido es lo que debe reflejarse en mi pintura", contestó. No cabe duda de que ha sido una vida plena, que no muestra señales de disminuir de velocidad. Lo que ha vivido incluye el aspecto festivo de su país, así como su dolor, su violencia y su aislamiento. Sus pinturas nos ayudan a conocer ciertas cosas acerca de él, lo mismo que otras tantas de México. Pero la pregunta personal sobre sí mismo y su compleja vida permanecen sin respuesta. Permanecí sentada en silencio esperando a que dijera algo más.

Parecía buscar en su interior, en un rincón que sólo él conoce, un lugar en el que hubiera encontrado una guía la mayor parte de su vida. Por fin dijo:

> Cuando yo muera, voy a estar muy triste de dejar este mundo. Pero estoy seguro de que van a recordarme por mis obras. Yo sé que estoy haciendo algo que muy poca gente puede lograr: dejar muestras de lo que amo [aunque meses atrás me dijera que no cree en el amor]. He tenido una oportunidad que muy pocos han tenido. El sufrimiento que viví en mi niñez y ado-

lescencia me permite saber que todo esto es una recompensa. Lo negativo y lo positivo son parte de un todo.

Continuó reflexionando acerca de su muerte y comentó que pensaba que su funeral sería "un gran acontecimiento". Está seguro de que los grupos indígenas estarán ahí, agradecidos por lo que ha hecho. Luego retomó un tema que permeaba todo lo que me había comunicado. "Si yo hubiera tenido éxito de joven", dijo con una ligera sonrisa, "probablemente no te estaría contando esta historia."

De algunos de sus logros, me enteré por otra gente. Uno de los premios que recibió, el cual se entregaba sólo a siete artistas en el mundo, se lo otorgó en 1997 *L'Accademia Internazionale d'Arte Moderna*. En 1998 recibió un reconocimiento oficial del Centro Mexicano de Filántropos, la única institución en el país dedicada a la investigación de todos los aspectos de las actividades filantrópicas. Este y otros premios han sido enmarcados y cuelgan en las paredes de un cuarto de la casa de Ocotlán, junto con fotografías suyas con gente conocida de México y Estados Unidos.

Sus pinturas y sus proyectos de restauración le han dado más fama de la que jamás hubiera imaginado. Pero, en cierta forma, como sabe que el tiempo se le acaba, sus éxitos no parecen ser suficientes para hacer realidad la preservación de la herencia cultural del México antiguo. Por ejemplo, habló de una carpeta de litografías que planeaba producir con el fin de reunir fondos para restaurar la iglesia de Santa Ana. Y en una reunión reciente para celebrar a las mujeres independientes y poco convencionales que siempre ha admirado, aceptó diseñar la escenografía para un ballet basado en la controvertida y trágica vida de María Antonieta Rivas Mercado.

Se ha hablado también de la posibilidad de que pinte un mural en el histórico Teatro Alcalá de Oaxaca. Su futuro parecía más lleno que nunca, especialmente si consideramos que estaba en la séptima década de su vida cuando le pregunté cómo quería ser recordado.

Pero, ¿qué tal si lo recordaban como un vocero en asuntos políticos? ¿Le preocupaba ser arrastrado por estos problemas sin habérselo propuesto, o se vería afectado su arte? Después de todo, alguien que se convierte en defensor de cuestiones de justicia y odio racial, corre el riesgo de convertirse en vocero de causas políticas a pesar de sí mismo.

Dice el artista:

Esto no va a pasar nunca porque, después de todo, ya ni siquiera voto cuando hay elecciones.

La situación política actual es parecida al método de pan y circo en la antigua Roma, donde el gobierno manipulaba al pueblo con fiestas; pero, al fin y al cabo, Roma no duró. Y en cuanto al gobierno, ya estuvo bueno. Yo votaba antes. Pero es difícil ser conocido en Ocotlán porque todos quieren saber lo que pienso o a quién apoyo. No quiere tener nada que ver con quién resulta electo presidente municipal y lo sostengo enfáticamente por escrito y en persona.

Sin embargo, disfruta la atención negativa que genera con sus declaraciones políticas.

Por ser quien es, y por las cosas que hace, Rodolfo no puede esconderse cuando lo buscan los políticos. En el verano de 1998, un grupo de hombres de negocios de la localidad y de políticos se invitaron a comer en su casa de Ocotlán para que los pusiera al día con sus proyectos de la fundación. El artista dijo que "algo positivo" salió de la reunión, por ejemplo, la preservación de la Orquesta Sinfónica de Oaxaca. Como se acercaba el fin del sexenio local, era crucial que se tomara la decisión en esa ocasión. En un momento dado mencionó que las mujeres harían un mejor papel en la política que los hombres y le dijo a una amiga suya: "Nosotras las mujeres no somos corruptas, porque no tenemos a quién regalarle joyas o automóviles".

Cuando se publicó la entrevista en un periódico local, muchos se disgustaron pues se le citó diciendo: "Las mujeres son perezosas". Le pregunté si era verdad y respondió que le había dicho al periodista justamente lo contrario, es decir, que "ya era tiempo de que una mujer fuera electa para gobernar el estado". Luego me explicó que el escritor era un "misógino", así que, ¿para qué molestarse escribiendo una carta aclaratoria al periódico?

Conforme se ha convertido en una figura pública, nuestro pintor ha adquirido cierto poder que utiliza en el mundo del arte. En México, a los artistas visuales cuyos ingresos alcanzan cierto nivel, se les permite pagar sus impuestos con obra de arte. La obra destinada a este fin se exhibe en el Palacio del Arzobispado de la Ciudad de México, un museo muy popular ubicado junto a Palacio Nacional; a menudo esta obra se presta a las embajadas mexicanas para exhibirse en todo el mundo.

La Secretaría de Hacienda y Crédito Público determina qué obras se aceptan. Rodolfo me explicó que el comité que selecciona el trabajo cuida que todo tenga la misma calidad. En su opinión, y porque su trabajo posee sus propias cualidades, ha tenido dificultades con esa oficina. Con una sorprendente expresión de emoción, insistió en que las decisiones se basan "no en el valor que una pintura pueda tener en el mercado, sino en la opinión subjetiva de este grupo. En realidad no saben nada de pintura; están cegados por las obras que, según ellos, están técnicamente bien pintadas".

La forma en que resolvió estas dificultades con la oficina de Hacienda fue una satisfacción muy especial, pues tiene un "final a lo Morales": lo tratan en forma injusta y esto se les revierte, resultando ser él el ganador. Recuerda cuando empezó a vender su obra a través de la galería de Estela Shapiro y ofreció a la oficina de impuestos la pintura de una puerta azul rodeada de buganvilla. Aunque no contenía ninguna de las imágenes que han llegado a relacionarse con él, dice que quería que tomaran en serio su trabajo por su calidad técnica. Pero su pintura fue rechazada por no contener una escena Morales "típica". A fin de cuentas, el cuadro se vendió a alguien que nunca lo había oído nombrar, pero que le gustó.

> Fue una reivindicación, porque el trabajo se apreció por sus propios méritos, y no por quién lo pintó. El estilo era mío, a pesar de su contenido. Yo estaba satisfecho con él, porque había logrado la luz, la atmósfera, el color, la línea que estaba buscando. Creo que lo rechazaron porque la gente se deja llevar por lo más fácil y prefiere asociar ciertos temas con un artista determinado, en lugar de permitir que destaque por sí misma.

(Cuando me contó esta historia, no se tomó en cuenta si se trataba de un Morales en verdad "inferior". En la etapa de su vida en la que disfrutaba de un enorme reconocimiento, el artista no parecía dispuesto a etiquetar ciertas pinturas suyas como "mejores" que otras.)

Me contó también que en otra ocasión, muchas de sus pinturas le fueron devueltas por los funcionarios de Hacienda "porque no tenían valor". (Casi todas se vendieron después a particulares, o a la colección de Banamex.) Lo que no me dijo es que le habían devuelto cierta cantidad de cuadros pequeños porque los funcionarios querían cambiarlos por obra más grande y más importante. Por error de un burócrata, le enviaron una carta rechazando la obra, sin explicar que deseaban hacer el cambio. Nancy Mayagoitia me comentó que Rodolfo estaba muy herido y se quejó durante varios meses antes de que se aclarara el error.

Pero él insiste en que el rechazo de Hacienda fue parecido al experimentado tantas veces en su vida. Estaba tan enojado que pensó en no volver a mandarles una obra suya, pero decidió guardarse su enojo. Luego se aclaró el error y se le ofrecieron disculpas. Desde su perspectiva, quedarse callado valió la pena. Piensa que si se hubiera quejado o hubiera hecho un escándalo, su protesta se habría interpretado como muestra de un complejo de inferioridad.

En 1997, Guillermo Ortiz, Secretario de Hacienda y Crédito Público, visitó al pintor en Oaxaca y él le contó lo sucedido con la oficina de impuestos. "Ortiz estaba apenadísimo", dijo Rodolfo, "y los regañó." Poco después, llegó un grupo de la oficina de impuestos a saludarlo. "Habían cambiado de actitud y observaron mi obra con gran interés."

Le pregunté si alguna vez se había sentido atrapado por el éxito. Si se hacía necesario que vendiera cada vez más pinturas para financiar los proyectos que tanto amaba, ¿se vería forzado a producir pinturas con imágenes que todos asociaran con él? ¿Qué me decía de las críticas de que estaba pintando tan rápido que omitía el cuidado que ponía a sus primeros trabajos?

Su respuesta fue sencilla: "Aún tenía un largo camino por recorrer para expresarme".

Falta ver si puede vender cualquier cosa que pinte para expresarse a sí mismo, o si su incursión en otros mundos que pueden considerarse "políticos" o "religiosos" arruina su arte. Una cosa está clara: los pedidos que tenía durante los meses en que lo entrevisté para este libro, parecían ser excesivos. Su horario de trabajo —ya sea porque él se lo ha impuesto o porque tiene que hacerlo así— sería agobiante para un pintor más joven: levantarse a las 5:00 a.m. y trabajar hasta la medianoche. No importa que esté muy fuerte y sano; un hombre de más de setenta años sólo puede mantener cierto ritmo de trabajo. La presión aumenta cuando es preciso terminar un cuadro tras otro para poder pagar los proyectos de la fundación.

Le pregunté si alguna vez ha encontrado a alguien que sintiera que era como él. Se quedó pensativo unos momentos, pero cuando respondió lo hizo con firmeza.

> No, a nadie. Pero esto es porque sólo yo me conozco a mí mismo. Si alguien me pregunta qué pintores me gustan, les digo que me gusto yo.

Retomando el conflicto de San Antonino, me preguntaba si el "odio cultural" que todavía luchaba por combatir disminuiría algún día o si el prejuicio y la avaricia terminarían acabando con algunas comunidades en Oaxaca. No pude resistir y le pregunté si México se dirigía hacia otra revolución.

> No, no lo creo. Lo que sí creo es que México necesita otra dictadura en lugar de otra revolución. Una dictadura sería respaldada por Estados Unidos, pero no otra revolución.

Sería interesante ver lo que pintaría si se le pidiera una imagen de Estados Unidos. En una entrevista anterior me dijo que, al contrario de otras naciones del mundo, Estados Unidos no tenía filosofía. También pensaba que los mejores artistas estadounidenses eran aquellos como Edward Hooper, el cual era capaz de plasmar la soledad de su país.

> Los estadounidenses son educados, pero fríos. En México somos más cálidos. Es por la luz, por el color, por la manera de ser de la gente. Si yo hubiera nacido en otro país, en otra parte del mundo, probablemente habría pintado diferente.

Pensé en el mural que pintó Diego Rivera en Detroit cuando estaba en la cima de su popularidad. La obra se consideró tan anticapitalista que se borró por completo con una capa de pintura. Los vecinos del norte estaban consumidos por el capitalismo, y en opinión de Rodolfo, "se preocupan mucho por la perfección. Les gustan las cosas bien hechas, pero la forma en que se expresan es fría".

A fines del siglo XX, no fue Estados Unidos el que lo invitó a pintar, sino Francia, un país que ejercía en él una profunda influencia en cuanto a la pintura, la literatura y la arquitectura. Irónicamente, la invitación le sirvió para cerrar un círculo. Al igual que Rivera, las etapas importantes de su vida personal y profesional han estado marcadas por los murales que ha pintado.

Rodolfo fue el primero que pintó en el Palacio Municipal de Ocotlán en los años cincuenta, al estilo de Diego, cuando era muy joven aún e iniciaba sus estudios como pintor. En 1980 regresó a su pueblo a pintar casi otro mural en el mismo edificio, pero esta vez convertido en un pintor plenamente desarrollado, con su propio estilo, que incorporaba sujetos identificables como mujeres voladoras, bicicletas, árboles, listones y flores. Luego hizo el mural de la escuela preparatoria, que le causó tanto dolor y tanta humillación. El cuarto mural es el del hotel Royal Pedregal en la Ciudad de México, el cual le ayudó a reafirmar su reputación como artista nacional. Un quinto mural, también en la capital de la República, y ante mucho más público que cualquiera de los primeros, significó su reconocimiento como pintor de reputación internacional: al acercarse el final de 1998, Rodolfo fue invitado por el gobierno francés a pintar una visión mexicana de ese país en uno de los lugares más concurridos de la ciudad: la estación del metro Bellas Artes. A los setenta y cuatro años de edad, había alcanzado indiscutiblemente el pico de su carrera.

15. Contacto en Francia

Historia, desarrollo y realidad de la nación francesa es un título muy largo. Podría ser de un libro, de una conferencia, un diplomado o un discurso filosófico. Como título del mural de dos páneles que Rodolfo pintó a fines del verano y principios del otoño de 1998 en una de las más grandes estaciones del metro en la Ciudad de México, es también una realidad que le dio más atención del público y le atrajo más publicidad de la que hubiera tenido en toda su vida.

Cómo le encargaron este mural es una historia poco común. Durante varios años, los ingenieros franceses que diseñaron el eficiente sistema del metro de París ayudaron a los mexicanos a aplicar las mismas técnicas en su propio sistema de transporte subterráneo. En agradecimiento, el presidente de México, Ernesto Zedillo, regaló a los franceses un mural pequeño pero bellísimo para instalar en su estación del metro a la entrada del museo del Louvre en París.

Agradecido, el gobierno francés hizo una propuesta creativa y poco común: Francia y México escogerían, respectivamente, a un pintor que creara un símbolo dramático de amistad política y tecnológica. Se basaría en la cultura de ambos países y sería accesible a miles de ciudadanos. A Rodolfo le gustó la idea porque no se trataba de un regalo para la élite o para un puñado de funcionarios de gobierno.

El embajador francés presentó el plan al gobierno mexicano: un par de murales representando a México y a Francia, pintados en el lugar más adecuado posible, que significaría la cooperación tecnológica de los dos países: una estación del metro en la Ciudad de México. El único giro sería que el pintor mexicano plasmaría su imagen de Francia, y el francés, una visión francesa de México. Se pintarían o montarían en una de las estaciones más importantes; se escogió Bellas Artes, por ser la que da acceso directo a algunas de las más bellas instituciones artísticas de la ciudad, a palacios, iglesias y museos.

Aunque los pintores no recibirían ningún pago, el honor de haber sido designados y la publicidad que recibirían serían invaluables. Todos los gastos, como el costo de los materiales y el hospedaje de los dos artistas mientras estuvieran en la capital, serían cubiertos por el gobierno de Francia, como patrocinador del proyecto. Debían estar terminados el 1° de noviembre de 1988, fecha en la que Jacques Chirac, presidente de Francia, estaría de visita para develar los murales, acompañado del presidente de México y del jefe de gobierno de la ciudad.

Pensar en los nombres de los mejores pintores de cualquier país es un reto interesante. Por ejemplo, ¿quién decide cuáles artistas se incluyen en tal lista de notables y cuáles quedan fuera? ¿Quién se hace responsable de determinar el criterio de selección para que un artista pudiera siquiera ser considerado?

¿El pintor o la pintora tendría que ser de cierta edad, estar representado por galerías importantes en determinadas ciudades, tener obra en colecciones, vender su trabajo a precios muy altos, tener reputación internacional, o ser sujeto de numerosas entrevistas y críticas? ¿O un proyecto tan importante como éste debería ser determinado por competencia abierta, en la que cualquier artista interesado presentaría un plan a un comité de especialistas? Los problemas, por no mencionar la politiquería, podrían ser enormes.

En este caso, un requisito era que el artista fuera capaz de pintar un mural dentro del marco de tiempo designado. Y el metro representaba un reto especial en cuanto a que el mural debería ser accesible, emocional y psicológicamente, a la gente que frecuentaba uno de los lugares más públicos y con más usuarios de una ciudad cosmopolita. En los 90, en México había muchos artistas de destacada reputación cuyo trabajo podría cubrir el criterio de inclusión en una posible lista de pintores importantes. Y muchos habían ganado ya premios de prestigio en concursos públicos y académicos.

Pero, ¿pintar un mural? Y no simplemente un mural, sino dos páneles separados, cada uno de veinte metros de largo por tres y medio de alto.

El compromiso requería de cierta destreza, experiencia en pintura mural y disposición para exhibir el trabajo prominentemente, en un sitio muy diferente de una galería de arte. De todos los países en el mundo, México ha valorado los murales de tal manera, que los ha convertido en símbolos públicos y para muchos, en sinónimo de "arte mexicano".

El muralismo, como expresión del nacionalismo, creó una reputación internacional sin precedentes a pintores como Rivera, Siqueiros y Orozco durante los años 20 y hasta los 40 y 50. Pero, aun con todo el colorido, la emoción y la controversia que hayan podido tener, esos nombres pertenecen al pasado. Un mural pintado en México en 1998 sería un fenómeno por completo diferente. Fuera quien fuera el artista, era difícil predecir cómo respondería el público o la comunidad artística.

Y luego, estaba la cuestión del tema. Pintar la casa de uno es una cosa; retratar a otro país, con todas las riquezas culturales que le dan un carácter especial, es otra. Una tarea nada fácil si la interpretación de ese país necesariamente debía incluir su literatura, arquitectura, clima, guerras, política, arte, aun su cultura popular. De hecho, muchos lo consideraron un proyecto un tanto extraño, plagado de pròblemas en potencia. Al menos, ambos murales garantizaban producir algunas sorpresas.

Estaba claro que cada artista debería estar familiarizado con el país que pintaría. Que tal vez ya hubiera vivido allí, o al menos hubiera estado el tiempo suficiente como para tener una opinión, una perspectiva, un "sentimiento" hacia una nación extraña pero no tan alejada, dado el reciente intercambio de ingeniería.

Pero, pese a que muchos artistas mexicanos habrían dado casi cualquier cosa por ser escogidos, no se hizo ninguna lista. No hubo concurso. No se nombró a comité alguno para hacer la selección. El nombre de Rodolfo Morales fue recomendado al embajador francés por dos escritores de reputación impecable: Carmen Boullosa y Carlos Monsiváis. A sus más de cincuenta años, Monsiváis es reconocido en círculos artísticos e intelectuales como una persona perceptiva, sabia, sin cabezas que cortar. Admirado como un intelectual genuino cuya opinión y pronunciamientos llevan siempre un gran peso, pertenece al encumbrado y limitado grupo de analistas sociales como Octavio Paz, y sus observaciones acerca del escenario artístico mexicano son altamente respetadas.

Monsiváis escribió un ensayo muy favorable acerca de Rodolfo y su trabajo en un libro bellamente ilustrado, publicado por el estado de Veracruz y titulado *El pueblo en su laberinto*. En él estudiaba la profunda influencia que las experiencias del artista durante su niñez tuvieron en su obra. Incursionaba en su personalidad y explicaba por qué su trabajo toca el corazón del pueblo de México. No sólo demostró admidarlo, sino que pareció entenderlo.

Una vez más, se discutió el nombre de Francisco Toledo en el mismo contexto que el de Morales. Como frecuente visitante de Oaxaca, Carlos Monsiváis conocía a todos los artistas destacados del área y socializaba con algunos. Dice nuestro artista que era amigo de Toledo en particular y que respetaba su trabajo. Toledo vivió en Francia muchos años y presumiblemente conocía en profundidad el país. Y su reputación internacional se basaba en muchos más años de reconocimiento que la de Rodolfo. Sin embargo, Monsiváis no recomendó a su amigo Toledo con el embajador francés. Ya había visto el complejo mural pintado por Rodolfo años antes en el hotel del Pedregal, y sabía que sería capaz de llevar a cabo un proyecto como el del metro. Tal vez pensó que la obra de Morales sería más accesible emocionalmente para la muchedumbre que hacía uso del metro, que la de Toledo.

Y así fue como sucedió. Carmen Boullosa, casada con el secretario de Cultura de la ciudad, Alejandro Aura, llamó a Rodolfo por teléfono para preguntarle si estaría interesado en hacer el mural. Le indicó que no habría pago de por medio pero que sería un gran honor ser seleccionado. Él le dijo que tendría que pensarlo y habló del asunto con su corredora de arte, Nancy Mayagoitia, quien negoció el mural del hotel.

Ella se puso en contacto con la embajada de Francia para decirles que Rodolfo estaba definitivamente interesado. Sin embargo, cuando le mencionó al agregado lo que le habían pagado por pintar el mural del hotel, a éste casi le da un ataque. Con delicadeza le indicó que la embajada no estaba preparada para pagar al pintor mexicano ni al francés, pero sí a cubrir todos sus gastos.

Según Rodolfo, ésta es la primera vez que se designaba a un artista en México para llevar a cabo un proyecto como el del mural, sin pasar por un proceso de selección a través de un jurado o de un comité de críticos de arte de renombre. Ésta es una evidencia más del prestigio y el valor prestado a la opinión de Carlos Monsiváis, quien conoce a un buen número de artistas que vivieron en París largas temporadas y pensaba que algunos se habrían negado a pintar el mural a menos que se les pagara, por muy honrados que se sintieran.

Rodolfo decidió hacerlo. Reconoció que era una magnífica oportunidad para expresarse y al mismo tiempo tener su trabajo en exhibición en un lugar público, donde sería visto por miles de personas. Y como no es el dinero lo que ha impulsado su fuerza de trabajo, no le importaba que le pagaran, sino tener la oportunidad, a gran escala, de mostrar sus sentimientos por un país que lo impresionó enormemente. Ésta sería una forma de mostrar su aprecio; en particular, debido a que el arte, la literatura y la arquitectura de Francia le dejaron una marca indeleble.

Dijo "Sí", y eso fue todo.

Con el fin de dar a los artistas el tiempo suficiente para hacer justicia a un proyecto tan grande, el trabajo debía iniciarse en el verano de 1998. El 27 de agosto, después de esperar varias semanas a que llegara el lienzo de lino en el que pintaría, nuestro artista estuvo listo para empezar. El lino lo pidió a Francia Manuel Serrano, el maestro restaurador de pintura antigua. Rodolfo admiraba a cualquiera que fuera capaz de hacer un trabajo con la calidad que él esperaba para sus proyectos de la fundación y confiaba en Serrano por completo.

Cuando por fin llegó el lino, Serrano lo aplicó directamente a las paredes de la estación del metro. Rodolfo no sentía la necesidad ni el deseo de pintar el mural en un estudio privado y luego hacer que lo instalaran ahí. El hombre que había trabajado rodeado por su soledad durante tantos años, ahora pintaría frente a uno de los auditorios más grandes que pudiera imaginar: cerca de treinta y seis mil usuarios del metro diariamente. Si tenía problemas o cometía errores en su trabajo, ni modo. No era parte de su naturaleza la búsqueda de la perfección, sino el amor al gesto teatral. El secreto deseo del introvertido de ser el centro de atención no estaba más lejos de Rodolfo que la punta de su pincel.

Esa tarde se reunió un grupo de ilustres personajes en las profundidades del metro para ver al artista aplicar la primera pincelada. El gobernador de Oaxaca presidía la delegación de funcionarios de su estado natal. También se encontraban representantes del gobierno francés y el director del Sistema de Transporte Colectivo Metro, así como los medios de comunicación. Toda la gente importante había sido informada. Se escuchaba un murmullo emocionado provocado por la experiencia poco común del proyecto en vivo y porque nadie sabía exactamente qué esperar.

Ignoraban si el pintor francés empezaría a trabajar en su mural esa mañana en la estación. Con Rodolfo no había duda: estaba más que listo para arrancar. Una vez que tenía una tarea que llevar a cabo, no titubeaba ni buscaba razones para posponerla. El retraso en la llegada del lino se vio agravado por un caluroso verano asolado por la sequía y los incendios forestales en Chiapas y en los bosques de Oaxaca. La Ciudad de México, con todo y su contaminación, sus congestionamientos de tránsito y su alto índice de criminalidad, era una bienvenida opción de cambio, con grandes oportunidades culturales en la música, el teatro, el arte. En muchos aspectos también, era como regresar a casa para quien había vivido casi cuarenta años cobijado por ella. La realización del mural era una rara oportunidad de atestiguar el proceso de creación de un artista mexicano famoso en otras partes del mundo. México consideró alguna vez a París como el árbitro del arte y de todo lo civilizado y meritorio de ser emulado. La arquitectura, la moda y la pintura mexicanas tenían un gran afrancesamiento. Ahora Francia se concentraba en México.

Pese a la presencia de gran número de reporteros de televisión y prensa y fotógrafos, nadie anticipó el revuelo que habría de causar el mural. Curiosos, muchos usuarios del metro se detenían a mirar, sin saber bien a bien lo que sucedía. Nancy Mayagoitia, Humberto Urban y el maestro Manuel Serrano se encontraban ahí cuando Rodolfo apareció con su vestimenta habitual de pantalón de mezclilla y camisa de trabajo. Tenía el rostro sonrojado por la emoción y su manera de andar era la de un hombre joven. La gente lo rodeó; todos querían hablarle al mismo tiempo. Los reporteros le ponían las grabadoras en la cara; las luces de las cámaras de televisión y las de los fotógrafos aumentaban la conmoción.

Nancy pronunció las palabras de bienvenida. Con voz clara y segura, que se amplificó por toda la estación, presentó al pintor mexicano y al francés, Jean Paul Chambas. Explicó a la prensa y al público el propósito del mural y el evento que estaba a punto de develarse ante sus ojos.

Chambas, con la apariencia que se piensa propia de un artista —cabello entrecano, recogido en una coleta, pantalones de kaki y un chaleco con múltiples bolsillos, presumiblemente para guardar herramientas de trabajo— con sólidos antecedentes en la pintura mural, realizó varios murales populares para el campeonato francés de futbol sóccer. Hizo hincapié en que no le pagaban por la obra y que era un honor representar a su país en tan importante proyecto. (Rodolfo me dijo después que fue muy amable y atento con él en todo el proyecto).

Llegó el momento para que nuestro artista empezara a pintar. Con paso juvenil, descendió media docena de escalones al área donde se había instalado el lino en la pared, unos metros abajo del paso de peatones y protegido por un barandal de metal. Chambas se encontraba entre el grupo de dignatarios, reporteros, amigos y curiosos que se recargaban en el barandal a mirar. El francés, cuyo mural habría de instalarse en la pared opuesta al amplio espacio por el que pasaban a diario los usuarios camino a sus trenes, abordó su trabajo de una forma por completo diferente de la de Rodolfo.

Él no lo ejecutaría en público, sino en un estudio de la Ciudad de México. Lo prepararía en secciones para luego llevarlo a su sitio en la estación. El francés comentó en privado que Morales estaba "loco" por decidir trabajar en público, especialmente si no tenía un diseño preparado. "No quiero que la gente que pase vaya comentando: 'no me gusta'", dijo a la prensa.

Pero Rodolfo no le tenía miedo a la crítica, una vieja amiga suya, una compañera que se había posado en su hombro durante años. En ese momento, se sentía más confiado que nunca. Tomó el pincel y lo mojó en una lata con pintura negra. Como nunca había pintado sobre trazos o bosquejos en ninguno de sus cientos de cuadros a lo largo de los años, no vio ninguna razón para empezar a hacerlo ahora. El tamaño del mural no le parecía problema: él afinó pacientemente su destreza en la composición durante cinco décadas y estaba seguro de que todo terminaría en el lugar apropiado. Había decidido que el mural estaría lleno de la arquitectura gótica que tanto amaba y que el río Sena correría al centro de la primera pintura. Planeó también incluir las conocidas estructuras del palacio de Versalles y la catedral de Chartres.

Su concentración en ciertos aspectos arquitectónicos del paisaje urbano francés en el mural se basaba en parte en la misma razón por la que la arquitectura juega un papel principal en sus pinturas: la perspectiva, según él, uno de los aspectos más interesantes e importantes de la arquitectura. La inclusión de elementos arquitectónicos como componentes principales en toda su obra ha sido una forma de manipular su fascinación con la perspectiva. Casi todas las pinturas que ha terminado contienen al menos un componente arquitectónico y es así como mucha gente identifica su obra.

Sin embargo, en sus pinturas, los edificios, portales, iglesias y paredes no están retratadas "correctamente" en términos de diseño matemático o cálculo. Para lograr hacerlo así tendría que tomar medidas, nos dice. La exactitud no ha sido nunca su objetivo. Piensa que la perspectiva, como la usaron los muralistas —Siqueiros, por ejemplo—, era muy importante para el efecto general y el propósito de su trabajo. "Pero la forma en la que yo la uso no es tan significativa, así que no importa si está medida correctamente o no."

Arquitectura aparte, éste no habría sido un mural de Rodolfo Morales sin las imágenes femeninas. Y, por supuesto, conforme aplicaba la pintura sobre el lino con movimientos increíblemente rápidos, éstas manifestaron su presencia. En un reportaje se describe cómo "en cuestión de minutos, apareció el esbozo de grandes espacios con figuras humanas y construcciones". Al centro del mural tomó forma el bosquejo de un grupo de mujeres sosteniendo la ciudad de París con las manos. La imagen es un reflejo impactante de los cientos de mujeres mestizas que llevan amorosamente en sus brazos el pueblo de la infancia de Rodolfo en tantas de sus pinturas. Sus cabezas son grandes, pero sus manos son más grandes aún y más fuertes... un toque auténticamente Morales.

Los murales se inauguraron el 12 de noviembre de 1998, en presencia del embajador francés y del jefe de gobierno de la Ciudad de México. Al evento, anunciado como "Una visión mexicana de Francia", asistió Jacques Chirac, como invitado del jefe de gobierno Cuauhtémoc Cárdenas. Rodolfo dice de ese día: "Es lo mejor que me ha pasado en la vida".

En efecto, la empresa entera resultó ser extraordinaria para el pintor, quien la describe así:

> Fue una experiencia muy interesante; como si fuera un actor que salía al escenario. Me sentía muy seguro de mí y del papel que representaría. Así es como me sentí. Tenía mucha confianza en lo que iba a hacer.

Esta absoluta confianza en sí mismo es un contraste dramático con cómo se sentía cuando pintó los otros murales en los años 50 y 60. Ni siquiera el gran placer que le causara pintar el del hotel se comparaba con esta emoción. La entusiasta reacción del público mientras pintaba el mural del Pedregal, aunada a la libertad de hacer exactamente lo que quisiera, fue muy satisfactoria. Le ayudó a probarse, por fin, que sabía lo que significaba pintar un mural. Pero, en comparación con el del metro, era tan sólo un paso en el camino hacia la satisfacción.

Para quienes miraban desde el barandal de metal, resultaba increíble que un hombre pudiera crear un bosquejo de tal complejidad en su composición sin dar un paso atrás, al menos una vez, para ver lo que hacía. Pero así trabajaba Rodolfo. No consultaba ningún dibujo predeterminado. No hubo un momento de duda o titubeo que hiciera más lentas las pinceladas. Simplemente, pintaba como si el diseño ya estuviera sobre el lino, listo para ser revelado, en un proceso similar al descrito por el escultor: "La figura ya está en el mármol, esperando a que la liberen".

Rodolfo dice:

> La mayor diferencia entre ambos murales fue que para el del hotel no tenía un tema en mente y no sabía lo que pintaría hasta poco antes de empezar. En contraste, ya que el tema del metro estaba definido como "La visión de un mexicano sobre Francia", tuve tiempo para reflexionar sobre las impresiones que recibiera de ese país durante mis viajes. En particular, pude reconocer cuánto le debía a la escuela de París, a Matisse en particular. Entre los pintores que han influenciado mi obra, además de María Izquierdo y Rodríguez Lozano, sin duda se encuentran los impresionistas franceses. Matisse, por ejemplo, también me enseñó a no tener miedo.
>
> En mi visita a Francia en 1968 durante mi primer viaje a Europa, el país me pareció como un sueño. En el segundo viaje me sumergí en la literatura y la pintura de los grandes artistas franceses, tan importantes para mi formación. Pero lo que más me impresionó fueron sus catedrales, especialmente la de Chartres.

Ésta sería una interpretación de Francia distinta y única. Y, lo más importante, sería una interpretación distinta y única de Morales.

Cuando inició el trazo del mural, sabía que, debido a su conocimiento y su amor a la arquitectura, estaba pisando en firme. Además, se creó un ambiente solidario en el sitio donde pintaba: el espacio más bien cavernoso del metro y la presencia cotidiana de sus usuarios. "Todas estas cosas influyen en un mural", dice Rodolfo.

Esos elementos de apoyo constituían un gran contraste con la soledad que fuera su único sustento en su trabajo. Los años en los que nadie se interesaba en lo que hacía no eran más que un recuerdo lejano, pero un recuerdo al fin. Los miles de personas desconocidas que jugaban un papel en la creación de este mural no tenían idea de su importante contribución a la obra en marcha. Los desconocidos incluían a quienes en el pasado lo ignoraron y a las incontables personas que lo observaban trabajar durante las casi seis semanas que le tomó terminar el proyecto.

Y en cierto sentido, allí, bajo tierra, el mundo se convirtió en su audiencia. "Era como una representación de teatro", dijo. Su amor al gesto dramático se liberó como nunca antes. En el pasado, siempre se había quedado al margen observando las acciones de los demás. Ahora, él era la obra, el director, el actor, el libreto; todo personificado en un solo individuo. Recordó las palabras de Antonio Rodríguez, uno de los pocos críticos que exploraron las profundidades de su trabajo, quien en 1981 escribiera que sus pinturas estaban llenas "de magia y misterio y de un presente que no tiene fin".

Ahora, a gran escala, Morales alcanzaba esa profundidad para plasmar algo misterioso y mágico acerca del espíritu creativo de Francia. Su objetivo era hacerlo de tal forma que el tiempo se detuviera; que sus impresiones de ese país revelaran su intemporalidad con tanta honestidad como lo hacía en sus pinturas de México.

Mientras trabajaba, la escena que tomó forma provocó un amplio rango de reacciones: muchos se detenían a hacer preguntas o comentarios. Algunos preguntaban: "¿Qué es?" Cuando les contestaba que estaba pintando Francia, decían: "¿Y dónde está eso?" Otra pregunta frecuente era: "¿Qué, así se veía México antes?"

Un hombre preguntó si el mural quería decir que ya acabamos con la naturaleza. Rodolfo lo describe como un hombre muy sencillo, sin pretensiones intelectuales, que hizo una pregunta sabia. Indicó una habilidad innata para ver que en su interpretación de Francia intentaba expresar la transición de un estado natural a uno más civilizado. Éste es un ejemplo del poder genuino de su obra: su arte para lograr algo más profundo que una visión superficial de lugares y gente. Dado que ésta es una habilidad que está dentro del artista y no se limita al exterior, no es raro que haya logrado los mismos resultados con un país que no fuera México.

Los comentarios negativos que recibió —"¿Por qué lo estás haciendo así? No hay equilibrio; no está bien balanceado"— fueron de alumnos de la Academia. Mostraron la misma arrogancia que enfrentó años atrás, cuando le requerían que copiara los trabajos de la escuela mexicana.

Era de nuevo, San Carlos.

Alguien le dijo: "Yo he estado en Francia, y eso no es Francia".

Pero él no les hizo caso. "Las personas que no hablaban eran las más interesantes, las que se detenían a mirar la pintura toda la tarde, en silencio." Estos observadores de alguna forma se dieron cuenta de que, para poder ver en realidad lo que se expresaba en el trabajo de Rodolfo, tenían que quedarse un rato ahí, entendieran o no lo que quería decir. En todas sus obras se aprecian las cualidades emotivas del silencio y la soledad y las expresiones de abandono, quietud y muerte, que no pueden comprenderse con una mirada rápida.

Como lo expresara Antonio Rodríguez, las observaciones más superficiales surgen rápidamente si todo lo que uno ve en su trabajo son las fiestas, los músicos, los perros juguetones, las mujeres voladoras, los aviones y los trenes, los colores brillantes. Sí, todo esto es crucial en su obra, así como las imágenes que utiliza para crear un mundo propio y particular. Pero el observador serio debe tomar tiempo para mirar, para examinar, para sentir en silencio lo que se encuentra "del otro lado" de las imágenes coloridas que el artista parece ver con tanta claridad.

Del otro lado es donde reside el misterio. Se encuentra en el vislumbre que el pintor nos permite tener de otro mundo: un mundo mágico de emociones sin palabras, de sentimientos más profundos que el lenguaje. Al igual que las iglesias barrocas del valle de Oaxaca, en las que frailes y artesanos volcaron su pasión hacia Dios y la belleza, él usa el gesto creativo como vehículo para sus sueños, deseos... y recuerdos.

Aquellos que pasaban en la mañana y en la noche por donde trabajaba observaban lo mucho que avanzaba. "¿Usted nunca duerme?", le decían. "¿Siempre está trabajando? Aquí lo dejé anoche y cuando llego temprano sigue aquí."

El primer panel, de tonos predominantemente azules y violetas, se terminó rápidamente. Rodolfo se sentía satisfecho con el resultado y me dijo: "Con la primera parte, estaba perfectamente seguro de lo que hacía". Sin embargo, no sintió la misma satisfacción con el segundo: "Cuando empecé a trabajar en la segunda parte tuve algunos problemas, no estaba muy contento." Y, por ser quien es, no dio excusas ni adujo las dificultades con las que se encontró.

Esperaba pintar el segundo panel como un homenaje al impresionista Claude Monet. (Al igual que el francés, el amor de Morales hacia las flores lo evidencia la frecuencia con que las pinta y las repetidas veces que las menciona al hablar de su infancia.) Pero, conforme pintaba, dice, su interpretación de Monet "parecía más bien Xochimilco". Se rió de sí mismo cuando me contó la historia.

Sin embargo, si esperaba que lo criticaran, no tenía que ir muy lejos. Algunos de los que llegaron a verlo trabajar le dijeron que no estaba pintando bien la campiña francesa. No titubearon en señalar la falta de equilibrio entre la forma en que retrataba el paisaje y las flores y aquella en que lo hizo con la arquitectura en el segundo mural. (Aunque había elementos arquitectónicos en este panel, sus aspectos más importantes eran la vegetación y el paisaje.) Sin ponerse a la defensiva, Rodolfo me dijo que él mismo sentía la falta de equilibrio y a última hora agrandó los edificios del segundo mural. Piensa que una de las razones por las que este último no fue tan afortunado es que estaba menos seguro de lo que en realidad vio en el paisaje, en comparación con la certeza que tenía respecto a la arquitectura, la cual prácticamente absorbió hasta por los poros. Asimismo, las pinturas de los impresionistas franceses influenciaron su apreciación de la campiña, los árboles y las flores y tenía menos confianza en que su interpretación se basara en su experiencia personal y su propia perspectiva.

Rodolfo mencionó los intentos fallidos de hacer réplicas de la preciosa capilla de Tonanzintla en Puebla y el bello templo de Santo Domingo en Oaxaca. Pensando en estas experiencias, él necesitaba crear su propio paisaje y no tratar de imitar a Monet o a cualquier otro pintor.

Cuando dijo: "Se ve de inmediato lo que hicieron diferente", refiriéndose a los intentos de reproducir esos dos magníficos edificios en México, también quiso decir que no debemos criticar la diferencia. Lo que sí está sujeto a la crítica, según él, es el intento de crear una réplica exacta de una estructura arquitectónica, de una escultura o una pintura. Así que esforzarse por reproducir aun algo tan familiar como la campiña francesa tal como la representaron los impresionistas hubiera sido imposible e incorrecto. El pintor subrayó la importancia de encontrar una manera propia de expresarse. Insistió en que éste debe ser el objetivo de todo artista, y no copiar otra obra. Acerca del mural, dijo: "No es una pintura buena o mala... nada más soy yo pintando a mi manera".

Tomando en consideración el tamaño y la complejidad de los dos murales, es difícil creer que los haya terminado en un mes y cinco días. Sus horas de trabajo habrían agotado a muchos pintores más jóvenes. Llegaba a la estación a las 6:00 a.m. y trabajaba sin parar hasta las 2:00 p.m. Después de un descanso de tres horas, volvía a pintar de las 5:00 p.m. a las 10:00 p.m. Comentó que se le cansaba mucho el brazo izquierdo porque cuando tenía que pintar la parte baja de cada mural, se recostaba en el suelo y se apoyaba en ese brazo para poder alcanzar la orilla. Como el mural casi toca el suelo, no había forma de sentarse o estar de pie para pintar esa parte.

La aplicación del color a las secciones medias o altas la hacía de pie o en una especie de andamio (de hecho, unas tablas puestas sobre cajas y sostenidas con escaleras). Pero no tuvo que subir muy alto. Aunque largo, el mural está a la altura exacta en la que pueden verlo todos los que pasan por la estación.

Rodolfo pintó sección por sección moviéndose de izquierda a derecha por todo el mural. Lo hizo de manera diferente a como trabaja en sus cuadros. En ellos, aplica la pintura en distintos puntos, trabajando primero un color y luego otro en varias áreas del óleo. Nunca pinta por secciones, sino que trata cada cuadro como un todo, aplicando pintura constantemente sobre la superficie entera, capa por capa, de modo que cada día que pasa, la pintura adquiere más brillantez. Con el mural del hotel siguió el mismo procedimiento; la única diferencia fue que después le corrigió o agregó más detalles a la parte inferior.

Mientras trabajó en el mural, Rodolfo no regresó a Oaxaca. Convirtió en su hogar temporal al histórico Hotel de Cortés, ubicado en el corazón de la capital, cerca del Palacio de Bellas Artes y la catedral. No lo escogió sólo porque podía caminar de ahí a la estación, sino porque su encanto es más acorde con el ambiente arquitectónico que le gusta que el de un edificio nuevo, lleno de las líneas rectas y toques austeros que caracterizan muchos de los diseños contemporáneos mexicanos. Comía regularmente en el bello patio lleno de flores, bajo los portales de más de un siglo de antigüedad, oyendo el canto de los pájaros.

Se sentía como en casa en este pequeño oasis, antes de salir al ruido y el tránsito de la ciudad.

Su joven y fuerte guardaespaldas, Miguel López, estuvo continuamente con él durante esas semanas. Aunque nunca hubo la menor señal de protesta violenta, o cualquier tipo de agresión que requiriera sus servicios, Miguel representaba una compañía y alguien con quien hablar cuando se permitía un descanso. Y se convirtió en un útil asistente conforme el trabajo avanzaba. Siempre estaba en el sitio del mural y le preparaba la pintura a Rodolfo, pasándosela, por ejemplo, cuando necesitaba cierto color. Hubo un momento en que el joven le comentó a Humberto Urban que estaba exhausto intentando seguirle el paso al maestro que trabajaba tantas horas seguidas.

Le pregunté a éste si vio a muchos de sus viejos amigos en esas semanas y, con su estilo habitual, me contestó: "Algunos fueron a verme". Eso incluía a aquellos que no tenían contacto con él desde hacía cuatro décadas, cuando estudiaba en la Academia. La visita que más le sorprendió fue la de un hombre que tomó clases con su madre, y a quien no vio durante más de sesenta años. Todo tipo de gente de su pasado apareció porque el evento recibió mucha publicidad; hubo artículos y entrevistas en los periódicos y la televisión mexicanos, así como en la prensa internacional.

Una de las entrevistas de televisión más difundidas fue la conducida por la periodista y crítica mexicana Cristina Pacheco, quien ya había escrito varios artículos favorables acerca de Rodolfo y su trabajo. El programa del 11, el canal cultural de la Ciudad de México, generó tantas llamadas telefónicas preguntando por el pintor, el mural y su arte, que los teléfonos se saturaron. Fue una experiencia muy estimulante para él.

No hubo agresiones de parte de los que llamaron, dice. Muchas personas que lo conocieron en el pasado querían saludarlo o felicitarlo por sus logros. Debido a la publicidad, la atmósfera que envolvía este proyecto era cálida y de apoyo. El entusiasmo y la excitación que el mural del metro provocaba no podían ser más opuestos a la frialdad que prevalecía cuando Rodolfo trabajó en el de la escuela preparatoria cuarenta años atrás.

En lugar de ser objeto de críticas, era prácticamente una celebridad. La gente que lo reconocía en la calle no dudaba en hablarle. Le estrechaban la mano y le decían: "Ya sé quién es usted". Fue muy satisfactorio que el reconocido pintor José Luis Cuevas lo felicitara cálidamente después del programa.

Durante la entrevista se mostraron las pinturas del libro publicado años antes por el gobierno de Veracruz. Así, miles de personas que nunca antes habían visto su trabajo pudieron verlo. Su interpretación del México antiguo ya no era exclusivamente para sus coleccionistas o para las galerías de arte. Debido al mural del metro, el nombre de Rodolfo Morales se hizo familiar para el ciudadano común. Mucha gente viajó a Ocotlán a conocerlo en persona después de verlo en televisión. Querían admirar su obra y hablar con él. Ésta es otra manifestación de su capacidad para llegar al corazón de las personas y despertar sus emociones.

La exposición pública de alguien tan tímido como Rodolfo, le dio identidad como creador de la versión de fines de los 90 del "arte para el pueblo". El artista que se resistió al mandato de copiar a los grandes muralistas nunca imaginó que llegaría a crear su propia versión de ese arte para el pueblo. Pero eso es exactamente lo que representa el mural del Metro. La ubicación de esta enorme obra en uno de los lugares más públicos de México significa que miles de personas a quienes tal vez les intimide una galería de arte pueden ver su trabajo con sólo pasar por ahí.

Pero la historia no estaría completa si no incluyéramos algunas palabras de sus críticos. Los periódicos más importantes publicaron largas entrevistas y críticas de varias luminarias del arte, así como resúmenes de la vida de Rodolfo. El 8 de noviembre de 1998, *Proceso* publicó el largo artículo "Para las instituciones culturales y los intelectuales mi pintura ya está superada". Los periodistas Pedro Matías y Armando Ponce citaron la falta de interés del padre de Rodolfo, la inestabilidad económica y la angustia permanente de su madre por pagar la renta.

Mencionaron el abrupto fin de su educación formal debido a las tendencias socialistas en la escuela de Ocotlán, su entrada a la Academia de San Carlos y sus treinta y dos años en la docencia.

Le preguntaron sobre las críticas de algunos "intelectuales de la cultura". Por ejemplo, Teresa del Conde, directora del Museo de Arte Moderno de la Ciudad de México, quien (refiriéndose al mural del Metro) dijo: "Su trabajo no debería estar aquí". Añadió que Morales no era un pintor moderno ni de vanguardia y que debió seleccionarse a uno que fuera más contemporáneo o experimental para representar a México en un lugar tan público como ése.

Según el artículo, con una sonrisa el artista respondió: "Lo máximo que serán capaces de decir de mí es que soy un pintor de éxito". Implicaba a ciertos intelectuales, así como a los críticos de arte a quienes no les gusta su trabajo. Rodolfo dice que a él no le agrada ni la vieja guardia ni la vanguardia. El hecho de que su éxito como pintor haya ido en aumento, aun sin apartarse nunca de su estilo, parece molestar a algunos mucho más que si hubiera intentado modernizarse. Irónicamente, pese a las protestas de aquellos con una posición similar a la de Teresa del Conde, el mural del metro está allí para quedarse.

Rodolfo me habló de las circunstancias en que conoció a Teresa en 1976, justo después de que Estela Shapiro lanzara su primera exposición. Ella lo invitó a un programa en el que se entrevistaría a varios artistas. Él describe a Teresa, quien escribía sobre pintura abstracta, como alguien "que empezaba y no era conocida aún". Cuando llegó Rodolfo, otro de los invitados le preguntó: "¿Tú qué haces aquí? Se supone que éste es un programa para gente joven". (Morales tenía entonces cincuenta y un años y apenas había sido "descubierto" por Tamayo un año antes.)

El programa era conducido por Jaime Mejía, "un pintor muy mediocre que ya desapareció del medio". Después, Teresa diría que Rodolfo no quería hablar en la entrevista. Pero él recuerda otra cosa: "Estaba muy insegura y más nerviosa que yo durante el programa. Se enfrentaba a un mundo con el que no estaba familiarizada".

Elba Esther Gordillo, la senadora por Chiapas que es coleccionista de la obra de Rodolfo, publicó un libro de arte llamado *Tres generaciones*, que incluía a Francisco Toledo, Rodolfo Morales y Julio Galán, y a Teresa no le quedó más remedio que escribir algo al respecto. Pero no estuvo dispuesta a dar detalle alguno sobre Morales. Él dice: "Teresa no quería hablar de mí para nada". En tanto que le dedicó dos páginas a otro artista, el único comentario que hizo sobre él fue: "Rodolfo Morales es un pintor de éxito".

Unos años antes de hacer el mural del metro, nuestro artista recibió una invitación del Museo de Arte Moderno para participar en una subasta de arte de pintores mexicanos modernos. Al descubrir que se haría una "selección" de lo que recibiera el museo, Rodolfo no se molestó en contestar. Y tomó la decisión correcta porque el evento fue muy criticado, sobre todo porque los artistas que participaron se copiaban el estilo entre sí.

Pero Teresa del Conde no era la única figura en contra del famoso mural. La notable crítica de arte Raquel Tibol también escribió en *Proceso*, en la edición del 22 de noviembre de 1998, que las versiones que hizo Morales de Rodin y Delacroix en el segundo panel del mural eran "lamentables". Después de hacer una lista de los objetos y lugares que pintó, llama "confuso" al uso de azules y verdes. Concluye con lo que puede considerarse un cumplido a trasmano diciendo que si al artista no se le hubiera requerido que respondiera a un programa o tema fijo, hubiera logrado la dignidad de sus otros trabajos pictóricos.

Al hablar de las anteriores críticas, Rodolfo se agitó. Era obvio que le habían herido las duras palabras y la actitud condescendiente de estas mujeres. Sus palabras parecían atropellarse y fue difícil entender muchos de sus comentarios. La experiencia de toda una vida de ser denigrado por escrito le llegaba muy hondo. Y su forma de disimular el dolor era criticar a su vez a las escritoras. Aunque en nuestras sesiones insistió en que los críticos rara vez saben de lo que hablan, en el caso de las dos mujeres hizo hincapié en lo mucho que se habían equivocado con otros pintores.

No obstante, luego reconoció que Raquel Tibol es una experta y "sabe mucho del movimiento plástico en México". Originaria de Chile, tiene la reputación de ser una luchadora que inició su carrera escribiendo para revistas políticas. Dice Rodolfo:

> Fue admiradora de los muralistas mexicanos y se volvió moderna; empezó a alabar a ciertos pintores jóvenes de promesa cuestionable, a quienes ya nadie reconoce.
>
> Raquel, ahora de setenta años, fue en una época secretaria del poeta Pablo Neruda y conoció a los más grandes artistas de los últimos tiempos, incluyendo a Diego Rivera. Se expresó muy mal de Carlos Mérida, el aclamado pintor. Inicialmente criticó mucho a Rufino Tamayo, pero después cambió de opinión y se hizo amiga de él. Cuando empezó a ensalzar su arte, todo lo negativo que había dicho de Tamayo, se le olvidó.
>
> En una ocasión, consideró dirigir el nuevo movimiento muralista en el país, en el que participarían sólo los artistas jóvenes. Intentó conseguir apoyo del gobierno, pero no pasó nada.

Pese a las críticas que hizo Tibol del mural del metro, Rodolfo describe sus encuentros como cordiales:

> Está muy bien informada, pero no debería ser considerada como profeta; no debería tener tanta influencia diciendo lo que es bueno y lo que es malo. Mira a todas las personas que infló y que ahora no son nada. Y también se ha equivocado terriblemente. Por ejemplo, fue muy dura con Orozco y él es uno de los más grandes.

Resume su opinión sobre su capacidad de crítica de arte de esta forma: "No hay ningún artista al que haya criticado sin equivocarse".

Raquel Tibol y la crítica argentina Martha Traba han tenido gran influencia en cómo se considera al arte en Latinoamérica, lo que debe tomarse en cuenta y lo que debe desecharse como inferior. Hubo un momento, dice Rodolfo, en el que Traba llamó a los tres fundadores de la escuela mexicana, "nazis".

Si Tibol y Del Conde no tenían mucho entusiasmo por el mural del metro, me pregunté qué clase de impresión causó la obra en el embajador francés y en Cuauhtémoc Cárdenas, el serio y controvertido jefe de gobierno de la Ciudad de México. Éste lo felicitó de una manera muy oficial, y al embajador "le encantó" el mural. Se ofreció una suntuosa fiesta en la embajada francesa, antes de la inauguración y entre los invitados se encontraban numerosas personalidades del mundo de la política.

"Me trataron muy bien", dijo Rodolfo, "todos fueron muy amables conmigo." Luego me miró de lado con una sonrisa en los ojos: "Claro, yo tampoco les causé ningún problema".

Quise saber de las mujeres que ocupaban un lugar tan prominente en el centro del primer panel del mural. Como nada más lo vi aquella mañana en que Rodolfo hizo tan rápidamente el primer trazo con tinta negra, no sabía en realidad cómo se verían ya terminadas. Al igual que las mestizas que sostienen al pueblo de su infancia en todas sus pinturas, sabía que éstas abrazaban París, la ciudad mágica que durante tanto tiempo ha sido el centro internacional del arte, la cultura y la belleza.

"¿Se veían francesas? ¿O mexicanas?", le pregunté. Sonrió levemente. Le brillaron los ojos. Tal vez se sentía orgulloso o apenado. Casi soltó la carcajada. "Mexicanas", respondió, "mexicanas."

Recordé algo que nunca debí haber olvidado, el tema central de una vida vivida con dignidad y coraje. Rodolfo no puede ser sino mexicano. La suya es una vida consistente por ser quien es: un pintor mexicano, un hombre tan a tono con el carácter y el alma de su país que el espíritu de México se refleja en todo lo que hace. Sus óleos sobre tela, las iglesias del siglo XVI que restaura, las vidas de las personas que ha cambiado, la historia que preserva; su interpretación de Francia en las paredes de la Ciudad de México, en el metro, todo revela cómo es él en realidad.

"Yo soy Rodolfo Morales", dice; "por eso me escogieron, no porque sea bueno, sino porque soy yo mismo." El niño tímido que creció en un pueblo del que nadie había oído hablar, es en verdad él mismo en toda la extensión de la palabra. Porque su corazón siempre está abierto para su ser y para las voces que puede oír y porque personifica una visión más grande que él mismo, se ha convertido en el Maestro.

El Maestro Rodolfo Morales.

Epílogo. La Virgen de los Dolores

La historia de Rodolfo Morales no termina con el mural que pintó en la estación de Bellas Artes. Por la manera en que ha vivido y por lo que ha logrado, en muchos aspectos, su historia es una historia sin fin. Como artista del siglo xx, le ha mostrado al mundo lo que significa ser mexicano. Las historias de su niñez nos han ayudado a entender las actitudes y las personalidades —en ocasiones desconcertantes— de sus compatriotas. Ha puesto de manifiesto el enigma que es México, con sus miles y miles de sucesos, de los cuales quizás nunca sepamos su verdadero significado. Su pintura y la restauración de los templos están muy lejos de poder explicarnos lo inexplicable. La sensación de misterio que queda justo bajo la superficie en toda su obra, es un reflejo verdadero del viejo México: una mezcla de las tradiciones indígenas con el mundo mestizo creado por los españoles.

En su vida privada, Rodolfo respeta algunas de las tradiciones de ese pasado impenetrable. Hay una, inseparable de su mundo de mujeres, iglesias y bellos altares, que es especialmente importante para él. Durante la Semana Santa, el primer viernes, se pone un altar a una virgen en las iglesias y casas particulares. A diferencia de la mayoría de las imágenes de la virgen en todo México, ésta no tiene una apariencia plácida. Por el contrario, la embargan el dolor y la pena. Vestida de negro con un halo dorado en la cabeza, tiene el rostro ligeramente de lado, como si su sufrimiento fuera tan grande que no puede compartirlo con quienes la miran.

En tanto que en la Semana Santa se representan la muerte y resurrección del Hijo de Dios, durante la semana anterior México muestra su cara femenina al mundo, venerando a su Madre. Es el rostro de la Virgen de los Dolores, que ha sufrido por siglos. Es la madre del hijo que se ha ido, la madre que ha experimentado la mayor pérdida posible.

La Virgen de los Dolores, una de las muchas que hay en México, parece ser la figura perfecta para Rodolfo Morales, un hombre que ha sufrido grandes penas en la vida. Desde que regresó a vivir a Ocotlán, el pintor ha abierto su casa a la gente del pueblo para honrarla, y en abril de 1999 me invitó a la celebración.

Al igual que muchas en el país, su casa en Ocotlán tiene un bonito altar en la entrada, justo junto al portón de hierro forjado decorado con figuras de animales. El altar se encuentra en un nicho especial pintado del mismo color azul que se encuentra en todas las casas que ha renovado. Su diseño barroco también nos recuerda las iglesias restauradas. En el centro está la imagen de la Virgen.

Aunque su imagen suele estar rodeada de flores y velas, en esta ocasión era diferente. Había botellas llenas de agua teñida de rojo, iluminadas por la parte de atrás, con lo cual se lograba el efecto de que un fuego ardía en el centro. En cada botella había una naranja fresca sostenida con una varita que salía por la boca de la misma. Al calor del altar se desprendía un aroma a naranja que se expandía cada vez que soplaba la brisa por la puerta entreabierta.

Lo más peculiar del altar eran las docenas de animales de barro verde que se hacen a mano en la villa de Atzompa, no lejos de la ciudad de Oaxaca. Animales propios de la región, como borregos y vacas. Al centro, estas figuras tienen una abertura para que puedan llenarse con agua. Poco antes de la Semana Santa, se les pegan por todo el cuerpo semillas de chía, parecidas a las de calabaza, y se colocan en un lugar oscuro. En unos cuantos días, las semillas germinan, cubriendo a los animales con una especie de "abrigo" que parece de lana o de piel, pero en realidad es de hierba.

Yo le expliqué a una de las invitadas que en Estados Unidos comemos los germinados en ensaladas o emparedados y ella, sorprendida, confesó que nunca los había visto. En el piso, frente al altar, había varios ladrillos a los que también le habían puesto las semillas a germinar, y que con su capa verde encima, formaban una cruz. Había muchas veladoras a su alrededor que brillaban intermitentemente entre los animales.

Una gran cantidad de floreros llenos de rosas se amontonaban al pie del altar, junto a la cruz. Muchos de los invitados que iban llegando traían flores amarillas que iban colocando junto a las rosas. A cada lado del altar largas varas de flores anaranjadas se elevaban más de un metro por encima de él. Me eran totalmente desconocidas. Rodolfo me explicó que eran del maguey y florecen sólo a fines del mes de marzo; salen de su centro y alcanzan una altura sorprendente. Éstas provenían de los cerros cercanos a Ocotlán.

Frente al altar se habían instalado unas cincuenta sillas plegables, dispuestas en filas para los invitados. Pregunté si el evento sería conducido por un sacerdote y me dijeron que esta celebración en particular no lo requería puesto que se celebraba de manera particular con la familia. Ése era otro atractivo para la gente. A ambos lados de los amplios corredores que rodean el patio, se colocaron mesas cubiertas con manteles blancos, con más de cien lugares, y en cada uno había un plato con pan de maíz que habría de comerse remojándolo en chocolate caliente. La invitación era para las siete de la noche. Mi esposo y yo, que éramos los únicos estadounidenses, llegamos a las siete y media. Los demás invitados empezaron a arribar como a las ocho. Rodolfo, que siempre es muy puntual, se sentó junto a mí y me explicó que pronto todos se presentarían, pero que estaban acostumbrados al "horario mexicano".

Al cabo de un rato, ya se habían ocupado todas las sillas. Enseguida, y sin que la anunciaran, una mujer se levantó y se dirigió a un reclinatorio al lado del altar. Con voz clara y confiada, empezó a cantar el rosario. Aunque yo no soy católica, reconocí las dos oraciones que se repitieron una y otra vez de forma rítmica y meditativa. La primera era el Padre Nuestro y la otra el Ave María. La gente reunida frente al altar respondía. A nuestro alrededor las voces repetían las oraciones ancestrales recitadas en un sinnúmero de idiomas por todo el mundo. Atrás de mí se encontraba una mujer que tenía una voz tan bella que podría haber sido soprano. En la santa oscuridad, con la esencia del incienso, la leve fragancia de las naranjas, las chispeantes veladoras, el fuego en el agua y las devotas oraciones, parecía que el tiempo se hubiera detenido.

Éramos parte de un ritual que pertenecía a una era intemporal. Éramos uno solo con Nuestra Señora de los Dolores, sin importar el nombre que le diéramos y cuáles fueran nuestras penas personales.

Y entonces empezó a llover. Como estábamos sentados en el corredor, la lluvia no nos tocó. Su suave sonido acentuó el ritmo ancestral de la ceremonia, la cual terminó abruptamente. La gente que estaba cantando de pronto dejó de hacerlo. La cuñada de Rodolfo, Guillermina, se levantó con gracia y pidió a los invitados que pasaran a las mesas que se alineaban en el corredor. Tan pronto como nos sentamos, nos sirvieron tazas con chocolate bien caliente. Mojamos nuestros panes en él y conversamos suavemente. Observé que todos los lugares estaban ocupados, a pesar de que Rodolfo me comentó que nadie recibió invitación especial. Todos en Ocotlán sabían que el maestro celebra este día cada año y que todos son bienvenidos. Y, casi mágicamente, había un lugar a la mesa para cada uno de los que llegaron.

Los platos y las tazas fueron retirados discretamente por unas atractivas jóvenes y muchachos que los sustituyeron por otros platos con dos tamales de hoja de maíz, adornados con un manojo de hierbas. Rodolfo, sentado frente a mí, me dijo que tal vez no me gustarían. Pero se equivocó. Eran los mejores tamales que había comido en México. Sazonados ligeramente con chile, uno de ellos era de masa de maíz, envuelto en hoja de aguacate. El otro estaba relleno del tradicional mole de Oaxaca.

En este estado, a diario suceden las cosas más extrañas, así que no me sorprendí mucho cuando el pintor me presentó a una joven muy guapa que estaba sentada junto a él. Se llamaba Claudia. Boliviana, y becaria de la Fundación Watkins, estudiaba arte mural contemporáneo en Latinoamérica y África. Pasaría varias semanas en Oaxaca, entrevistando a Rodolfo, antes de partir para El Salvador. Hablaba inglés con fluidez y conversamos un rato acerca de los murales de Rodolfo, particularmente del que está en la estación del metro en la Ciudad de México. Me dijo que le interesaba el arte mural contemporáneo como expresión política o de sentimientos nacionalistas.

Rodolfo comentó que eso era exactamente lo que creía Diego Rivera, y que vivió de acuerdo a sus creencias. Cuando murió, se descubrió que había dejado todo su dinero al Partido Comunista. Yo pensé que, a su propio modo, él está haciendo lo mismo. Su pintura es una expresión de sus sentimientos nacionalistas, de las emociones asociadas con las tradiciones de su país.

La celebración de la Virgen de los Dolores constituye un receptáculo de estos sentimientos, como lo son sus pinturas y su labor de restauración de templos.

Cuando miré a mi alrededor, todos habían desaparecido tan calladamente como llegaron. Me despedí de Rodolfo con un abrazo y salí a la oscuridad oaxaqueña. Atrás de mí, del otro lado del portón de hierro, las velas se extinguían. La breve llovizna había dejado el aire fresco y limpio.

Mientras manejábamos por las montañas para regresar a la ciudad de Oaxaca, pensé en lo que había visto y sentido durante las últimas horas. Me di cuenta de que este hombre callado y tímido me dio un regalo mucho más grande que lo que acababa de transpirar entre las velas y el canto. Desde su perspectiva personal y única, Rodolfo me había permitido ver el misterio de su vida y de la vida de su país.

La noche era tranquila. Yo tenía miedo de arruinar la experiencia que acababa de compartir con la gente que hablaba el idioma del corazón, y manejamos en silencio todo el camino hasta nuestra casa en Oaxaca.

Rodolfo Morales
El señor de los sueños
Primera edición
Noviembre 24, 2000
Tiro: 2000 ejemplares
Tipografía: Gilda Moreno Manzur
Negativos: Fotolito Orozco
Impresión y encuadernación
Arte y ediciones Terra, S.A.
En la composición tipográfica se empleó
el tipo Times 12 en 14 puntos.
El cuidado de la edición estuvo a cargo de
Gilda Moreno Manzur